ДЖОН ГРИШЭМ

Бестселлеры Джона Гришэма

ДЖОН ГРИШЭМ

КОРОЛЬ СДЕЛОК

АСТ
МОСКВА

Бестселлеры Джона Гришэма

ДЖОН ГРИШЭМ

КОРОЛЬ СДЕЛКИ

АСТ
МОСКВА

УДК 821.111(73)
ББК 84 (7Сое)
Г85

Серия «Бестселлеры Джона Гришэма»

John Grisham

The King of Torts

Перевод с английского И.Я. Дорониной

Компьютерный дизайн А.А. Кудрявцева,
Студия «FOLD & SPINE»

Печатается с разрешения автора
и литературных агентств The Gernert Company, Inc. и Andrew Nurnberg.

Гришэм, Джон

Г85 Король сделки : [роман] / Джон Гришэм; пер. с англ. И.Я. Дорониной. — Москва: АСТ, 2014. — 415, [1] с. — (Бестселлеры Джона Гришэма).

ISBN 978-5-17-083701-4

Государственный защитник...

Рутинная, не слишком хорошо оплачиваемая работа, которую приходится выполнять едва ли не каждому начинающему юристу. Работа, которая не сулит Клею Картеру ничего интересного...

Пока он не возьмется за дело парня, совершившего убийство, казалось бы, без всякой причины.

Пока не поймет, что за банальным делом стоит дело настоящее.

Дело трудное, опасное, сулящее не просто большие — огромные деньги.

Дело, которое может стать началом блестящей карьеры — если рискнуть всем и пойти ва-банк.

УДК 821.111(73)
ББК 84 (7Сое)

1

Выстрелы слышали не менее восьми человек. Трое из них инстинктивно закрыли окна, проверили дверные замки и затаились в безопасности или по крайней мере уединенности своих маленьких квартир. Двое других, имевших кое-какой опыт в подобных делах, бросились бежать от злополучного места едва ли не быстрее, чем стрелявший. Еще одного, фаната повторного использования отходов, привычные резкие звуки уличной перестрелки застали в тот момент, когда он рылся неподалеку в мусорном баке, выуживая алюминиевые банки. Он мгновенно спрятался за гору картонных коробок, переждал заварушку, после чего осторожно прокрался в аллею, где и наткнулся на то, что осталось от прошитого пулями Пампкина*.

А два человека видели практически все. Они сидели на пустых пластиковых ящиках для молочных бутылок на углу Джорджия-авеню и Леймонт-стрит у винного магазина. От стрелявшего — тот быстро огляделся, прежде чем последовать в аллею за Пампкином, — их почти полностью заслонял припаркованный у тротуара автомобиль, так что убийца их не заметил. Эти двое и сообщили полиции, что видели парня, который на ходу вытащил из кармана оружие — маленький черный пистолет. Свидетели хорошо его разглядели. А секунду спустя услышали выстрелы, хотя того, как пули пронзили голову Пампкина, своими глазами не видели. Еще

---

* Pumpkin — тыква (*англ.*).

через секунду парень с пистолетом в руке выскочил из аллеи и по неизвестной причине ринулся прямо на них. Он мчался, как обезумевшая от страха собака, согнувшись в пояснице, с чертовски виноватым выражением лица. Красно-желтые баскетбольные кроссовки были ему велики размеров на пять и шлепали по тротуару.

Пробегая мимо, он все еще держал в руке пистолет — похоже, тридцать восьмого калибра. Заметив людей и сообразив, что они слишком много видели, он на долю секунды замешкался. Момент был ужасный, им показалось, что убийца решил убрать свидетелей и уже взводит курок, поэтому оба, не сговариваясь, в мгновение ока сделали кувырок назад — только руки-ноги мелькнули над ящиками. В следующий миг парень исчез.

Один из свидетелей, добежав до винного магазина, открыл дверь и заорал, чтобы кто-нибудь вызвал полицию.

Через полчаса в полицейский участок поступило сообщение, что молодой человек, соответствующий описанию свидетелей, был дважды замечен на Девятой улице: он не таясь шел с пистолетом в руке и вел себя еще более странно, чем большинство тамошних обитателей. По крайней мере одного человека он попытался затащить на пустырь, но предполагаемой жертве удалось удрать и позвонить в полицию.

Парня нашли через час. Его звали Текила Уотсон — чернокожий, двадцати лет от роду, с обычным «послужным списком» наркомана. Ни родственников, заслуживающих внимания, ни постоянного места жительства. Последним местом, где он обитал, был реабилитационный центр на Дабл-Ю-стрит. Каким образом парень раздобыл пистолет, неизвестно. И если он ограбил Пампкина, то всю добычу — деньги, «колеса» или что там еще могло быть, — видимо, выбросил, поскольку карманы его были так же пусты, как и бессмысленный взгляд. Полицейские удостоверились, что в момент ареста Текила не находился под воздействием каких бы то ни было наркотиков. Быстрый жесткий допрос состоялся прямо на улице, после чего на парня надели наручники и затолкали на заднее сиденье патрульной машины с буквами «ОК»*.

Его отвезли обратно на Леймонт-стрит и устроили импровизированную очную ставку с двумя свидетелями. Текилу провели в аллею, где он оставил тело Пампкина.

— Ты был здесь раньше? — спросил полицейский.

Текила ничего не ответил, лишь молча вперил взгляд в лужу свежей крови на грязном цементе. Незаметно подвели свидетелей.

— Это он! — в один голос выпалили оба.

— Одежда та же и кроссовки, только пистолета не хватает.

— Да, это он.

— Точно.

Текилу снова затолкали в машину и отвезли в тюрьму. Там его зарегистрировали как подозреваемого в убийстве и заперли в камере без реальной надежды быть выпущенным на волю под залог. То ли наученный опытом, то ли от страха Текила не произнес ни единого слова, как ни уговаривали, улещивали и даже пугали его полицейские. Не было обнаружено ни отягчающих, ни смягчающих обстоятельств и никакой причины для убийства Пампкина. Ни малейшей ниточки, которая помогла бы распутать историю взаимоотношений этих людей, если таковая вообще существовала. Пожилой детектив сделал краткую запись в деле: убийство представляется еще менее мотивированным, чем обычно.

Текила не воспользовался правом на телефонный звонок и даже не заикнулся об адвокате или вероятном поручителе. Казалось, что, сидя в переполненной камере и уставившись в пол, он пребывал в сумеречном, но безмятежном состоянии.

Каких-либо следов отца Пампкина найти не удалось, но его мать работала охранницей и в настоящий момент дежу-

---

* Округ Колумбия. — *Здесь и далее примеч. пер.*

рила в нижнем этаже большого административного здания на Нью-Йорк-авеню. Полиции потребовалось три часа, чтобы выяснить настоящее имя ее сына — Рамон Памфри, — установить адрес и отыскать соседей, пожелавших сообщить, что у него есть мать.

Адельфа Памфри сидела за столом в стеклянной будке при входе в здание, наблюдая за множеством мониторов. Это была крупная, плотная женщина в облегающей форме цвета хаки, с пистолетом у пояса. Лицо ее выражало полное равнодушие. Явившимся к ней полицейским сотни раз приходилось проделывать эту процедуру: они сообщили женщине ужасную новость, после чего отправились к ее начальнику.

В городе, где молодые люди убивают друг друга каждый день, привычка к кровопролитию сделала людей толстокожими и жестокосердыми. У каждой матери были приятельницы, потерявшие детей. Любая новая утрата на шаг приближала смерть и к их дому, каждая мать знала, что следующий день может оказаться последним и для ее сына. Обхватив голову руками, Адельфа думала о сыне. Она представляла, как его бездыханное тело лежит в одном из городских моргов и незнакомые люди осматривают его.

Она клялась отомстить убийце, кем бы он ни был.

Она проклинала его отца за то, что он бросил сына.

Она оплакивала свое дитя.

И знала, что нужно выжить. Всеми правдами и неправдами — выжить.

Адельфа пришла в суд на предъявление обвинения. В полиции сообщили, что подонок, убивший ее сына, должен присутствовать на этой краткой рутинной процедуре, во время которой он скорее всего не признает себя виновным и потребует адвоката. Сидя в последнем ряду между братом и соседкой, она без конца утирала слезы уже насквозь промокшим платком. Ей нужно было увидеть парня. Она хотела спросить: «Почему?» — но понимала, что возможности сделать это не представится.

Обвиняемых прогоняли по проходу, как скот на торги. Все были черными, в оранжевых тюремных комбинезонах, в наручниках, все — молодые. Отбросы общества.

Текила, как особо опасный преступник, кроме наручников, был в цепях, соединявших запястья и щиколотки, хотя на вид он казался совершенно безобидным по сравнению с другими. Он окинул быстрым взглядом зал: нет ли знакомых — вдруг кто-нибудь случайно забрел поболеть за него? Когда арестованных усадили на предназначенный для них ряд стульев, один из вооруженных судебных приставов склонился к нему:

— Тот парень, которого ты угробил... Вон там, сзади, в синем платье, его мать.

Текила медленно повернул низко опущенную голову и исподлобья глянул — лишь на миг — прямо в мокрые опухшие глаза матери Пампкина. Пожирая взглядом тощего мальчишку в огромном, не по размеру, комбинезоне, Адельфа гадала: где его мать, как она его растила, есть ли у него отец и, главное, как и почему пересеклись пути ее сына и этого парня? Оба были одного возраста, как, впрочем, и остальные присутствовавшие здесь обвиняемые, — лет двадцати, чуть моложе, чуть старше. В полиции ей сказали, что по крайней мере на первый взгляд наркотики тут ни при чем. Но она-то знала: наркотики всегда «при чем», они отравляли всю жизнь улицы. Уж Адельфе-то это было отлично известно. Пампкин баловался и травкой, и кокаином, однажды даже привлекался за хранение, но никогда не совершал насилия. Полицейские считали, что убийство скорее всего было случайным. Все уличные убийства случайны, сказал ее брат, но каждое имеет причину.

У одной стены зала располагался длинный стол, за которым сидели представители власти. Полицейские что-то нашептывали на ухо обвинителям, те поспешно листали дела и рапорты, героически пытаясь ознакомиться с массой бумаг до того, как обвиняемый предстанет перед судьей. У противоположной стены стоял такой же стол для защитников. Те входили и выходили под непрерывный гул аудитории и отскакивавшие от зубов судьи обвинения: в распространении наркотиков, в вооруженном ограблении, в сексуальном нападении, опять в распространении наркотиков, в оскорблении словом... Когда называли имя обвиняемого, того подводили к судейскому столу, где он стоял молча, пока законники шуршали бумагами, потом уводили обратно в тюрьму.

— Текила Уотсон, — провозгласил пристав.

Другой пристав помог Текиле подняться. Тот поковылял вперед, звеня цепями.

— Мистер Уотсон, вы обвиняетесь в убийстве, — громко произнес судья. — Сколько вам лет?

— Двадцать, — ответил Текила, понурившись.

Обвинение в убийстве, разнесшееся по залу, заставило всех притихнуть. Другие обвиняемые смотрели на Текилу с восхищением. Даже юристы и полицейские проявили интерес.

— Вы можете нанять адвоката?

— Нет.

— Так я и думал, — пробормотал судья и бросил взгляд на стол защиты.

Плодородная нива отдела по особо тяжким преступлениям уголовного департамента Верховного суда округа Колумбия обрабатывалась сотрудниками БГЗ — Бюро государственных защитников, которое служило страховочной сеткой для всех неимущих обвиняемых. Семьдесят процентов дел требовали назначенных судом адвокатов, и в любой момент слушаний полдюжины ГЗ — государственных защитников в дешевых костюмах и стоптанных мокасинах, с бумажными папками, торчащими из портфелей, — толклись поблизости, чтобы быть под рукой. В данный момент, однако, на месте оказался лишь один из них — достопочтенный Клей Картер-второй, задержавшийся, чтобы пролистать дела куда менее опасных преступников. Застигнутый врасплох адвокат больше всего на свете желал сейчас оказаться вне зала суда. Повернув голову налево, потом направо и не заметив никого из коллег, Клей понял, что его честь смотрит именно на него. Куда, черт возьми, подевались все остальные ГЗ?

За неделю до того мистер Картер завершил дело об убийстве, тянувшееся почти три года и окончившееся тем, что его клиент остался в тюрьме, из которой никогда не выйдет, по крайней мере официально. Клей Картер был счастлив, что тот наконец за решеткой и что у него на столе в настоящий момент нет других дел, связанных с убийствами.

Похоже, счастье длилось недолго.

— Мистер Картер! — сказал судья. Это не был приказ — всего лишь приглашение выйти вперед и заняться тем, чем занимаются все ГЗ: защищать неимущего независимо от характера преступления.

Мистер Картер не имел права выказать слабость, особенно на виду у полицейских и прокуроров. Он тяжело сглотнул, не стал медлить и подошел к судейскому столу так, словно намеревался немедленно, здесь и сейчас, приступить к защите своего подопечного перед лицом суда присяжных. Приняв от судьи папку, он быстро пролистал несколько лежавших в ней бумаг, не обращая внимания на умоляющий взгляд Текилы Уотсона, потом веско заявил:

— Мы будем ходатайствовать о признании подсудимого невиновным, ваша честь.

— Благодарю вас, мистер Картер. Значит, заносим ваше имя в протокол в качестве адвоката ответчика?

— Пока да. — Мистер Картер уже обдумывал, как бы свалить это дело на кого-нибудь из коллег.

— Прекрасно. Спасибо, — заключил судья, протягивая руку к следующей папке.

Адвокат и подзащитный коротко переговорили, присев за стол. Картер получил всю информацию, которую Текила пожелал ему сообщить — ее оказалось не много, — и пообещал приехать в тюрьму завтра для более обстоятельного разговора. Пока они беседовали, места за столом неожиданно заполнились молодыми юристами из БГЗ, будто материализовавшимися из ниоткуда коллегами Картера.

«Неужели все было подстроено? — подумал Картер. — Неужели они специально слиняли, зная, что в этой группе человек, обвиняемый в убийстве?» За прошедшие пять лет он и сам не раз проделывал подобные трюки. Увиливание от неприятных дел почиталось в БГЗ высшим проявлением профессионализма.

Картер сгреб свой портфель и поспешно проследовал по центральному проходу мимо встревоженных родственников арестантов, мимо Адельфы Памфри с ее немногочисленной группой поддержки в вестибюль, забитый другими обвиняемыми, их мамашами, подружками и адвокатами. В их бюро служили и такие юристы, которые утверждали, будто смысл их жизни составляет хаос, царящий в суде Карла Маултри*, — напряженность разбирательств, аура опасности, порождаемая одновременным присутствием в помещении множества преступников, мучительное противостояние жертв и насильников, неимоверная перегруженность делами, призвание защищать бедных и обеспечивать справедливое отношение к ним со стороны полиции и судебной системы.

Если Клею Картеру карьера государственного защитника когда-то и казалась привлекательной, то теперь он не мог вспомнить — почему. Через неделю исполнялась пятая годовщина его службы в БГЗ, которая пройдет без всяких торжеств и о которой, как он надеялся, никто не узнает. К тридцати одному году Клей чувствовал себя выжатым как лимон, загнанным, будто в капкан, в кабинетик, который стыдился показать даже друзьям. Он будто искал, но не мог найти выхода, а теперь еще оказался обременен новым делом о бессмысленном убийстве. Бремя с каждой минутой казалось все тяжелее.

---

* Некоторые судебные, университетские и иные официальные здания в США носят имена людей, либо пожертвовавших деньги на строительство, либо отличившихся в соответствующей области.

Начальное жалованье адвоката составляло 36 тысяч долларов в год. Прибавки были мизерными и заставляли себя долго ждать. Дуайен здешнего адвокатского корпуса, измочаленный мужчина сорока трех лет, зарабатывал 57 600 долларов и последние девятнадцать лет непрерывно грозился уйти. Юристы имели чудовищные нагрузки, поскольку город постоянно вел неравную борьбу со все возрастающей преступностью. Потоку неимущих преступников не было конца. На протяжении последних восьми лет Гленда регулярно включала в бюджетный план десять новых адвокатских ставок и двенадцать ставок параюристов, но вот уже четыре года бюджет БГЗ, напротив, неуклонно сокращали. Сейчас она ломала голову над тем, кого из параюристов уволить и кого из адвокатов перевести на полставки.

Как большинство других ГЗ, Клей Картер поступал на юридический факультет вовсе не для того, чтобы посвятить всю жизнь или хотя бы краткий ее отрезок защите неимущих преступников. Боже сохрани! Когда он учился в колледже и на юрфаке Джорджтаунского университета, его отец имел в ОК собственную фирму, в которой Клей несколько лет сотрудничал. У него даже был свой кабинет. Тогда они строили наполеоновские планы: отец и сын поведут дела совместно, и деньги рекой польются в их карманы.

Но когда Клей заканчивал последний курс, фирма лопнула, а его отец покинул город. Впрочем, это отдельная история. Клею пришлось довольствоваться должностью государственного защитника — хорошо, что в последний момент подвернулась хотя бы она.

Ему понадобилось три года, чтобы всеми правдами и неправдами заполучить отдельный кабинет — без окна, размером с крохотный чуланчик, где стол занимал половину жизненного пространства. В отцовской фирме у него был кабинет раза в четыре просторнее, с видом на колонну Вашингтона. Этот вид он, как ни старался, не мог стереть из памяти. Минуло пять лет, а Картер сидел все за тем же ненавистным столом, глазея на стены, которые, казалось, с каждым месяцем подступали все ближе, и недоумевал: как могло случиться, что из того кабинета он перекочевал в этот?

Швырнув папку с делом Текилы Уотсона на идеально прибранный стол, он снял пиджак. Было бы неудивительно, если бы посреди окружающего бедлама он запустил свой кабинет, предоставил папкам накапливаться на столе, захламлять свободное место и не без оснований оправдывал бы себя крайней занятостью и отсутствием секретаря. Но отец учил его: порядок на столе означает порядок в мыслях. «Если ты не можешь найти нужную бумагу в течение тридцати секунд, ты теряешь деньги», — говаривал он. Еще одним твердо заученным правилом было немедленно отвечать на звонки.

Фанатичная приверженность порядку немало забавляла замотанных коллег Картера. На стене за спиной Клея висел диплом Джорджтаунского университета в красивой рамке. В первые два года службы в БГЗ Клей не решался вывесить его, опасаясь, что коллеги станут недоумевать: почему человек, окончивший престижный университет, вкалывает за такие гроши? «Ради опыта, — убеждал себя Клей, — я торчу здесь, чтобы набраться опыта». Каждый месяц — выступление в суде, в жестком суде, против безжалостных обвинителей, перед немилосердными присяжными. Только спустившись на самое дно, в кровь ободрав костяшки пальцев, можно научиться тому, чему не научит никакая крупная фирма. А деньги придут потом, когда он в свои молодые еще годы станет закаленным бойцом на судебном поприще.

Глядя на тощую папку с делом Уотсона, лежавшую на пустом столе, Клей размышлял, как бы его кому-нибудь сбагрить. Он устал от суровых дел, от жесткого тренинга и прочей дряни.

Шесть розовых листочков с сообщениями о телефонных звонках были прикреплены на краю стола: пять деловых и один от Ребекки, его давней подруги. Ей он отзвонил в первую очередь.

— Я очень занята, — сообщила она после обычного обмена им одним понятными шутками.

— Ты же сама мне позвонила.

— Да, но у меня всего несколько минут. — Ребекка работала помощницей одного малозначительного конгрессмена, возглавлявшего никому не нужный подкомитет. Однако как председателю подкомитета тому полагался штат сотрудников. Днями напролет они трудились над подготовкой документов для очередных слушаний, коих никто слушать не собирался. Чтобы получить это место, ее отцу пришлось подергать кое за какие ниточки.

— Я и сам загружен по горло, — пожаловался Клей. — Только что получил новое дело об убийстве. — Он постарался сказать это так, словно защищать Текилу Уотсона было большой честью для адвоката.

Они постоянно играли в эту игру: кто больше занят? Кто важнее? Чья работа труднее? У кого больше нагрузка?

— Завтра мамин день рождения, — заметила Ребекка, сделав небольшую паузу, словно Клей и сам должен был об этом вспомнить. Он не помнил. И ему было наплевать на день рождения. Он терпеть не мог ее мать. — Нас приглашают в клуб на ужин.

Час от часу не легче.

— Прекрасно! — Только такого ответа от него ждали, причем без колебаний.

— Нас ждут к семи. Костюм и галстук обязательны.

— Разумеется, — согласился он, подумав, что с большей охотой поужинал бы с Текилой Уотсоном.

— Мне надо бежать. Пока. Я тебя люблю.

— И я тебя.

Разговор происходил в типичной для них манере: быстрый обмен репликами, перед тем как они снова ринутся спасать мир. Клей посмотрел на фотографию Ребекки, стоявшую на столе. Их роман развивался с множеством осложнений, которых было бы достаточно, чтобы уже раз десять похоронить надежды на брак. Его отец когда-то вел дело против ее отца. Кто там выиграл, кто проиграл, так до конца и не выяснилось. Ее родители претендовали на александрийское* происхождение; он же был для них «дворовым мальчишкой». Они были твердолобыми республиканцами, он — нет. Ее отец за свою деятельность по освоению земель подсечно-огневым методом в окрестностях городов северной Виргинии получил прозвище Беннет-Бульдозер; Клей резко отрицательно относился к наступлению на дикую природу и, не афишируя, состоял в двух организациях, выступавших за защиту окружающей среды, которым исправно платил членские взносы. Ее мамаша всеми силами стремилась вскарабкаться повыше по социальной лестнице и мечтала выдать обеих своих дочерей замуж за серьезные деньги. Свою мать Клей не видел уже одиннадцать лет, не имел никаких светских амбиций и никаких денег.

Вот уже четыре года их отношения с Ребеккой проходили ежемесячные испытания скандалами, большинство которых было спровоцировано ее матерью. Помогали лишь любовь, физическое влечение и решимость выстоять, несмотря ни на что. Но Клей замечал, что Ребекка устала: время и постоянное давление семьи делали свое дело. Ей было двадцать восемь. Она не стремилась к карьере, а мечтала о муже, семье, о спокойной жизни в каком-нибудь тихом пригороде, о том, чтобы баловать детей, играть в теннис и время от времени обедать с матерью в клубе.

Полетт Таллос материализовалась из воздуха, напугав его.

— Попался? — ехидно поинтересовалась она. — Опять схлопотал дело об убийстве?

— Ты что, была там? — изумился Клей.

— Я все видела, но ничем не сумела помочь, дружище.

— Ну, спасибо. Я тебе этого не забуду.

---

* Александрия, штат Виргиния, пользуется славой города, среди населения которого высок процент представителей интеллектуальной и светской элиты.

Следовало бы предложить ей сесть, но в каморке за отсутствием места не было стульев для посетителей. Впрочем, стульев и не требовалось — все клиенты Клея пребывали в тюрьме, а посиделки и пустопорожний треп здесь вообще были не приняты.

— Каков мой шанс избавиться от дела? — спросил Клей.

— Между очень слабым и нулевым. А кому ты предполагал его спихнуть?

— Подумывал о тебе.

— Извини, но у меня уже есть два убойных дела. Гленда меня от них не освободит ради тебя.

В БГЗ Полетт была ближайшей подругой Клея. Родившись в одном из самых неблагополучных районов города, она когтями процарапала себе путь в колледж, потом на вечерний юридический и, казалось, уже добралась до заветного среднего места в среднем классе, но тут встретила пожилого грека, обожавшего молодых негритянок. Он женился на ней, весьма прилично устроил ее на северо-западе Вашингтона, а сам в конце концов вернулся в Европу, где всегда предпочитал жить. Полетт подозревала, что там у него осталась жена, а то и две, но ее это не сильно огорчало. Она была хорошо обеспечена и редко скучала в одиночестве. Такое положение дел благополучно сохранялось вот уже десять лет.

— Я слышала, как прокуроры обсуждали твое дело: мол, обычное уличное убийство, но абсолютно немотивированное.

— Нельзя сказать, что это впервые в истории округа Колумбия.

— Но чтобы совсем никакого мотива...

— Мотив всегда есть — деньги, наркотики, секс, пара новеньких кроссовок...

— Парень-то совсем смирный, никогда не совершал никакого насилия.

— Первое впечатление почти всегда обманчиво, Полетт, тебе ли не знать.

— Жермен два дня назад получил такое же дело. Никаких видимых мотивов.

— Вот как? Не знал.

— Ты бы с ним поговорил. Он новичок, честолюбив, — кто знает, может, удастся спихнуть ему твое дельце?

— Прямо сейчас и поговорим.

Однако Жермена не оказалось на месте, зато дверь в кабинет Гленды почему-то была приоткрыта. Клей вошел, постучав на ходу.

— У вас найдется минутка? — спросил он, прекрасно отдавая себе отчет в том, что если у Гленды и выдавалась свободная минутка, то она отнюдь не была расположена делить ее с кем бы то ни было из сотрудников. Гленда вполне сносно руководила бюро, распределяя нагрузки, латая скудный бюджет и, что особенно важно, умело улаживая дела в муниципалитете. Но она не любила людей и предпочитала работать за закрытой дверью.

— Конечно, — неприветливо ответила она. Было очевидно, что ей неприятно вторжение, впрочем, другого приема Клей и не ожидал.

— Мне сегодня не посчастливилось: в неподходящую минуту оказался в уголовном суде, и на меня повесили очередное убойное дело, которое я бы хотел кому-нибудь передать. Я ведь только что покончил с делом Траксела, которое, как вы знаете, длилось три года. Нужно отдохнуть от убийств. Может, кто-нибудь из молодых возьмется?

— Вы просите освободить вас от дела, мистер Картер? — Ее брови поползли вверх.

— Именно. Дайте мне пару месяцев передохнуть с наркоманами и грабителями. Это все, о чем я прошу.

— И кому же, по-вашему, следует передать дело этого... как его?

— Текилы Уотсона.

— Да, Текилы Уотсона. Кто его должен взять, мистер Картер?

— Мне, собственно, все равно. Просто мне нужна передышка.

Гленда откинулась на спинку кресла, как умудренный годами председатель правления какой-нибудь фирмы, и начала покусывать кончик карандаша.

— Разве она помешала бы любому из нас, мистер Картер? Все мы хотели бы передохнуть, не правда ли?

— Так вы согласны или нет?

— У нас в штате, мистер Картер, восемьдесят юристов, но лишь половина обладают достаточной квалификацией, чтобы вести дела об убийствах. У каждого из них сейчас на руках по меньшей мере два таких дела. Передайте свое кому-нибудь, если сможете, но я этим заниматься не собираюсь.

Уже уходя, Клей заметил:

— Пора бы подумать о моем повышении, вы так не считаете?

— На будущий год, мистер Картер. На будущий год.

— А как насчет помощника?

— На будущий год.

Так дело Текилы Уотсона осталось лежать на идеально организованном столе Джаррета Клея Картера-второго, государственного защитника.

3

Хотя здание было недавней постройки и городские власти гордились им и открывали с большой помпой, тем не менее тюрьма есть тюрьма. Спроектированное под неусыпным контролем консультантов из городского архитектурного надзора и оснащенное высокотехничными охранными системами, сооружение все-таки было местом заключения. Надежное, удобное, гуманно организованное, рассчитанное на следующее столетие, оно оказалось переполненным уже в день открытия. Это слепое, без окон, строение напоминало большой красный шлакобетонный блок, опирающийся на одно ребро. Оно было битком набито преступниками, бесчисленной охраной, и в его атмосфере витала безысходность. Из соображений политкорректности называлось оно уголовно-исправительным центром — современный эвфемизм, принятый нынче у архитекторов подобных проектов. Но по сути это была все та же тюрьма.

Здесь-то по большей части и работал Клей Картер. Здесь он встречался с основным контингентом своих клиентов в промежутке между их арестом и тем днем, когда их отпускали под залог, если те могли его внести. Большинство его подзащитных такой возможности не имели. Многие из них подвергались аресту за ненасильственные преступления, но вне зависимости от того, были они виновны или нет, содержались под стражей до окончательного решения суда. Тиггер Бэнкс, например, провел в камере почти восемь месяцев по обвинению в краже со взломом, которой, как выяснилось, не совершал. За это время он потерял обе свои почасовые работы, квартиру и доброе имя. Последний его звонок Клею был душераздирающей мольбой о вспомоществовании. Тиггер оказался на улице, подсел на наркотики и стремительно катился навстречу новым бедам.

Едва ли не у каждого городского адвоката по уголовным делам был свой Тиггер Бэнкс. Все эти истории имели печальный конец, и никто ничего не мог сделать. Годичное содержание одного заключенного обходилось в 41 тысячу долларов. И почему система так любит сжигать деньги?

Клей устал от подобных вопросов, от тиггеров, коих в его карьере было немало, он устал от тюрьмы, от одних и тех же самоуверенных охранников, которые неизменно встречали его при входе в цокольный этаж, предназначенный для общения адвокатов с подзащитными. Он одурел от запаха, навечно пропитавшего это заведение, от идиотских формальностей, установленных бумагомараками, строго руководствующимися учебниками по содержанию заключенных. Было девять утра, среда, хотя Клею все дни казались одинаковыми. Он подошел к застекленному окошку с табличкой

«Для адвокатов». Убедившись, что достаточно промариновала Клея, служащая подняла стекло и молча уставилась на него. Впрочем, слов и не требовалось — они уже пять лет вот так, не здороваясь, обменивались хмурыми взглядами. Клей расписался в регистрационном журнале и сунул его обратно в окошко — несомненно, защищенное пуленепробиваемым стеклом, охраняющим сотрудницу от разъяренных адвокатов, — которое она тут же закрыла.

Два года Гленда пыталась внедрить простейшую систему, по которой адвокаты из БГЗ и прочие заинтересованные лица могли бы за час оповещать по телефону о своем прибытии, чтобы клиенты в нужный момент уже находились поблизости от комнаты свиданий. Казалось бы, чего проще, но именно простота предложения, очевидно, и похоронила его в бюрократической преисподней.

Вдоль стены стоял ряд стульев для адвокатов, здесь защитники должны были терпеливо ожидать, пока их запросы черепашьим шагом ползли к некоему ответственному лицу на верхнем этаже. К девяти утра несколько коллег Клея обычно уже сидели на этих стульях, нервно теребя папки, шепотом разговаривая по мобильным телефонам и не обращая друг на друга никакого внимания. На заре карьеры Клей приносил с собой толстенные юридические фолианты, чтобы, читая их, производить впечатление на коллег своим профессиональным рвением. Теперь он достал «Пост» и стал просматривать спортивный раздел. Когда его наконец вызвали, по привычке взглянул на часы: сколько времени потрачено на бессмысленное ожидание Текилы Уотсона?

Всего двадцать четыре минуты. Могло быть хуже.

Охранник проводил его в длинную комнату, разделенную толстыми плексигласовыми перегородками, указал на четвертую от конца кабинку, и Клей занял место. Через такую же прозрачную перегородку перед собой он видел, что по ту сторону еще никого нет. Опять ждать. Он достал из портфеля бумаги и стал обдумывать вопросы к Текиле Уотсону.

В кабинке справа адвокат вполголоса вел напряженную беседу со своим клиентом, которого Клей видеть не мог.

Охранник вернулся и шепотом, озираясь на камеры наблюдения, будто делал нечто запрещенное, сообщил Клею:

— Ваш парень плохо провел ночь.

— А в чем дело?

— Часа в два набросился на соседа, избил его до полусмерти, в общем, устроил заварушку. Шесть охранников с ним едва справились. Не парень — чума.

— Текила?!

— Да, Уотсон. Того беднягу пришлось отправить в больницу. Теперь Уотсону грозит дополнительное обвинение.

— Вы уверены, что это он? — спросил Клей.

— Все записано на видео.

На этом разговор закончился. Двое охранников, держа под руки, привели Текилу и усадили его на стул против Клея за прозрачной перегородкой, после чего отступили в стороны, но недалеко. Арестованный был в наручниках, которые вопреки обыкновению не сняли на время встречи с адвокатом.

Его левый глаз заплыл, в уголках запеклась кровь. Правый был открыт, но все глазное яблоко покраснело. Посреди лба белел пластырь, на подбородке тоже красовалась «бабочка» бактерицидного пластыря. Губы и скулы опухли настолько, что Клей усомнился: его ли клиента привели? Казалось, перед ним за перегородкой сидит незнакомец, которого кто-то где-то жестоко избил.

Клей снял черную телефонную трубку и жестом показал Текиле сделать то же самое. Тот неловко подцепил свою обеими скованными руками.

— Ты Текила Уотсон? — спросил Клей, стараясь поймать взгляд клиента.

Тот утвердительно кивнул, очень медленно, словно кости у него в голове разошлись.

— Тебя осматривал врач?

Кивок — да.

— Это копы тебя избили?

Ни секунды не колеблясь, парень покачал головой — нет.

— Сокамерники?

Кивок — да.

— Мне сказали, это ты затеял драку, измочалил какого-то бедолагу так, что его отправили в больницу. Это правда?

Кивок — да.

Трудно было представить, как Текила Уотсон с его ста пятьюдесятью фунтами веса буйствует в переполненной тюремной камере.

— Ты знаешь этого парня?

Голова Текилы чуть качнулась справа налево — нет.

Пока он ни разу не воспользовался телефонной трубкой, и Клей устал от этого языка жестов.

— Почему ты напал на него?

С огромным трудом Текила наконец разомкнул опухшие губы.

— Не знаю, — медленно произнес он. Было видно, что ему больно говорить.

— Потрясающе, Текила. Есть над чем работать. Как насчет самозащиты? Этот парень к тебе приставал? Первым тебя ударил?

— Нет.

— Может, он был под кайфом или пьян?

— Нет.

— Ругался, угрожал тебе, а?

— Он спал.

— Спал?!

— Да.

— Наверное, слишком громко храпел. Ладно, проехали.

Зрительный контакт прервался: адвокату понадобилось что-то записать в своем рабочем блокноте. Клей нацарапал дату, время, место, имя клиента. Больше записывать было нечего. В его голове роилась не одна сотня вопросов. При тюремных собеседованиях вопросы всегда были одними и теми же: об основных фактах биографии подзащитного и о неблагоприятном стечении обстоятельств, приведших его сюда. Правду приходилось выуживать, как крупинки золота из песка, через эту плексигласовую перегородку, и делать это было можно только в том случае, если клиент не напуган. На вопросы о семье, школе, работе, друзьях эти ребята обычно отвечали довольно честно. Но то, что касалось преступления, требовало от адвоката виртуозного мастерства. Каждому адвокату по уголовным делам было известно, что при первой встрече долго задерживаться на обстоятельствах преступления не следовало. Подробности приходилось разузнавать в других местах, причем без помощи клиента.

Однако Текила казался не таким, как другие. Похоже — пока, во всяком случае, — он не боялся правды. И Клей решил сэкономить, быть может, немало часов своего времени. Он наклонился поближе к перегородке и, понизив голос, проговорил:

— Они считают, что ты убил парня, пять раз выстрелив ему в голову.

Распухшая голова медленно опустилась в знак согласия.

— Некоего Рамона Памфри по кличке Пампкин. Ты его знаешь?

Кивок — да.

— Ты стрелял в него? — Клей почти перешел на шепот. Хоть охранники и дремали, адвокату не положено было задавать подобные вопросы, во всяком случае, в тюрьме.

— Да, — тихо произнес Текила.

— Пять раз?

— Кажется, шесть.

«Суду и пяти хватит. В два счета закончу дело», — подумал Клей. Это будет быстрая сделка: признание вины в обмен на более мягкий приговор — пожизненное заключение.

— Это связано с наркотиками? — спросил он.

— Нет.

— Ты его ограбил?

— Нет.

— Ну же, Текила, помоги мне. Была ведь у тебя какая-то причина?

— Я его знал.

— И все? Ты знал его? И в этом причина?

Текила кивнул, но ничего не добавил.

— Может, девушка? Ты его застукал со своей девушкой? У тебя есть девушка?

Парень покачал головой — нет.

— Это имеет какое-нибудь отношение к сексу?

Нет.

— Да говори же, Текила, я ведь твой адвокат. Я единственный на земле человек, который старается тебе помочь. Дай мне хоть что-нибудь, за что можно зацепиться.

— Я покупал наркотики у Пампкина.

— Слава Богу, заговорил. Когда это было?

— Года два назад.

— Хорошо. Он тебе задолжал деньги или товар? Или ты ему?

— Нет.

Клей сделал глубокий вздох и впервые обратил внимание на руки Текилы. Они были сплошь покрыты небольшими порезами и так распухли, что костяшек не было видно.

— Любишь подраться?

Не то кивок, не то покачивание головой.

— Уже нет.

— А раньше любил?

— Когда был маленьким. Как-то я побил Пампкина.

Наконец-то. Клей снова глубоко вздохнул и взялся за ручку.

— Спасибо за помощь, сэр. Когда именно ты подрался с Пампкином?

— Давно.

— Сколько тебе было лет?

Текила слегка пожал плечами, как делают в ответ на дурацкий вопрос. Клей по опыту знал, что у его клиентов отсутствует чувство времени. Они могут помнить, что их ограбили вчера или арестовали месяц назад, но все, что простиралось за пределы тридцати суток, сливалось воедино. Уличная жизнь — борьба за то, чтобы выжить сегодня. Нет ни времени для воспоминаний, ни событий, достойных памяти. И будущего нет, чтобы соотносить его с прошлым.

— Мы были мальчишками, — ответил Текила все так же кратко, вероятно, эту привычку он приобрел после того, как ему сломали челюсть, а может, и раньше.

— Все же сколько тебе тогда было?

— Может, двенадцать.

— Это случилось в школе?

— На баскетбольной площадке.

— И сильно вы поцапались? Синяки, поломанные кости... Да?

— Нет. Старшие разняли.

Клей на несколько секунд положил трубку и подвел итог: что у него есть для защиты? «Уважаемые присяжные, дамы и господа, мой клиент в упор выстрелил в мистера Памфри (который не был вооружен) пять или шесть раз из украденного пистолета по двум причинам: во-первых, потому что знал его и, во-вторых, потому что лет восемь назад они подрались на баскетбольной площадке. На первый взгляд звучит недостаточно убедительно, дамы и господа, но те, кто знает, что такое Вашингтон, округ Колумбия, поймут: эти две причины ничуть не менее весомы, чем любые другие».

Картер спросил в трубку:

— Ты часто встречался с Пампкином?

— Нет.

— Когда видел его в последний раз, перед тем как застрелить?

Опять неопределенное пожатие плечами. Та же проблема со временем.

— Ты виделся с ним раз в неделю?

— Нет.

— Раз в месяц?

— Нет.

— Дважды в год?

— Может быть.

— Когда вы встретились два дня назад, вы поссорились? Помогай, Текила, не заставляй меня клещами тянуть подробности.

— Мы не ссорились.

— Зачем ты пошел за ним в аллею?

Текила положил трубку и несколько раз медленно покрутил головой, видимо, чтобы размять мышцы шеи. Похоже, у него болело все тело. Наручники впивались в запястья. Потом он снова взял трубку:

— Я скажу вам правду. У меня был пистолет, и мне хотелось в кого-нибудь выстрелить — все равно в кого. Я вышел из лагеря и побрел, без всякой цели, просто искал, в кого выстрелить. Я почти уже прицелился в корейца, который стоял на пороге своего магазина, но вокруг было слишком много народу. И тогда я увидел Пампкина. Я его знал. Мы немного поболтали. Я ему сказал, что, если он хочет, у меня есть немного коки. Пошли в аллею, и там я его застрелил. Почему — не знаю. Просто хотелось кого-нибудь убить.

Когда стало ясно, что рассказ окончен, Клей спросил:

— Что такое «лагерь»?

— Да центр этот, где я жил.

— Сколько ты там пробыл?

Новая пауза, но ответ поразил Клея точностью.

— Сто пятнадцать дней.

— Так ты ничего не употреблял сто пятнадцать дней?

— Ага.

— И тогда, когда стрелял в Пампкина, был чист?

— Ага. И сейчас. Уже сто шестнадцать дней.

— Ты раньше стрелял в кого-нибудь?

— Нет.

— А где взял пистолет?

— Стащил в доме двоюродного брата.

— Лагерь охраняется?

— Да.

— Значит, ты сбежал?

— Мне дали два часа. После ста дней можно выходить на два часа, потом надо возвращаться.

— Значит, ты вышел из лагеря, пошел к двоюродному брату, стащил пистолет, отправился шататься по улицам в поисках кого-нибудь, кого можно убить, и наткнулся на Пампкина?

Текила кивнул:

— Да, так и было. Не спрашивайте почему. Я не знаю.

Клею показалось, что в уголках багрового глаза Текилы скопилась влага — чувство вины, угрызения совести? — но Клей не был уверен. Он достал из портфеля бумаги и просунул их в щель под перегородкой.

— Подпиши там, где отмечено красными галками. Дня через два я приду снова.

Текила не обратил на бумаги никакого внимания.

— Что со мной будет? — спросил он.

— Поговорим об этом позже.

— Когда меня выпустят?

— Наверное, не скоро.

4

Люди, руководившие центром реабилитации, не видели нужды прятаться от проблем и не предпринимали попыток отдалиться от зоны военных действий, на полях сражений которой собирали свой печальный урожай. Центр не был ни тихим заведением, расположенным в сельской местности, ни традиционной клиникой в хорошем районе города. Его обитатели прибывали с улиц и возвращались обратно на улицы.

Лагерь выходил на северо-западную Дабл-Ю-стрит, оттуда был виден ряд заколоченных досками двухквартирных домов, которые иногда использовали в своих целях наркодилеры. Неподалеку как на ладони лежала печально известная старая заправочная станция, ныне пустующая. Там оптовики встречались с розничными торговцами и совершали свои операции, не заботясь о том, что их могут увидеть. По неофициальным данным полиции, на пустыре возле заправки находили больше начиненных пулями трупов, чем в любом другом районе округа Колумбия.

Клей медленно ехал по Дабл-Ю-стрит. Все двери в машине были заперты, руки судорожно впились в руль, глаза стреляли по сторонам, уши ожидали в любой момент услышать роковой звук выстрела. Белый человек в этом гетто представлял собой желанную мишень в любое время суток.

Реабилитационный лагерь располагался в старом складском помещении, давно брошенном последним из тех, кто использовал его по назначению, проклятом городом и купленном на аукционе за несколько долларов кем-то, кто не ставил себе целью извлечение прибыли, но тем не менее видел некий прок в подобной покупке. Это было несуразное массивное строение, кирпичные стены которого от основания до крыши украшали бордовые граффити, во многих доступных местах уже замалеванные поверху местными мастерами «настенной живописи». Здание простиралось на целый квартал. Оконные и дверные проемы, выходящие на улицу, тоже раскрашенные, были наглухо зацементированы, так что не требовалось ни забора, ни колючей проволоки. Любому, кто задумал бы побег, понадобились бы кувалда, кайло и целый день непрерывного изнурительного труда.

Клей припарковал свою «хонду-аккорд» прямо у дома и посидел в машине, размышляя, рвануть ли бегом ко входу или убраться отсюда подобру-поздорову. Над толстенной двойной дверью висела маленькая табличка: «Реабилитационный лагерь. Частное владение. Вход запрещен». Будто кто-нибудь мог захотеть сюда войти. Вокруг ошивалась обычная компания типичных уличных персонажей: кучка молодых здоровяков с карманами, без сомнения, набитыми наркотиками и орудиями нападения, способными отразить полицейскую атаку; парочка цепляющихся друг за друга алкоголиков — похоже, муж и жена, ожидающие свидания с кем-то, кто находился в лагере. По долгу службы Клею приходилось посещать большинство злачных мест округа Колумбия, и он научился мастерски изображать, что ничего не боится. «Я — адвокат. Я здесь по делу. С дороги! Не трогайте меня». Надо признать, что за пять лет работы в БГЗ в него еще ни разу не стреляли.

Он запер свой автомобиль и оставил у самого тротуара, не без горечи подумав, что едва ли даже кто-нибудь из этих головорезов польстится на малолитражку. Машине было двенадцать лет, и она прошла уже двести тысяч миль. «Берите, если хотите», — мысленно произнес Картер, затаив дыхание и не обращая внимания на любопытные взгляды дворовой банды. Тут мили на две вокруг белого лица не встретишь, подумал он, нажимая кнопку дверного звонка.

— Кто там? — проскрипел голос изнутри.

— Меня зовут Клей Картер. Я адвокат. У меня на одиннадцать часов назначена встреча с Тэлмаджем Эксом. — Он четко произнес странную фамилию, хотя был уверен, что здесь какая-то ошибка. По телефону он спросил секретаршу, как пишется фамилия мистера Экса, и та весьма грубо ответила, что это никакая не фамилия. Тогда что же это? Просто — Экс. Понимайте как знаете.

— Минутку, — проскрипел голос, и Клей остался ждать снаружи, уставившись в дверь и стараясь не смотреть по сторонам. Слева от него, совсем близко, послышалось какое-то движение.

— Эй, мужик, так ты адвокат? — последовал вопрос, заданный высоким молодым голосом чернокожего, достаточно громким, чтобы расслышали все.

Клей обернулся и посмотрел в захватанные пальцами солнцезащитные очки своего мучителя.

— Да, — ответил он предельно холодно.

— Не-а, никакой ты не адвокат, — возразил молодой человек. За спиной Клея стала собираться толпа любопытствующих хулиганов.

— Тем не менее, — выдавил Клей.

— Таких адвокатов, мужик, не бывает.

— Это точно, — подтвердили из толпы.

— Ты что, в самом деле адвокат?

— В самом, — подыграл Клей.

— Если ты адвокат, чего ж ездишь на такой вонючей тачке?

Неизвестно, что уязвило Клея больше: смех, коим сопроводили собравшиеся на тротуаре это замечание, или справедливость самого замечания. Своим ответом он лишь усугубил ситуацию.

— На «мерседесе» ездит моя жена, — неуклюже пошутил он.

— Да откуда у тебя жена! У тебя ж кольца нет на руке.

«Что еще они заметили?» — подумал Клей. Охальники все еще продолжали гоготать, когда замок наконец щелкнул и одна створка двери открылась. Клею понадобилось сделать над собой усилие, чтобы не броситься внутрь очертя голову, а войти не торопясь, с напускной непринужденностью. Приемная представляла собой бункер с цементным полом, стенами из железобетонных блоков и стальными дверями. Никаких окон, низкий потолок, скудное освещение. Не хватало лишь мешков с песком да оружия. За длинным казарменным столом сидела секретарша, одновременно разговаривавшая по двум телефонам. Не глядя на Клея, она бросила:

— Он будет через минуту.

Тэлмадж Экс оказался мужчиной лет пятидесяти, без единого грамма жира в жилистом теле и без намека на улыбку в старчески морщинистом лице, со взглядом больших глаз, израненным десятилетиями, проведенными среди уличных бандитов. Держался он настороженно. У него была очень черная кожа и очень белая одежда: туго накрахмаленная хлопчатобумажная рубашка и такие же рабочие брюки. Черные солдатские ботинки сияли, как два маленьких солнца. Череп — тоже, на нем не было ни единого волоска.

Когда они вошли в его выгороженный из приемной кабинет, он указал на единственный стул и закрыл дверь.

— Бумаги! — коротко бросил он. Видимо, светская беседа не была его сильным местом.

Клей протянул необходимые бумаги. Тэлмадж Экс прочел каждое слово на каждой странице, подписанной с трудом поддающимся расшифровке из-за наручников именем Текилы Уотсона. Клей заметил, что Экс не носил ни очки, ни часы. Время здесь принято было оставлять за порогом.

— Когда он это подписал?

— Как видите, бумаги датированы сегодняшним днем. Я встречался с ним в тюрьме часа два назад.

— Вы его адвокат? — спросил Тэлмадж Экс. — Официально назначенный?

Этому человеку не раз приходилось иметь дело с уголовным правосудием.

— Да. Назначенный судом от Бюро государственных защитников.

— Там все еще заправляет Гленда?

— Да.

— Мы отвлеклись. — Видимо, подобного отступления ему показалось достаточно.

— Вы знали об убийстве? — спросил Клей, доставая из портфеля блокнот.

— До того как вы позвонили час назад, не знал. Было известно только, что Уотсон ушел во вторник и не вернулся. Мы понимали: что-то случилось, но с ними всегда что-нибудь случается, нам это не в новинку. — Экс выговаривал слова медленно и четко, часто моргал, но взгляда не прятал. — Расскажите мне, что стряслось.

— Только конфиденциально, ладно?

— Я его наставник. И духовник. Вы его адвокат. Все сказанное в этой комнате здесь и останется. Идет?

— Согласен.

Клей подробно поведал обо всем, что ему удалось разузнать, в том числе изложил версию случившегося, услышанную от самого Текилы. Официально и по этическим соображениям он не должен был никому раскрывать содержание заявления своего клиента. Но какая уж тут этика? Тэлмадж Экс знал о Текиле Уотсоне неизмеримо больше, чем Клей мог бы узнать когда бы то ни было.

По мере того как Клей разворачивал перед ним цепочку событий, Тэлмадж Экс все больше сникал и наконец закрыл глаза, подняв лицо к потолку, словно хотел узнать у Господа, почему это произошло. Казалось, он глубоко ушел в свои мысли.

Когда Клей закончил, Экс спросил:

— Чем я могу помочь?

— Мне бы хотелось увидеть его личное дело. Он меня уполномочил.

Папка с делом Текилы Уотсона лежала на столе перед Тэлмаджем Эксом.

— Чуть позже, — ответил он. — Сначала поговорим. Что бы вы хотели узнать?

— Начнем с биографии. Откуда он родом?

Тэлмадж, готовый оказать любую помощь, снова смотрел прямо в глаза Клею.

— С улицы, оттуда же, откуда мы все. К нам его направила социальная служба. Безнадежный случай. Никакой семьи, заслуживающей упоминания. Отца он никогда не знал. Мать умерла от СПИДа, когда ему было три года. Воспитывали его, если можно так выразиться, две тетки, он переходил с рук на руки, бывало, его брали в чужую семью на время, мыкался по приютам, не вылезал из судов. Школу бросил. У нас тут все такие. Вы знаете что-нибудь про реабилитационные лагеря?

— Нет.

— К нам попадают самые трудные, закоренелые наркоманы. Мы их запираем на несколько месяцев, и они у нас живут, как в лагере для новобранцев. Нас здесь восемь человек, восемь наставников, и все мы в прошлом наркоманы. Кто однажды пристрастился к зелью, тому нет ходу назад. Но вы должны знать вот что: четверо из нас стали священниками. Я тринадцать лет отдал наркотикам и грабежам, а потом нашел путь к Иисусу. Словом, мы специализируемся по тем юным кокаинистам, которым никто уже не может помочь.

— Только по кокаинистам?

— Кокаин, мистер, — наркотик относительно дешевый, общедоступный, он позволяет им хоть на пару минут забыть о своей паскудной жизни. А стоит начать — и ты уже без него не можешь.

— Он толком ничего не рассказал мне о своих преступлениях.

Тэлмадж Экс открыл дело Текилы Уотсона и перевернул несколько страниц.

— Скорее всего это потому, что сам толком ничего не помнит. Текила несколько лет провел под кайфом. Вот. Ограбление, угон автомобилей — все, как у всех нас, когда нам удавалось раздобыть дурь. В восемнадцать лет он получил четыре месяца за магазинную кражу. В прошлом году попался на хранении — три месяца. Не самый плохой послужной список для такого, как мы. Никакого насилия.

— Никаких тяжких уголовных?

— Я не вижу ни одного.

— Попробуем это использовать, — сказал Клей. — До некоторой степени это может помочь.

— Звучит так, будто ему ничто уже помочь не может.

— Мне сообщили, что есть по крайней мере два свидетеля. Я не питаю особого оптимизма.

— Он признал свою вину в полиции?

— Нет. Там сказали, что он захлопнулся, как моллюск в раковине, когда его поймали, и вообще ничего не стал говорить.

— Это необычно.

— Да уж, — согласился Клей.

— Похоже на пожизненное без права апелляции, — со знанием дела предположил Тэлмадж Экс.

— Совершенно верно.

— Знаете, мистер Картер, для нас это еще не конец света. Во многих отношениях жизнь в тюрьме лучше, чем жизнь на здешних улицах. Я знаю немало парней, которые сделали бы выбор в пользу первой. Жаль. Текила был одним из немногих, кто в состоянии выкарабкаться...

— Почему вы так считаете?

— Потому что у парня есть голова на плечах. Когда мы его «очистили» и привели в порядок, он был страшно доволен. Впервые в своей взрослой жизни не был под кайфом. Он не знал грамоты — мы стали учить его. Ему нравилось рисовать — мы его всячески в этом поддерживали. Мы здесь не склонны торжествовать по поводу своих успехов, но Текилой гордились. Он даже подумывал по понятным причинам сменить имя.

— Вы никогда не торжествуете по поводу своих побед?

— Мистер Картер, мы теряем шестьдесят шесть процентов этих ребят — две трети. Они поступают к нам больные, как бродячие псы, с мозгами и организмами, истерзанными кокаином и недоеданием, порой умирающими от дистрофии, с кожей, покрытой коростой, с выпадающими волосами — это самые тяжелые наркоманы округа Колумбия. И мы обеспечиваем им нормальное питание, очищаем организм от наркотиков, прививаем элементарные трудовые навыки. Они встают в шесть утра и драят палаты перед обходом. В шесть тридцать — завтрак, а потом беспрерывное вправление мозгов. С ними работает группа крепких профессионалов, некогда прошедших через все то, через что проходят теперь наши подопечные, так что никакой туфты, извиняюсь за выражение. Им и в голову не приходит мошенничать, потому что мы сами опытные мошенники. Спустя месяц они чисты и горды собой. По жизни за пределами лагеря они не тоскуют, так как ничего хорошего их там не ждет —

ни работы, ни семьи, никого, кто их любит. Им легко вправлять мозги, и мы делаем это весьма жестко. Через три месяца, в зависимости от индивидуальности пациента, начинаем отпускать его на час-другой в день на улицу. Девять из десятерых возвращаются, потому что им хочется снова оказаться в каморках. Мы держим их здесь год, мистер Картер. Двенадцать месяцев, ни днем меньше. Стараемся дать начатки образования, кое-какие навыки обращения с компьютером. Прилагаем неимоверные усилия, чтобы найти для них работу. Выпуская на свободу, мы молимся за них. Они уходят, и в течение года две трети из них снова садятся на наркотики и оказываются на помойке.

— Вы принимаете их обратно?

— Редко. Если они будут знать, что могут сюда вернуться, им и вовсе удержу не будет.

— А что происходит с оставшейся третью?

— Это именно то, ради чего мы здесь, мистер Картер. Ради этого я и остаюсь их наставником. Эти парни, как я, выживают, прилагая для этого неимоверные усилия. Мы побывали в аду и вернулись, и не дай Бог никому пройти такой страшный путь. Многие из уцелевших работают с другими наркоманами.

— Сколько человек способен принять лагерь?

— У нас восемьдесят коек — все заняты. Места здесь довольно, чтобы принять вдвое больше, но, как всегда, не хватает денег.

— Кто вас содержит?

— Наш бюджет на восемьдесят процентов состоит из федеральных субсидий, но никогда нет гарантии, что мы получим их и на следующий год. Остальное выклянчиваем у частных фондов. Сколько сил на это уходит, если бы вы знали!

Клей перевернул страницу и что-то записал.

— У Текилы нет каких-нибудь родственников, с которыми я мог бы поговорить?

Пролистав дело, Тэлмадж Экс покачал головой:

— Где-то есть у него тетка, но не питайте особых надежд. Даже если вам удастся найти ее, чем она сможет помочь?

— Скорее всего ничем. Но парню было бы приятно увидеть родственницу.

Тэлмадж Экс продолжал листать дело, словно хотел что-то найти. Клей подозревал, что он ищет записи или документы, которые следовало изъять, прежде чем передать ему папку.

— Когда я смогу с этим ознакомиться? — спросил он.

— Завтра вас устроит? Мне нужно сначала просмотреть дело.

Клей пожал плечами: если Экс сказал завтра — значит, завтра.

— Хорошо. Мистер Картер, я так и не понял мотива. Почему он это сделал?

— Я тоже не понял. Думал, вы мне объясните. Вы же наблюдали за ним почти четыре месяца. Он ведь никогда не совершал насилия, не имел дела с оружием, не был предрасположен к дракам. Похоже, он вообще был примерным пациентом. Вы всякого навидались. Так скажите же мне — почему?

— Да уж, навидался я многого, — согласился Тэлмадж Экс, и взгляд его сделался еще печальнее. — Но такого видеть не приходилось. Этот парень боялся какого бы то ни было насилия. Мы здесь никаких драк не допускаем, но мальчишки есть мальчишки, и кое-какие ритуалы устрашения чтут свято. Текила был одним из самых слабых. Не могу себе представить, чтобы, выйдя отсюда, он украл пистолет, выбрал случайную жертву и застрелил. Также не могу себе представить, чтобы он набросился на кого-то из сокамерников и избил его до такого состояния, что того пришлось отправить в больницу. Я в это просто не верю.

— Ну так что же мне сказать присяжным?

— Каким присяжным? Он признает свою вину, вы же сами понимаете, и останется в тюрьме до конца жизни. Уверен, там он встретит немало знакомых.

Последовала долгая пауза, которая, похоже, ничуть не смущала Тэлмаджа Экса. Он закрыл папку и отодвинул на край стола. Встреча подходила к концу, но посетителем был Клей, и закончить ее должен был он.

— Так я приеду завтра, — сказал он. — В какое время?

— После десяти, — ответил Тэлмадж Экс. — Я вас провожу.

— В этом нет необходимости, — вежливо заметил Клей, хотя на самом деле был счастлив.

Банда, дежурившая на улице, заметно разрослась и, судя по всему, ждала, когда адвокат выйдет из здания. Они облепили его «аккорд», слава Богу, пока стоявший на месте целехоньким. Но какую бы каверзу они ни задумали, при виде Тэлмаджа Экса все планы были моментально забыты. Стоило тому лишь качнуть головой, как банда рассеялась. Спеша покинуть неприветливые края, Клей с ужасом подумал о том, что завтра придется сюда вернуться.

Проехав кварталов восемь, он нашел Леймонт-стрит, остановился на пересечении с Джорджия-авеню и быстро огляделся. Аллей, в которых кто угодно мог убить кого угодно, тут было хоть отбавляй, а он вовсе не искал приключений на свою голову. Район был таким же мрачным, как тот, откуда он только что уехал. Чтобы осмотреться и порасспрашивать местных жителей, лучше приехать сюда попозже с Родни, чернокожим параюристом, хорошо знающим законы улицы.

5

Загородный клуб «Потомак» в Маклине, штат Виргиния, был основан сто лет назад группой богачей, отвергнутых другими клубами. Богатая публика может стерпеть многое, но только не отказ быть принятой где бы то ни было. Отверженные вбухали в «Потомак» немалые деньги и выстроили самый шикарный клуб во всем округе Колумбия. Они переманили к себе нескольких сенаторов, заполучили в качестве трофеев еще кое-кого из высокопоставленных деятелей, и уже через короткое время «Потомак» приобрел — точнее, купил себе — респектабельность. Как только в клубе собралось достаточное количество членов, чтобы он мог сам себя обеспечивать, вступила в силу традиционная процедура исключения. Хотя клуб все еще считался относительно новым, выглядел и действовал он так же, как давно основанные клубы с традициями.

Одним он тем не менее существенно отличался от других: «Потомак» никогда не скрывал, что членство здесь можно откровенно купить, если у человека достаточно денег. Никакого «листа ожидания», никаких «фильтрационных» комитетов, никакого тайного голосования членов правления. Даже если вы новичок в округе, даже если стали богатым лишь вчера, престижный статус члена «Потомака» вы могли получить всего за день, выписав достаточно солидный чек. В результате «Потомак» располагал роскошными полями для гольфа, теннисными кортами, бассейнами, конюшнями, рестораном — то есть всем, о чем может мечтать загородный клуб.

Насколько мог понять Клей, Беннет Ван Хорн выписал чек на весьма приличную сумму. Как бы ни презирал его Клей, следовало признать: его собственные родители не имели денег, необходимых, чтобы быть принятыми в «Потомак». Восемнадцать лет назад его отец вел дело против Беннета в связи с недобросовестными манипуляциями недвижимостью в Александрии. В те времена Беннет был риелтором, весьма высокомерным в общении, но при этом погрязшим в долгах, лишь ничтожная часть его имущества была свободна от заклада. И тогда он отнюдь не являлся членом загородного клуба «Потомак», хотя теперь делал вид, будто родился в нем.

Золотой дождь пролился на Беннета-Бульдозера в конце восьмидесятых, когда он начал завоевание холмистой части Виргинии. Сделки посыпались как из рога изобилия.

Появились партнеры. Не он придумал подсечно-огневой метод освоения территорий, но он, несомненно, его усовершенствовал. На девственных холмах он построил широкие молы. Возле мемориального поля сражений — жилой комплекс. Сровнял с землей целую деревню, чтобы осуществить на этом месте гигантскую плановую застройку — кондоминиумы, многоквартирные дома, большие здания, маленькие здания, в центре — парк с мелководным прудом и двумя теннисными кортами и небольшой торговый центр, который очень мило выглядел на архитектурном плане, однако так и не был сооружен. Забавно, но начисто лишенный чувства юмора Беннет невольно давал остроумные названия своим накромсанным как бог на душу положит строительным объектам, используя описания тех пейзажей, которые сам безжалостно истреблял, — Холмистые луга, Шелестящие дубы, Горный лес и тому подобное. Объединившись с другими мастерами захвата территорий, он лоббировал их общие проекты в Ричмонде, в законодательных органах, выколачивая деньги на все новые дороги, чтобы можно было понастроить еще больше жилых комплексов и пустить сюда еще больше машин. В процессе своей деятельности он стал фигурой в политической игре, а его «я» раздулось до масштабов несоразмерных.

В девяностые годы корпорация БВХ стремительно разрасталась, и доходы, пусть ненамного, превосходили выплаты по кредитам. Они с женой Барб купили дом в престижном районе Маклина, вступили в «Потомак», стали завсегдатаями и изо всех сил старались создать впечатление, будто всегда были богачами.

В 1994 году, согласно архивным документам министерства внутренних дел, которые Клей усердно проштудировал и с которых снял копии, Беннет решил преобразовать свою корпорацию в открытое акционерное общество, чтобы собрать двести миллионов долларов. Он собирался использовать эти деньги на покрытие некоторых долгов, но что гораздо важнее — «...инвестировать их в грядущие безграничные возможности северной Виргинии». Иными словами, пустить по штату еще больше бульдозеров и тем же подсечно-огневым методом «освоить» оставшиеся нетронутыми территории. План Ван Хорна при наличии подобной суммы, без сомнения, воодушевил местных торговцев строительной техникой. Местные же власти он должен был насторожить, если бы те не спали.

Благодаря почину солидного инвестиционного банка цена на акции корпорации БВХ взлетела до 10 долларов, а потом достигла пика в 16 долларов 50 центов — неплохой результат, хотя далеко не тот, что предсказывал ее основатель и президент. За неделю до того как пустить акции в общедоступную продажу, Ван Хорн хвалился в местной деловой газетенке «Дейли профит», будто «...ребята с Уолл-стрит не сомневаются, что цена на них скоро достигнет сорока долларов за штуку». Однако на общенациональном рынке акции стали быстро падать и с громким стуком шлепнулись на отметке шесть долларов. Беннет по глупости и жадности не скинул часть акций по демпинговым ценам, как делают разумные предприниматели. Он продолжал сидеть на своих четырех миллионах акций и наблюдать, как их рыночная стоимость из шестидесяти шести миллионов долларов превращалась почти в ничто.

Каждое буднее утро Клей просто развлечения ради проверял котировки. В последний раз за акцию БВХ давали восемьдесят семь центов.

«Как идут ваши акции?» — Клей давно мечтал задать Беннету этот вопрос, несомненно, прозвучавший бы как пощечина, но не хватало духу.

«Может, сегодня решусь», — думал он, подъезжая к «Потомаку». В свете вероятного брака обсуждать за обеденным столом неудачи Клея считалось в порядке вещей. Но не неудачи мистера Ван Хорна! «Привет, Беннет, поздравляю: ваши акции поднялись на двенадцать центов за последние два месяца, — произнесет он вслух. — Большой успех, старина! Пора подумать о новом «мерседесе»!» Как бы хотелось Клею сказать это ему в лицо.

Чтобы не платить чаевых парковщику, Клей оставил свой «аккорд» на дальней стоянке, за теннисными кортами. Подходя к воротам и не переставая что-то бубнить себе под нос, он подтянул галстук. Клей ненавидел это место, ненавидел из-за всех этих старых задниц — членов клуба, ненавидел за то, что не мог сам стать его членом, ненавидел, потому что это была территория Ван Хорнов и они всегда давали понять, что он здесь находится не по праву. Каждый день Картер по сто раз спрашивал себя, как его угораздило влюбиться в девушку, у которой такие гнусные родители. Если у него и был план будущего, то состоял он в том, чтобы тайно бежать с Ребеккой в Новую Зеландию, подальше от Бюро государственных защитников и, главное, от ее семейки.

Ледяной взгляд метрессы явно говорил: «Не думайте, будто я не знаю, что вы не член клуба, но так уж и быть, провожу вас за столик». Вслух, вымучив подобие улыбки, она произнесла:

— Следуйте за мной.

Клей ничего не ответил, лишь громко сглотнул и, не глядя по сторонам, направился к столику, стараясь не обращать внимания на ком, вставший в желудке. Как он мог наслаждаться едой в подобной обстановке? Они с Ребеккой ужинали здесь дважды — один раз с мистером и миссис Ван Хорн, другой — без них. Кормили здесь дорого и весьма вкусно. Впрочем, Клей, привыкший к индейке, разогретой в микроволновке, едва ли мог оценить здешнюю кухню по достоинству и понимал это.

Беннета за столом не было. Клей притворно-радушно обнял миссис Ван Хорн — ритуал, который ненавидели оба, — и бодро провозгласил:

— С днем рождения!

Потом клюнул Ребекку в щечку. Столик был одним из лучших, с видом на зеленую площадку вокруг восемнадцатой лунки, — очень престижное место в этом зале, потому что можно было угодить за столик, откуда оставалось лицезреть лишь, как старперы в спортивных костюмах толкутся на стартовом пятачке, не в состоянии преодолеть лунку с двух шагов.

— А где мистер Ван Хорн? — поинтересовался Клей в надежде, что того нет в городе или — чем черт не шутит — он попал в больницу с каким-нибудь тяжелым заболеванием.

— Сейчас приедет, — сообщила Ребекка.

— Он провел весь день в Ричмонде, встречался с губернатором, — важно добавила миссис Ван Хорн. Дамы были несносны. Клею захотелось крикнуть: «Ладно, ладно, вы победили! Мое положение вашему не чета».

— Над чем он сейчас работает? — вместо этого вежливо поинтересовался Клей, в который раз поражаясь собственной способности умело изображать искренность. На самом деле он прекрасно знал, зачем Бульдозер ездил в Ричмонд. Штат был на грани разорения и не мог позволить себе прокладку новых дорог на севере Виргинии, а Беннет со своей братией требовали продолжать строительство. Северная Виргиния — это голоса избирателей. Законодатели подумывали о проведении местного референдума по вопросу о налогах с оборота, тогда города и округа, расположенные вблизи округа Колумбия, смогли бы строить собственные автострады. Больше дорог, больше кондоминиумов, больше торговых центров, больше машин — больше денег для чахнущей корпорации БВХ.

— Что-то связанное с политикой, — ответила Барбара. Вероятно, она и впрямь не знала, что именно ее супруг обсуждал с губернатором. Клей сомневался даже, что она знает, какова сейчас стоимость акций БВХ. Четко она помнила лишь дни, по которым собирается ее бридж-клуб, и то, что Клей зарабатывает мало денег, остальное предоставляла Беннету.

— Как прошел день? — спросила Ребекка, мягко, но поспешно уводя разговор в сторону от политики. Два или три раза при разговоре с ее родителями Клей употребил словосочетание «варварская застройка», после чего их отношения стали еще более напряженными.

— Как обычно, — ответил он. — А у тебя?

— Завтра слушания, так что сегодня все стояли на ушах.

— Ребекка сказала, вы получили новое дело об убийстве, — вставила Барб.

— Да, это правда, — подтвердил Клей, подумав: интересно, какие еще аспекты его деятельности в качестве государственного защитника они могли бы обсудить? Перед обеими дамами стояли бокалы с белым вином, уже наполовину опустошенные. Когда он вошел, они о чем-то спорили, вероятно, о нем. Или он излишне подозрителен? Может быть...

— Кто ваш клиент? — поинтересовалась Барб.

— Уличный парнишка.

— А кого он убил?

— Такого же уличного парня.

Это ее немного успокоило: черные убивают черных. Кому какое дело, если они даже все перебьют друг друга?

— Он действительно убил его?

— Пока не было суда, действует презумпция невиновности. Таков закон.

— То есть он действительно убийца.

— Похоже на то.

— Как вы можете защищать подобных людей? Если вы знаете, что человек виновен, как можно прилагать усилия, чтобы вытащить его?

Ребекка сделала большой глоток и решила на этот раз не вмешиваться. Она вообще в последние месяцы все реже приходила ему на помощь, и Клея начала точить мысль, что, какой бы волшебной ни была жизнь с ней, ее родители способны превратить все в сплошной кошмар.

— Наша конституция гарантирует каждому обвиняемому адвоката и справедливый суд, — снисходительно, словно дурочке, пояснил он. — Я всего лишь выполняю свою работу.

Барбара закатила глаза и посмотрела через окно на лужайку. Многие дамы из «Потомака» прибегали к услугам пластической хирургии, коньком которой, видимо, было придание любому лицу сходства с азиатским типом. Хоть морщины действительно исчезали, но после второй операции уголки глаз оттягивались к вискам так, что взгляд становился чудовищно неестественным. Старушка Барб постоянно делала подтяжки, утяжки, пользовалась всеми мыслимыми лифтинг-кремами и прочими косметическими средствами, без разбору подвергала себя нехирургическим омолаживающим процедурам, но все это без какого бы то ни было продуманного плана, так что желанного преображения не наблюдалось.

Ребекка сделала еще один большой глоток. Когда они впервые обедали здесь с ее родителями, она скинула под столом туфлю и кончиками пальцев гладила ногу Клея, словно хотела сказать: «Пошлем к черту этот кабак и смоемся». Сегодня все было не так. Ребекка была холодна, выглядела озабоченной. Клей прекрасно знал, что ее беспокоят вовсе не бессмысленные слушания, на которых придется завтра скучать. Причина находилась здесь, за столом, и он подумал: не собрались ли они наконец открыть все карты, устроив конференцию по вопросу об их с Ребеккой будущем?

Беннет подошел к столу, запыхавшись, рассыпаясь в неискренних извинениях по поводу своего опоздания. Он похлопал Клея по спине, словно они были членами одного студенческого братства, и поцеловал своих девочек в щечки.

— Ну, как твоя встреча с губернатором? — проговорила Барб так, чтобы ее вопрос услышали даже в противоположном конце зала.

— Замечательно. Передает тебе привет. На следующей неделе в город прибывает корейский президент. Губернатор пригласил нас на официальный прием, который он устраивает в своей резиденции, — сообщил БВХ, тоже, разумеется, в полный голос.

— Что ты говоришь?! — с преувеличенным энтузиазмом воскликнула Барбара, состроив гримасу восторга на своем в очередной раз перекроенном лице.

Среди корейцев она бы выглядела своей на все сто, подумалось Клею.

— Ожидается большой загул. — Беннет покачал головой, доставая из карманов и раскладывая на столе набор мобильных телефонов. Не прошло и минуты, как у него за спиной появился официант с традиционным двойным скотчем. В стакане, как любил Беннет, плавал только один небольшой кусочек льда.

Клей заказал чай со льдом.

— Как поживает мой конгрессмен? — почти проорал Ребекке через стол Беннет и, скосив глаза, проверил, услышала ли его пара, сидевшая за соседним столиком: у меня есть свой конгрессмен, знай наших!

— Прекрасно, папа. Очень занят, но просил передать тебе привет.

— Ты выглядишь усталой, детка. Был трудный день?

— Да нет, ничего.

Ван Хорны дружно отпили из бокалов. Усталость Ребекки была любимой темой разговоров ее родителей. Они считали, что девочка слишком много работает. Предпочитали, чтобы она не работала вовсе. «Девочка» приближалась к тридцатилетнему рубежу, ей пора было выйти замуж за достойного молодого человека с хорошо оплачиваемой службой и блестящим будущим, чтобы родить им внуков и провести остаток жизни в клубе «Потомак».

Клею было бы начхать на то, что они там считали и предпочитали, если бы сама Ребекка не мечтала о том же самом. Когда-то она поговаривала о карьере госслужащей, но, проведя четыре года на Капитолийском холме, досыта наелась бюрократии. Она хотела мужа, детей и большой дом в пригороде.

Принесли меню. Беннету позвонили. Не выходя из-за стола, он весьма грубо начал говорить с кем-то, словно финансовая безопасность Америки — ни больше ни меньше — висела на волоске. Явно срывалось какое-то дельце.

— Что мне надеть? — спросила Барбара у Ребекки, воспользовавшись моментом, когда Клей якобы углубился в меню.

— Что-нибудь новенькое, — посоветовала Ребекка.

— Ты совершенно права, — охотно согласилась Барб. — Давай в субботу пройдемся по магазинам.

— Отличная идея.

Беннету, судя по всему, удалось спасти положение, и они сделали заказ, после чего глава семьи соизволил ознакомить их с подробностями разговора: банк проявляет нерасторопность, ему, Беннету, придется их подстегнуть и так далее и тому подобное. Он распространялся об этом, пока не принесли салаты.

Немного поев, Беннет с полным, как обычно, ртом сообщил:

— В Ричмонде я обедал со своим близким другом Йеном Ладкином, спикером палаты. Тебе бы понравился этот парень, Клей, — выдающийся деятель. И настоящий виргинский джентльмен.

Клей прожевал и кивнул с таким энтузиазмом, словно не мог дождаться встречи с другом Беннета.

— Но не в этом дело. Йен мне кое-чем обязан, там многие мне обязаны. Вот я и прозондировал один вопрос.

Клей не сразу заметил, что обе дамы перестали жевать, положили вилки и замерли.

— Какой вопрос? — спросил Клей, поскольку все, видимо, ожидали, чтобы он что-нибудь сказал.

— Я рассказал ему о тебе, Клей: блестящий молодой юрист, хваткий, трудолюбивый, выпускник Джорджтаунского университета, красивый молодой человек с твердым характером. И он сказал, что всегда рад дать шанс новому дарованию — одному Богу известно, как трудно его найти, — и что как раз сейчас у него открывается новая ставка. Я ответил, что не знаю, заинтересует ли тебя это предложение, но с удовольствием передам его тебе. Ну, что думаешь?

«Думаю, меня обложили, как медведя в берлоге!» — чуть не вырвалось у Клея. Ребекка неотрывно смотрела на него, пытаясь определить его первую реакцию.

В соответствии со сценарием Барб произнесла:

— Похоже, прекрасное предложение.

Талантливый, блестящий, трудолюбивый, хорошо образованный, даже красивый. Клея позабавило, как быстро вдруг выросли его акции.

— Это интересно, — признался он отчасти даже честно, поскольку все было действительно интересно в этом действе.

Беннет тут же ухватился за его реплику. На его стороне, разумеется, было преимущество внезапности.

— Потрясающее место. Очень интересная работа. Ты там будешь иметь дело с сильными мира сего. Скучать не придется ни минуты. Конечно, нужно будет попотеть, особенно во время парламентских сессий, но я сказал, что у тебя широкие плечи и огромное чувство ответственности. На тебя можно положиться.

— А чем именно я буду там заниматься? — с трудом сумел вставить Клей.

— Ну, я этих ваших юридических тонкостей не знаю. Но Йен сказал, что, если предложение тебя заинтересует, он охотно с тобой побеседует. Однако место горящее. По его словам, резюме кандидатов льются рекой. Так что надо шевелиться.

— Ричмонд — это не так далеко, — вставила Барб.

Да уж, это черт знает насколько ближе, чем Новая Зеландия, с сожалением подумал Клей. Барб уже планировала свадьбу. Мысли Ребекки оставались для него загадкой. Иногда она задыхалась от родительской опеки, но редко выказывала какое бы то ни было желание уйти из семьи. Беннет использовал свои деньги, если у него действительно еще что-то оставалось, как приманку, чтобы удерживать дочерей.

— Что ж... думаю, я должен вас поблагодарить, — сказал Клей, сутулясь под тяжестью своих новообретенных «широких плеч».

— Начальное жалованье девяносто четыре тысячи в год, — сообщил Беннет, на октаву, а то и на две понизив голос, чтобы этого за соседними столиками не услышали.

Девяносто четыре тысячи. Более чем в два раза выше нынешней зарплаты Клея, и он отдавал себе отчет в том, что всем сидящим за столом это известно. Ван Хорны боготворили деньги и были одержимы разговорами о жалованьях и состояниях.

— Ух ты! — отреагировала на сообщение Барб.

— Приличная зарплата, — признал Клей.

— Для начала неплохо, — согласился Беннет. — Йен говорит, ты сможешь познакомиться с крупнейшими адвокатами города. Наладишь связи и все такое. Покрутишься там несколько лет и проторишь себе дорожку в корпоративную адвокатуру. Вот где крутятся большие деньги, скажу я тебе!

Клею не понравилось, что Беннет Ван Хорн взялся планировать остаток его жизни. Планирование это, разумеется, не имело никакого отношения к самому Клею — только к Ребекке.

— От таких предложений не отказываются, — подстрекательски заметила Барб.

— Мама, не дави, — осадила ее Ребекка.

— Такая прекрасная возможность! — не унималась Барб, будто Клей и сам этого не понимал.

— Ну что ж, обмозгуй, взвесь все, — заключил Беннет. Дар был презентован, оставалось посмотреть, хватит ли у мальчика ума толково им распорядиться.

Клей набил рот салатом, чтобы иметь предлог не отвечать, и лишь кивал. Принесли второй стакан виски, тему сочли исчерпанной. Беннет стал пересказывать последние ричмондские сплетни насчет вероятности предоставления профессиональным бейсбольным командам округа Колумбия новых финансовых льгот, это была одна из его любимых тем. Он был третьестепенным участником одной из трех инвестиционных групп, которые плели махинации вокруг этого дела в расчете на большой куш, и, оказавшись в курсе самых последних новостей, чуть не лопался от самодовольства. Согласно недавней статье в «Пост», группа, в которую входил БВХ, находилась на последнем месте и с каждым месяцем теряла позиции. Их финансы были сомнительными, положение, по свидетельству неназванного источника, весьма ненадежным, а имя Ван Хорна в публикации даже не упоминалось. Клей знал, что у того колоссальные долги. Несколько проектов было приостановлено благодаря усилиям защитников окружающей среды, пытавшихся сохранить хоть то, что еще осталось от северной Виргинии. Против бывших партнеров Ван Хорна были поданы судебные иски. Акции компании практически ничего не стоили. Тем не менее этот человек сидел, вальяжно развалившись, потягивая свой скотч и разглагольствуя о новом стадионе за четыреста миллионов, двухстах миллионах долларов прибыли по льготному контракту и по меньшей мере 100 миллионах чистого заработка.

Стейки принесли, когда с салатами уже было покончено, что стоило Клею еще нескольких минут вынужденного мучительного разговора, поскольку рот набить оказалось нечем. Ребекка не обращала на него никакого внимания, он на нее, разумеется, тоже. Схватка была впереди.

Пошли в ход истории про губернатора, близкого друга, который со всем своим аппаратом изготовился к сенатским выборам и, разумеется, хотел, чтобы Беннет принимал в кампании самое активное участие. Было упомянуто несколько животрепещущих дел. Поговорили о новом самолете, впрочем, о покупке речь шла уже давно. По словам Беннета, он просто не мог найти того, что хотел. Ужин был рассчитан часа на два, но уже через полтора все, дружно отказавшись от десерта, начали собираться.

Клей поблагодарил Беннета и Барб и еще раз пообещал не откладывая обдумать перспективу работы в Ричмонде.

— Это твой жизненный шанс, — мрачно предупредил Беннет. — Не упусти его.

Убедившись, что родители ушли, Клей пригласил Ребекку зайти на минутку в бар. В ожидании заказа оба хранили гробовое молчание. Так между ними повелось: когда ситуация оказывалась напряженной, каждый ждал, чтобы первым заговорил другой.

— Я ничего не знала о предложении работать в Ричмонде, — начала она.

— Трудно поверить. Выглядело так, будто вся семейка заодно. Уж матушка-то твоя точно была в курсе дела.

— Отец всего лишь проявляет заботу о тебе, вот и все.

«Твой отец — идиот!» — хотелось выкрикнуть Клею.

— Нет, он проявляет заботу о тебе. Не может допустить, чтобы ты вышла замуж за охламона, у которого нет будущего, вот и строит это будущее вместо нас. Тебе не кажется, что это бесцеремонно — подыскивать для меня новую работу, поскольку моя нынешняя ему не нравится?

— Может, он просто хочет помочь? Ему нравится роль благодетеля.

— Но почему он решил, что я нуждаюсь в помощи?

— А ты разве не нуждаешься?

— Ясно. Наконец и ты раскололась.

— Клей, не можешь же ты работать в этом бюро вечно. Ты прекрасно делаешь свою работу и хорошо относишься к клиентам, но, может, пора двигаться дальше? Пять лет в БГЗ — многовато. Сам говорил...

— А если я не хочу жить в Ричмонде? Если я никогда не думал уезжать из ОК? Если я не желаю работать под началом одного из закадычных дружков твоего отца? Ты можешь допустить, что идея оказаться в компании местных политиков меня не вдохновляет? Я юрист, Ребекка, а не бумажная крыса.

— Прекрасно. Как хочешь.

— Это предложение — ультиматум?

— В каком смысле?

— Во всех. Что будет, если я откажусь?

— Полагаю, ты уже отказался, что вообще-то весьма характерно для тебя — принимать скороспелые решения.

— Когда выбор очевиден, принятие решения не требует времени. Я сам нахожу себе работу и не прошу твоего отца об одолжениях. Но все же что будет, если я скажу «нет»?

— О, я уверена, что солнце не перестанет всходить.

— А твои родители?

— Они, несомненно, будут разочарованы.

— А ты?

Ребекка пожала плечами и отхлебнула из бокала. Они неоднократно затевали разговор о свадьбе, но так ни к чему и не пришли. Никакой помолвки не было, и, разумеется, срок не был определен. Предполагалось, что, если кто-то захочет улизнуть, проход, весьма узкий, правда, всегда открыт. Но после четырех лет, в течение которых они, во-первых, встречались только друг с другом, во-вторых, постоянно уверяли друг друга во взаимной любви и, в-третьих, имели интимную близость не реже пяти раз в неделю, дело само собой двигалось к обретению официального статуса.

Однако Ребекка никак не желала признать, что мечтает отдохнуть от работы, обрести мужа, семью, а там, быть может, и вовсе отказаться от карьеры. Они продолжали соперничать в том, кто важнее. Ей не хотелось давать ему понять, что она мечтает стать просто женой.

— Мне все равно, Клей, — сказала Ребекка. — В конце концов, это всего лишь деловое предложение, а не правительственное назначение. Не хочешь — не надо.

— Большое спасибо, — ответил Клей, но внезапно ему пришло в голову: а вдруг Беннет и впрямь просто хотел помочь? Клей так не любил родителей Ребекки, что все в них раздражало его и вызывало подозрения. Но это его проблема, не так ли? Они имели полное право беспокоиться за будущее мужа своей дочери и отца своих внуков. К тому же, нехотя признался себе Клей, кого бы не беспокоил такой парень, как он, в качестве зятя?

— Пойдем отсюда, — предложила она.

— Конечно.

По дороге к выходу он чуть было не открыл рот, чтобы напроситься к ней в гости ненадолго, но, наблюдая за выражением лица Ребекки, понял, что получит отказ, причем, судя по настроению, в котором Ребекка пребывала весь вечер, весьма резкий. Тогда он и вовсе окажется в дураках и не сможет сдержаться. Впрочем, именно этого ему сейчас и хотелось: дать себе волю. Картер сделал глубокий вздох, стиснул зубы и переждал момент.

Но когда он открыл дверцу ее «БМВ», она прошептала:

— Почему бы тебе не заглянуть ко мне на минутку?

И Клей опрометью бросился к своей машине.

6

В обществе Родни он чувствовал себя немного увереннее, к тому же в девять часов утра даже Леймонт-стрит — сравнительно безопасное место; слишком раннее время для подозрительных типов. Те еще спали, одурманенные отравой, которую удалось раздобыть накануне — кому какую. Торговцы тоже только-только пробуждались. Клей припарковал машину неподалеку от злосчастной аллеи.

Родни был штатным параюристом БГЗ. Он учился на вечернем отделении юридического факультета уже лет десять, но не оставлял надежды когда-нибудь все же получить диплом и перейти в иное качество. Однако при наличии четверых подростков на иждивении ни денег, ни времени на решение профессиональных проблем катастрофически не хватало. Проведя детство на улицах города, он хорошо их знал. Немалая часть его рабочего времени уходила на то, чтобы по просьбе кого-нибудь из адвокатов, чаще всего белого, не слишком опытного и испытывающего непреодолимый страх, сопровождать его или ее в «стан врага» на предмет расследования очередного гнусного преступления.

Поскольку он был служащим, а не следователем, это не входило в его обязанности, и отказывался он не реже, чем соглашался. Но Клею шел навстречу всегда и вместе с ним работал над многими делами. Вот и сейчас они вдвоем нашли то место аллеи, где Рамон упал, сраженный пулей, тщательно обследовали его, хотя знали, что полиция не раз уже все здесь прочесала, и, отщелкав целую пленку, отправились на поиски свидетелей.

Таковых не оказалось, что нисколько не удивило обоих. За те пятнадцать минут, что Клей и Родни провели на месте преступления, весть об их прибытии успела разнестись по округе. Раз появились чужаки, разнюхивающие все, что связано с последним убийством, следовало запереть двери и держать рот на замке. Свидетели, двое мужчин, обычно дни напролет сидевшие здесь на молочных ящиках, потягивая дешевое вино и никуда не спеша, без следа исчезли. Торговцы делали вид, будто ни о каком убийстве слыхом не слыхивали.

— Здесь?! — удивленно воскликнул один из них, словно преступность в их районе была в диковинку.

Без толку пробродив около часа, Клей и Родни отправились в реабилитационный лагерь. Клей вел машину, Родни потягивал холодный кофе из высокого картонного стакана — судя по выражению его лица, напиток был отвратительный.

— Жермен несколько дней назад получил такое же дело, — сказал он. — Мальчишка, пробывший в лагере несколько месяцев, каким-то образом вышел на улицу — не знаю, отпустили его или сбежал, но в течение суток он раздобыл пистолет и напал на двух человек, одного убил.

— Случайные жертвы?

— Кого здесь можно считать случайными жертвами? Двое парней в незастрахованных машинах слегка тюкнулись и открыли пальбу. Что это, случайность или закономерность?

— Что там было — наркотики, ограбление, самозащита?

— Случайность, думаю.

— В каком лагере его держали?

— Это был даже не лагерь. Некое заведение возле «Хауарда»*, кажется. Я еще не видел бумаг. Ты же знаешь, Жермен нетороплив.

— Значит, ты еще не работаешь по этому делу?

— Нет. Просто слышал краем уха.

Родни был в курсе всех слухов и сплетен, он знал об адвокатах БГЗ и их делах больше, чем сама Гленда. Когда они повернули на Дабл-Ю-стрит, Клей спросил:

— Ты раньше бывал в этом лагере?

— Разок-другой приходилось. Здесь держат самых трудных, последняя остановка перед кладбищем. Мрачное место, и работают здесь мрачные ребята.

— А с джентльменом, которого зовут Тэлмадж Экс, ты знаком?

— Нет.

Клей припарковал машину перед домом, и они поспешили внутрь. Экса не оказалось на месте, он отбыл в больницу по какому-то срочному делу. Его коллега по имени Ноланд любезно представился, сказав, что является руководителем группы наставников. Проводив посетителей в свой кабинет, он положил на маленький стол дело Текилы Уотсона и разрешил с ним ознакомиться. Клей поблагодарил, уверенный, что из папки уже изъяты все документы, не предназначенные для посторонних глаз.

— По нашим правилам я обязан оставаться здесь, пока вы будете знакомиться с материалами, — объяснил Ноланд. — Если понадобятся копии, каждая стоит двадцать пять центов.

— Разумеется, — согласился Клей. Правило так правило. Он не сомневался, что, получив постановление суда, сможет изъять личное дело целиком, если оно ему потребуется. Ноланд занял место за столом, на котором громоздилась внушительная стопка бумаг. Клей начал листать документы. Родни делал записи.

* Сеть недорогих ресторанов при автомагистралях в зонах отдыха.

История Текилы оказалась печальной и банальной. Парень был направлен в лагерь социальной службой в январе, после того как его едва спасли от передозировки. Вес — сто двадцать один фунт, рост — пять футов десять дюймов. Врач провел первоначальный медицинский осмотр. Небольшая температура, озноб, головная боль — состояние, не очень типичное для наркомана. Кроме недостаточного веса, легкой простуды и изъеденного наркотиками организма, по заключению врача, ничего примечательного обнаружено не было. Как и остальных, Уотсона посадили под замок на тридцать суток и принялись откармливать.

Согласно записям Экса, падение Текилы на дно жизни началось в восьмилетнем возрасте, когда они с братом украли ящик пива с грузовика, развозившего продукты. Половину выпили сами, другую продали, а на вырученные деньги купили галлон дешевого вина. Текилу постоянно выгоняли из разных школ, и лет в двенадцать, открыв для себя наркотики, он к ним сразу пристрастился. Средства для выживания добывал воровством.

Начав употреблять наркотики, он начисто потерял память, так что о последних годах его жизни точно не было известно почти ничего. Экс приложил немало усилий, чтобы разузнать хоть что-нибудь, в деле хранилось несколько писем и распечаток электронных сообщений, фиксировавших те или иные остановки на этом скорбном пути. В возрасте четырнадцати лет Текила провел месяц в камере предварительного заключения округа Колумбия. Потом — Центр временного содержания малолетних преступников. Не успев выйти за ворота, Текила прямиком направился к дилеру и купил кокаин. Два месяца в Очард-Хаусе — печально известном заведении для несовершеннолетних наркоманов — тоже мало помогли. Текила признался Тэлмаджу Эксу, что там употреблял не меньше наркотиков, чем на воле. В шестнадцать лет он попал в «Клин-Стритс» — нешуточное заведение для таких, как он, очень похожее на здешний реабилитационный лагерь. Запись, сделанная

Эксом, гласила: «...через два часа после выхода он уже был под сильным воздействием наркотика». Суд по делам несовершеннолетних приговорил Уотсона к содержанию в летнем лагере для трудных подростков, когда ему исполнилось семнадцать, но строгого надзора там не было, и Текила зарабатывал тем, что продавал наркотики друзьям по несчастью. Последнюю перед здешним лагерем попытку отучить его от зависимости предпринял преподобный Джолли, настоятель церкви Грейсон, известный борец за души наркоманов, руководивший соответствующей программой реабилитации. В письме, полученном Тэлмаджем Эксом от преподобного Джолли, выражалось мнение, что Текила — один из тех трагических случаев, которые можно считать «практически безнадежными».

Но какой бы печальной ни представлялась эта биография, в ней не было и намека на насилие. Пять раз Текилу арестовывали и признавали виновным в грабежах, один раз — в магазинной краже, дважды — в незаконном хранении незначительного количества наркотиков. При этом Уотсон никогда не прибегал к оружию, во всяком случае, ни разу не был уличен. Факт не прошел мимо внимания Экса, который на тридцать девятый день пребывания Текилы в лагере сделал запись: «...склонен избегать малейшей угрозы физического столкновения. Судя по всему, испытывает неподдельный страх перед более сильными, равно как и перед большинством слабых».

На сорок пятый день Текила снова прошел медицинский осмотр. Его вес пришел в норму. Кожа очистилась от «...коросты и сыпи». Он делал успехи в учебе, интересовался искусством. День за днем записи становились короче. Жизнь Текилы в лагере входила в обычное русло. На некоторые дни вообще не приходилось никаких записей.

А вот на восьмидесятый день запись оказалась примечательной: «Он осознает: для того чтобы оставаться чистым, ему необходимо духовное руководство. Сам боится не справиться. Говорит, что хотел бы остаться в лагере навсегда».

День сотый: «Мы отпраздновали сотый день шоколадно-ореховыми пирожными и мороженым. Текила произнес небольшую речь. Он плакал. В качестве поощрения ему разрешили двухчасовую прогулку вне лагеря».

День сто четвертый: «Отпущен на два часа. Ушел и вернулся через двадцать минут с фруктовым мороженым на палочке».

День сто седьмой: «Послан на почту, спустя час вернулся».

День сто десятый: «Двухчасовая прогулка прошла без эксцессов».

Последняя запись относилась к сто пятнадцатому дню: «Был отпущен на два часа, не вернулся».

По мере того как защитники листали страницы, Ноланд все внимательнее наблюдал за ними.

— Есть еще вопросы? — спросил он так, словно давал понять, что у него уже отняли достаточно времени.

— Грустная история, — заключил Клей, с глубоким вздохом закрывая папку. У него было много вопросов, но это были не те вопросы, на которые мог — или захотел бы — ответить Ноланд.

— Даже в нашем несчастном мире, мистер Картер, это одно из самых скорбных мест. Я не слезлив, но Текила заставил меня плакать, — подытожил Ноланд, вставая. — Вам понадобятся какие-нибудь копии? — Аудиенция явно была окончена.

— Может быть, позже, — ответил Клей. Они поблагодарили руководителя наставников за то, что он уделил им время, и последовали за ним в приемную.

В машине, застегнув ремень безопасности, Родни окинул взглядом улицу и очень тихо сказал:

— Внимание, дружище, у нас новый приятель.

Глядя на счетчик горючего и гадая, хватит ли им бензина, чтобы доехать до конторы, Клей небрежно спросил:

— Какой еще приятель?

— Видишь бордовый джип вон там, в полуквартале от нас на другой стороне улицы?

Клей посмотрел:

— Ну и что?

— За рулем черный субъект, верзила в бейсболке, кажется, «Редскинз». Он наблюдает за нами.

Вглядевшись, Клей с трудом различил фигуру водителя, цвет кожи и бейсболку он рассмотреть не смог.

— Почему ты так думаешь?

— Я дважды видел его на Леймонт-стрит, когда мы там были. Ошивался поблизости, делал вид, что не смотрит на нас. Когда мы припарковывались здесь, я заметил этот джип в трех кварталах отсюда, а теперь он рядом.

— Почему ты думаешь, что это тот самый джип?

— Бордовый цвет не такой уж распространенный. И потом видишь вмятину на переднем бампере справа?

— Кажется, вижу.

— Это тот самый джип, точно. Давай проедем вперед и получше рассмотрим водителя.

Клей медленно направился к бордовому джипу. Шофер моментально укрылся за газетой. Родни записал номер машины.

— Зачем кому-то за нами следить?

— Наркотики. Дело, как всегда, в них. Возможно, Текила был распространителем. Возможно, у парня, которого он угрохал, были опасные дружки. Кто знает?

— Хотелось бы узнать.

— Давай не будем сейчас копать слишком глубоко. Поезжай, а я прослежу, увяжется ли он за нами.

Проехав с полчаса на юг, они остановились возле заправочной станции на авеню Пуэрто-Рико, неподалеку от Анакоста-Ривер. Пока Клей заливал в бак бензин, Родни наблюдал за проезжающими машинами.

— Отстал, — сказал он, когда они тронулись снова. — Едем в контору.

— Почему они сняли наблюдение? — спросил Клей, заранее готовый поверить в любое объяснение.

— Точно не знаю. — Родни не переставал смотреть в зеркало заднего вида. — Вероятно, хотели лишь убедиться, что мы действительно пойдем в лагерь. А может, поняли, что мы их засекли. Последи немного, не будут ли тебя пасти.

— Потрясающе. Меня еще никогда не пасли.

— Молись, чтобы им не понадобилось поймать тебя.

Жермен Вэнс делил кабинет с еще одним молодым необстрелянным адвокатом, которого в данный момент не оказалось на месте, так что Клею даже удалось сесть. Они обменялись соображениями по поводу дел своих последних подзащитных.

Клиент Жермена, Уошед Портер, был двадцатичетырехлетним «кадровым» бандитом, в отличие от Текилы Уотсона имевшим длинный и устрашающий послужной список насильственных преступлений. Член самой разветвленной в городе банды, Уошед дважды был тяжело ранен в ходе уличных перестрелок и однажды осужден за покушение на убийство. Семь из своих двадцати четырех лет он провел за решеткой. Особого желания освободиться от наркозависимости не выказал; единственная попытка, предпринятая в тюрьме, полностью провалилась. На сей раз его взяли по обвинению в двойном вооруженном нападении за четыре дня до убийства Рамона Памфри. Одна из его жертв скончалась на месте, другая находилась на грани жизни и смерти.

Незадолго до того Уошед полгода пробыл в центре «Клин-Стритс», где под строгой охраной прошел курс реабилитации. Жермен беседовал с его наставником, и разговор весьма напоминал тот, который состоялся у Клея с Тэлмаджем Эксом. Уошед освободился от зависимости, стал образцовым пациентом, полностью восстановил здоровье и с каждым днем обретал все большее самоуважение. Единственный срыв относился к раннему периоду пребывания в центре, когда он сбежал, накачался наркотиками, но через некоторое время вернулся с повинной. Почти четыре последних месяца ему позволялось выходить за пределы территории, и никаких проблем не было.

В апреле, через день после того, как его выписали из «Клин-Стритс», он совершил два вооруженных нападения, предварительно украв где-то пистолет. Судя по всему, выбор жертв был совершенно случайным. Первым пострадавшим оказался разносчик продуктов, с которым Уошед повстречался возле больницы. Они вступили в разговор, окончившийся ссорой и дракой, после чего Уошед четыре раза выстрелил в голову разносчику и убежал. Разносчик до сих пор находился в коме. Час спустя в шести кварталах оттуда Уошед израсходовал две оставшиеся пули, выстрелив в мелкого наркодилера, с которым прежде имел дело. Его схватили приятели дилера, но не стали чинить самосуд, а сдали полиции.

Жермен пока лишь однажды, очень коротко, беседовал с Уошедом — после предварительных слушаний, прямо в зале суда.

— Он все отрицал, — сообщил Жермен. — Смотрел пустым взглядом и твердил: поверить, мол, не могу, что в кого-то стрелял. Еще он сказал, будто это был тот, прежний Уошед, а не теперешний.

7

За все четыре года знакомства Клей мог припомнить лишь один случай, когда он звонил, точнее, пытался дозвониться Беннету-Бульдозеру. Попытка была предпринята в связи с необходимостью получить доступ к важным адвокатам из окружения великого человека и окончилась ничем. Мистер БВХ всячески создавал видимость, будто все время проводит «на объектах», то есть снует среди землечерпалок, отдавая бесценные распоряжения и носом чуя безграничные возможности северной части Виргинии. В их доме висели огромные фотографии, запечатлевшие его в сделанной на заказ и украшенной монограммой жесткой шляпе, с указующим перстом, посреди площадок, выровненных под строительство новых торговых центров. Ван Хорн утверждал, что не располагает временем для праздных разговоров и ненавидит телефоны, однако всегда носил с собой мобильник, чтобы держать руку на пульсе.

На самом же деле Беннет большую часть времени играл в гольф, притом очень плохо, по свидетельству отца одного из университетских однокашников Клея. Ребекка не раз проговаривалась, что ее отец не реже четырех раз в неделю топтал поле для гольфа в «Потомаке» и втайне больше всего на свете мечтал выиграть клубный чемпионат.

Сочиненная им самим легенда гласила, что мистер Ван Хорн — человек действия, у него не хватает терпения сидеть за столом, и поэтому в кабинете он проводит ничтожно мало времени. Девушка, свирепая, как питбуль, отвечавшая по телефону: «Корпорация БВХ», нехотя согласилась соединить Клея с другой секретаршей, обитавшей на порядок глубже в недрах компании. «Недвижимость!» — рявкнула эта вторая, словно в компании было бесконечное количество подразделений. Понадобилось не менее пяти минут, чтобы добраться до личной секретарши Беннета.

— Его нет на месте, — сообщила та.

— Как я могу с ним связаться? — спросил Клей.

— Он на объекте.

— Да, это я понял, но как с ним связаться?

— Оставьте свой номер, я передам его вместе с сообщениями о других телефонных звонках, — ответила девушка.

— О, премного благодарен, — съязвил Клей и оставил свой рабочий номер.

Беннет перезвонил ему через полчаса. Судя по шумовому фону, находился он в помещении, скорее всего в мужской комнате отдыха клуба «Потомак», со стаканом скотча в руке, огромной сигарой в зубах, в процессе игры в кункен.

— Клей, как поживаешь, старина? — воскликнул он так, словно они не виделись много месяцев.

— Прекрасно, мистер Ван Хорн, спасибо, а вы?

— Отлично. Прекрасно вчера посидели, не правда ли? — Ни рева дизельных моторов, ни взрывов вокруг слышно не было.

— Да, было очень мило, как всегда, — солгал Клей.

— Чем могу быть полезен, сынок?

— Видите ли, я действительно высоко ценю ваше желание помочь мне с этой работой в Ричмонде. Я не ожидал такого предложения и благодарен вам за заботу. — Клей с трудом сглотнул. — Но, честно говоря, мистер Ван Хорн, в мои планы не входит переезд в Ричмонд в ближайшем будущем. Я всю жизнь прожил в ОК, здесь мой дом.

У Клея было много причин отвергнуть предложение Ван Хорна. Намерение жить и работать в округе Колумбия стояло где-то в середине списка. Главным же мотивом было нежелание строить свою жизнь в соответствии с планом, предначертанным Беннетом Ван Хорном, и оказаться ему обязанным.

— Ты шутишь, — не поверил своим ушам Ван Хорн.

— Нет, я совершенно серьезен. Очень вам благодарен, но мой ответ — нет. — Последнее, чего бы сейчас хотелось Клею, — это схлопотать в лицо комок грязи, который непременно вылетит из-под копыт Беннета. В такие моменты он особенно любил телефон — идеальный защитный барьер.

— Это большая ошибка, сынок, — сказал Ван Хорн. — Ты просто не оценил, какая перспектива открывается.

— Возможно. Но не уверен, что вы ее оценили правильно.

— Ты гордый, Клей, мне это нравится. Но ты еще слишком зелен. Ты должен понять, что жизнь — это игра во взаимные услуги, и если кто-то предлагает тебе помощь, не следует отказываться. Когда-нибудь, вероятно, тебе представится возможность отплатить добром. Ты делаешь ошибку, Клей, которая, боюсь, может иметь серьезные последствия.

— Какого рода?

— Не исключено, что это скажется на твоем будущем.

— Но это же мое будущее, а не ваше. Придет время — я найду себе другую работу, потом следующую. Пока меня вполне устраивает нынешняя.

— Как тебя может устраивать то, что ты с утра до вечера защищаешь преступников? Не могу понять.

Разговор был не нов, и если бы он продолжился как обычно, то закончился бы весьма скоро и на повышенных тонах.

— Мне кажется, мы это уже обсуждали. Давайте не будем повторяться.

— Речь идет о существенном увеличении жалованья, Клей. Больше денег, более интересная работа, ты будешь общаться с солидными людьми, а не с уличным отребьем. Очнись, парень! — В трубке фоном послышались голоса. Где бы ни находился сейчас Беннет, он работал на публику.

Стиснув зубы, Клей пропустил «парня» мимо ушей.

— Не собираюсь спорить с вами, мистер Ван Хорн. Я позвонил лишь для того, чтобы сказать «нет».

— Лучше бы тебе обдумать все еще раз.

— Я уже все обдумал. Благодарю вас — нет.

— Ты неудачник, Клей, если хочешь знать. Я с самого начала это предполагал. Просто теперь получил лишнее подтверждение. Ты отказываешься от многообещающей работы и согласен на мизерное жалованье, только бы не менять привычной колеи. У тебя нет ни честолюбия, ни воображения, никчемный ты человек.

— Вчера вечером я был трудолюбивым, хватким, имел широкие плечи и массу талантов.

— Беру свои слова обратно. Ты неудачник.

— Еще я был прекрасно образован и даже красив.

— Я тебе льстил. Ты неудачник.

Клей отключился первым, бросил телефонную трубку на рычаг с улыбкой, очень довольный тем, что сумел вывести из себя великого Беннета, настоять на своем и дать понять, что он не намерен плясать под его дудку.

Но предстояло еще объяснение с Ребеккой, и оно не сулило ничего хорошего.

Третий и последний визит Клея в реабилитационный лагерь оказался более драматичным, чем два предыдущих. С Жерменом на переднем сиденье и Родни — на заднем, в сопровождении машины полицейского департамента, он приехал на место и припарковал автомобиль прямо перед зданием. Два полицейских, оба молодые, оба черные и раздосадованные тем, что приходится исполнять судебное постановление, переговорили с охраной, и уже через несколько минут все прибывшие оказались в эпицентре жаркой схватки с Тэлмаджем Эксом, Ноландом и еще одним наставником, вспыльчивым мужчиной по имени Сэмюэл.

Отчасти потому, что во всей этой компании Картер был единственным белым, но прежде всего потому, что он был адвокатом, на чье имя выписано судебное постановление, все три наставника сосредоточили свой гнев именно на нем. Ему это было безразлично. Он никогда больше не встретится с этими людьми.

— Вы ведь уже видели дело, сэр! — орал Ноланд.

— Я видел то, что вы захотели мне показать, — парировал Клей. — А теперь мне нужно остальное.

— О чем вы говорите? — изобразил недоумение Тэлмадж Экс.

— Мне нужны абсолютно все — все до последней — бумаги, где упомянуто имя Текилы.

— Это невозможно.

Клей повернулся к полицейскому, державшему в руках бумагу, и попросил:

— Огласите постановление, пожалуйста.

Полицейский поднял листок повыше, чтобы его видели все, и прочел:

— «Предоставить в распоряжение адвоката все документы, имеющие отношение к поступлению, медицинским заключениям, лекарственным назначениям, существенным поощрениям, существенным наказаниям, процессу реабилитации и методам снятия напряжения, применявшимся к Текиле Уотсону. Постановление выдано его честью Ф. Флойдом Шекманом, судьей уголовного департамента Верховного суда округа Колумбия».

— Когда он его подписал? — спросил Сэмюэл.

— Около трех часов назад.

— Мы показали вам все, — сказал Ноланд, обращаясь к Клею.

— Сомневаюсь. В деле произведены изъятия, это видно.

— Там все слишком гладко, — добавил Жермен, решившись наконец прийти на помощь коллеге.

— Мы не собираемся применять силу, — заметил более дородный из копов, не оставляя никаких сомнений в том, что в случае необходимости сила будет применена незамедлительно. — Так с чего начнем?

— Медицинские заключения разглашению не подлежат, — заявил Сэмюэл. — Это, как известно, врачебная тайна.

Аргумент был немного неуместен.

— Хранить тайну обязан врач, но не пациент, — внес ясность Клей. — А у меня имеется разрешение с отказом от каких бы то ни было претензий, подписанное Текилой Уотсоном и дающее мне право ознакомиться со всеми касающимися его документами, в том числе медицинскими.

Они начали с темной комнаты, уставленной разнокалиберными шкафами, вытянувшимися вдоль стен. Через несколько минут после начала обыска Тэлмадж Экс и Сэмюэл исчезли и напряжение начало спадать. Полицейские уселись на стулья и благосклонно приняли предложение секретарши принести им кофе. Джентльменам из Бюро государственных защитников она угощение предложить не соизволила.

Проработав почти час, они не нашли ничего существенного. Клей и Жермен оставили Родни продолжать поиски, а сами отправились в «Клин-Стритс» в сопровождении других копов.

Рейд выглядел точно так же: два адвоката вошли в приемную в сопровождении двух полицейских. Директрису вытащили с какого-то совещания. Она прочла постановление, пробормотала, что знакома с судьей Шекманом и поговорит с ним позже, была очень раздражена, но не стала оспаривать документ, содержавший те же предписания, только относящиеся к Уошеду Портеру.

— В этом не было никакой необходимости, — сказала она Клею. — Мы всегда идем навстречу адвокатам.

— А я слышал другое, — возразил Жермен. «Клин-Стритс» действительно имел репутацию заведения, чинящего препятствия адвокатам из БГЗ даже по самым ничтожным поводам.

Когда директриса закончила второй раз читать предписание, один из полицейских сказал:

— Мы не собираемся торчать здесь целый день.

Чиновница повела всех в большой кабинет, прихватив с собой помощника, который начал выкладывать на стол папки.

— Когда мы получим их обратно? — спросила директриса.

— Когда мы с ними ознакомимся, — ответил Жермен.

— А где они будут храниться?

— В Бюро государственных защитников, под замком.

Их роман начался в баре «У Эйба». Ребекка с двумя подружками сидела за столиком в отдельной кабинке, когда Клей заметил ее, направляясь в туалет. Их взгляды встретились, и он задержался на долю секунды, решая, что делать дальше. Вскоре подружки куда-то исчезли. Клей бросил своих собутыльников и присоединился к Ребекке. Они часа два просидели в баре, болтая без умолку. Первое свидание состоялось на следующий вечер. Близки они стали через неделю. С родителями она не знакомила его два месяца.

Теперь, четыре года спустя, их отношения утратили свежесть новизны, и ей хотелось двинуться дальше. Завершить роман, начавшийся в баре «У Эйба», казалось естественным там же.

Клей приехал первым и ожидал подругу у стойки, окруженный со всех сторон парнями, потягивавшими напитки. Они разговаривали громко, быстро и все сразу о жизненно важных делах, коим только что посвятили несколько долгих часов. Клей любил округ Колумбия и ненавидел. Он любил историю края, пропитанного мощной энергетикой, его статус центра важных событий. Ближайшая к Клею компания горячо обсуждала законопроект о вторичном использовании сточных вод в районе Центральных равнин.

Бар «У Эйба» был не чем иным, как «поилкой», стратегически удобно расположенной возле Капитолийского холма, чтобы перехватывать толпы жаждущих, направлявшихся после работы в свои пригороды. Здесь толклось немало потрясающих женщин, одетых с иголочки. Многие приходили сюда поохотиться, и Клей поймал на себе несколько заинтересованных взглядов.

Появилась Ребекка, подавленная, решительная и холодная. Они уединились в свободной кабинке и в предчувствии тяжкой схватки заказали крепкие напитки. Клей задал несколько ничего не значащих вопросов о слушаниях в подкомитете, которые, судя по сообщению в «Пост», начались без всяких фанфар. Принесли бокалы, к которым они без промедления приложились.

— Я говорила с отцом, — начала Ребекка.

— Я тоже.

— Почему ты меня не предупредил, что не собираешься принимать ричмондское предложение?

— А почему ты не предупредила меня, что твой папаша дергает за веревочки, чтобы добыть для меня это место?

— Все же тебе следовало сначала сообщить о своем решении мне.

— Кажется, я и так ясно дал понять.

— С тобой ничего не бывает ясно заранее.

Оба выпили.

— Твой отец назвал меня неудачником. Это мнение всей вашей семьи?

— На данный момент да.

— Ты тоже его разделяешь?

— У меня есть кое-какие сомнения. Кто-нибудь должен мыслить здраво...

В их романе был один существенный интервал, как минимум досадный срыв. Около года назад и он, и она решили притормозить и, оставаясь добрыми друзьями, оглядеться вокруг, быть может, даже проверить, нет ли на горизонте кого-нибудь еще. Временный разрыв спровоцировала Барб. Как Клей выяснил позже, в тот момент в клубе «Потомак» объявился очень богатый молодой человек, только что потерявший жену, скончавшуюся от рака яичника. Беннет оказался близким другом семьи и так далее и тому подобное. Они с Барб расставили ловушку, но вдовец учуял опасность. Пообщавшись месяц с четой Ван Хорн, парень купил себе дом в Вайоминге.

Новое охлаждение, однако, грозило обернуться куда более серьезной бедой. Почти наверняка оно вело к окончательному разрыву. Заказав новую порцию спиртного, Клей дал себе клятву: что бы ни случилось, ни при каких обстоятельствах не говорить ничего, способного обидеть Ребекку. Она при желании могла бить даже ниже пояса. Он — нет.

— Чего ты хочешь, Ребекка?

— Не знаю.

— Нет, знаешь. Хочешь порвать со мной?

— Наверное, — ответила она, и ее глаза увлажнились.

— У тебя есть кто-нибудь другой?

— Нет.

«Пока нет. Дай Барб и Беннету всего несколько дней».

— Дело в том, Клей, что ты никуда не двигаешься, — мягко сказала она. — Ты умен, талантлив, но у тебя нет честолюбия.

— Ха, приятно узнать, что я снова умен и талантлив. Несколько часов назад я был неудачником.

— Хочешь все обратить в шутку?

— Почему бы нет? Почему бы не посмеяться? Все ведь кончено, давай честно признаемся в этом. Мы любим друг друга, но я неудачник, который никуда не двигается. Это твоя проблема. Моя заключается в твоих родителях. Они сожрут любого бедолагу, который на тебе женится.

— Бедолагу?

— Именно. Мне жаль того несчастного парня, за которого ты выйдешь, ведь твои родители невыносимы. И ты сама это знаешь.

— Бедолагу, который на мне женится? — Ее глаза снова стали сухими, теперь они гневно сверкали.

— Не кипятись.

— Бедолагу, который на мне женится?!

— Послушай, у меня есть предложение. Давай поженимся прямо сейчас. Оба сбежим с работы, зарегистрируем брак, продадим все, что у нас есть, улетим... ну, скажем, в Сиэтл или Портленд, куда-нибудь подальше отсюда, и поживем немного, питаясь одной любовью.

— Значит, в Ричмонд ты не хочешь, а в Сиэтл можно?

— Чертов Ричмонд расположен слишком близко к твоим родителям, понимаешь?

— Ну а потом?

— Найдем работу.

— Какого рода работу? Неужели на Западе мало адвокатов?

— Ты кое-что упускаешь из виду. Разве ты уже забыла со вчерашнего вечера, что я умный, талантливый, прекрасно образованный, хваткий и даже красивый? Крупные юридические фирмы будут просто гоняться за мной. Через полтора года я стану партнером. Заведем детей.

— И тут явятся мои родители.

— Нет, потому что мы не сообщим им, где находимся. А если они нас найдут, изменим имена и переедем в Канаду.

Принесли новый заказ, они поспешно отодвинули в сторону пустые бокалы.

Временная передышка закончилась, причем очень быстро. Но она напомнила им о том, почему они любили друг друга и как хорошо им было вместе. В их отношениях веселья было гораздо больше, чем печали, хотя в последнее время ситуация начала меняться. Они реже смеялись. Чаще срывались без всякой видимой причины. Все большее влияние на их отношения оказывала ее семья.

— Я не люблю западное побережье, — наконец произнесла Ребекка.

— Тогда ткни в любую другую точку на карте, — предложил Клей, чувствуя, что дело подходит к концу. Точку давно выбрали для нее родители, и она не собиралась слишком далеко отрываться от мамочки с папочкой.

То, с чем она шла на эту встречу, рано или поздно должно было быть сказано. Сделав большой глоток, Ребекка наклонилась вперед и посмотрела ему прямо в глаза:

— Клей, мне действительно надо отдохнуть.

— Решай сама, Ребекка. Все будет так, как ты захочешь.

— Спасибо.

— Сколько продлится твой отдых?

— Не будем торговаться, Клей.

— Месяц?

— Дольше.

— Нет, так я не согласен. Давай не будем звонить друг другу ровно тридцать дней, хорошо? Сегодня седьмое мая. Встретимся здесь же, за этим самым столиком, шестого июня и обсудим итоги отсрочки.

— Отсрочки?

— Можешь называть это как хочешь.

— Спасибо. Я называю это разрывом, Клей. Станция «Расставание». Удар гонга. Тебе в одну сторону, мне — в другую. Через месяц поговорим, хотя не думаю, что положение изменится. За последний год мало что изменилось.

— Если бы я согласился на это чертово ричмондское предложение, мы бы все равно сейчас расстались?

— Вероятно, нет.

— Что значит «вероятно»?

— Нет.

— Значит, все было подстроено? Этот вариант — ультиматум? И прошлый вечер, как я и предполагал, был западней? Соглашайся, парень, либо...

Она не стала отрицать, лишь сказала:

— Клей, я устала от этого спора. Не звони мне тридцать дней, договорились? — Схватив сумку, Ребекка вскочила. Выходя из кабинки, она ухитрилась запечатлеть на правом виске Клея сухой, ничего не значащий поцелуй, но он этого даже не осознал. И не посмотрел ей вслед.

Она тоже не оглянулась.

8

Клей снимал квартиру в старом жилом комплексе в Арлингтоне. Когда вселился в нее четыре года назад, он знать ничего не знал о корпорации БВХ. Позднее ему стало известно, что это строительство было одной из первых авантюр Беннета. Авантюра кончилась банкротством, комплекс несколько раз за это время сменил владельца, но ни цента арендной платы Клея не досталось мистеру Ван Хорну. Никто из членов его семьи вообще не ведал о том, что Клей живет в доме, ими возведенном. Даже Ребекка.

Он делил эту квартиру с Ионой, старым университетским приятелем, которому лишь на пятый раз удалось сдать выпускные экзамены. Теперь тот торговал компьютерами, работал неполный день и тем не менее зарабатывал больше Клея — факт, которого оба по негласной договоренности никогда не касались.

На следующее после разрыва с Ребеккой утро Клей подобрал свою «Пост», оставленную почтальоном у порога, и устроился с газетой в кухне за чашкой кофе. По обыкновению, он начал просмотр с финансовых новостей, чтобы доставить себе удовольствие, убедившись в удручающем состоянии дел корпорации БВХ. Спроса на ее акции не наблюдалось, а введенные в заблуждение акционеры, попавшиеся на удочку, выбрасывали их на рынок всего по 75 центов.

Ну и кто же после этого неудачник?

О судьбоносных слушаниях в подкомитете Ребекки вообще не было ни слова.

Завершив с тайным злорадством свое расследование, Клей отправился в спортивный зал, приказав себе выкинуть из головы Ван Хорнов. Всех.

В двадцать минут восьмого, когда он, как всегда, приступал к завтраку, состоявшему из пиалы овсяных хлопьев с молоком, зазвонил телефон. Не сдержав улыбки, Клей подумал: она. Не выдержала.

Так рано никто другой звонить не мог. Разве что приятель, муж или кто там еще был у дамы, которая отсыпалась сейчас наверху с Ионой после тяжелого перепоя. Клею за эти годы не раз приходилось отвечать на подобные звонки. Иона обожал женщин, особенно тех, которые кому-то принадлежали. По его словам, они его больше возбуждали.

Но это оказалась не Ребекка, не муж и даже не приятель подруги Ионы.

— Мистер Клей Картер? — послышался в трубке незнакомый мужской голос.

— Слушаю.

— Мистер Картер, мое имя Макс Пейс. Я работаю в агентстве по найму юристов для адвокатских фирм Вашингтона и Нью-Йорка. Вы привлекли наше внимание, и у меня есть две весьма перспективные вакансии, которые, думаю, вас заинтересуют. Не могли бы мы с вами сегодня пообедать?

Потерявший дар речи от подобной неожиданности, Клей позже, стоя под душем, припомнил, что, как ни странно, именно мысль о хорошем обеде первой пришла ему в голову.

— Ну-у... почему бы нет? — с трудом выдавил он. Охота за головами была составной частью юридического бизнеса, такой же профессией, как любая другая. Но охотники редко промышляли в Бюро государственных защитников.

— Отлично. Встретимся в вестибюле отеля «Уиллард», ну, скажем, в полдень.

— Что ж, это меня устраивает. — Клей уставился на кучу грязных тарелок, сваленных в мойку. Нет, это не сон, все происходило в реальности.

— Благодарю вас, мистер Картер. До встречи. Поверьте, вам не придется жалеть о потерянном времени.

— Надеюсь.

Макс Пейс повесил трубку, а Клей еще несколько секунд держал свою в руке, по-прежнему глядя на грязные тарелки и пытаясь сообразить, кто из университетских друзей мог так его разыграть. А может, это прощальная месть Беннета-Бульдозера?

Он не спросил у Макса Пейса, как ему звонить. Растерялся настолько, что даже не потрудился узнать название агентства.

Не оказалось у него и приличного костюма. Вообще их было два, оба серые, один плотный, другой легкий, но оба очень старые, поношенные. Рабочая одежда. К счастью, в БГЗ не предъявляли особых требований к внешнему виду сотрудников, так что обычно Клей носил брюки защитного цвета и синюю куртку. Идя в суд, он надевал галстук, но сразу снимал его по возвращении в контору.

Впрочем, там же, в ванной комнате, он решил, что одежда особого значения не имеет. Макс Пейс знал, где работает Клей, и представлял себе, сколько он получает. В конце концов, явившись на собеседование в потертых брюках, он сможет потребовать больше денег.

Стоя в пробке на Арлингтонском мемориальном мосту, Картер подумал, что к этому мог оказаться причастен его отец. Старика выжили из округа Колумбия, но связи у него остались. Он нажал наконец на нужную кнопку, попросил о последней услуге и нашел приличную работу для сына. Когда в высшей степени успешная юридическая карьера

Джаррета Картера сгорела, оставив за собой длинный многоцветный шлейф дыма, он пристроил сына в Бюро государственных защитников. Пять лет было проведено в окопах. Теперь период ученичества завершен, пора найти настоящую работу.

Что это за фирмы, которые им заинтересовались? Загадка волновала Клея. Отец ненавидел занимающиеся делами корпораций и лоббированием их интересов крупные адвокатские конторы, коими кишели Коннектикут- и Массачусетс-авеню, и презирал мелкие фирмочки, рекламирующие себя на автобусах, на досках для объявлений и не гнушающиеся сомнительными делами. В бывшей фирме Джаррета служили десять адвокатов, десять отчаянных бойцов, добивавшихся в зале суда нужных вердиктов и имевших огромный спрос.

— Значит, вот что мне предстоит, — пробормотал Клей, глядя на мерцающий под мостом Потомак.

Проведя в конторе утро, одно из самых бесплодных и мучительных за всю свою карьеру, Клей ушел в половине двенадцатого и не спеша поехал к отелю «Уиллард», теперь официально именовавшемуся «Уиллард интерконтиненталь». В вестибюле к нему тут же подошел мускулистый молодой человек, чье лицо показалось Клею смутно знакомым.

— Мистер Пейс наверху, — сообщил он по дороге к лифтам. — Он хотел бы встретиться с вами в своем номере, если не возражаете.

— Хорошо, — согласился Клей, недоумевая, как это молодой человек сразу его узнал.

Молча поднявшись в лифте, они вышли на девятом этаже, и сопровождающий постучал в дверь апартаментов Теодора Рузвельта. Дверь моментально открылась, и Макс Пейс встретил Клея деловой улыбкой. Это был мужчина лет сорока пяти, с волнистыми темными волосами, черными усами, во всем черном: в черных джинсах, черной футболке, черных остроносых ботинках — ни дать ни взять мистер

Голливуд, пожаловавший в «Уиллард». Ничего общего с корпоративной формой одежды, какую ожидал увидеть Клей. Когда они обменялись рукопожатием, он заметил первые признаки того, что что-то здесь не так.

Едва заметный быстрый взгляд — и телохранитель Макса Пейса немедленно удалился.

— Спасибо, что пришли, — начал Пейс, ведя Клея в овальную комнату, облицованную мрамором.

— Не стоит благодарности, — ответил Клей, разглядывая апартаменты: роскошную кожаную и гобеленовую обивку мебели, комнаты, разбегающиеся в разные стороны. — Красивое место.

— Я здесь всего на несколько дней. И подумал, что мы можем заказать обед сюда, так будет удобнее переговорить конфиденциально.

— Не возражаю, — ответил Клей и задумался: откуда у вашингтонского агента по кадрам такие деньги, чтобы снимать чудовищно дорогие апартаменты? Почему нет офиса где-нибудь поблизости? Зачем ему нужен телохранитель?

— Что бы вы хотели заказать?

— Я неприхотлив в еде.

— Здесь прекрасно готовят лосося, я вчера отведал.

— С удовольствием попробую. — В тот момент Клей был готов съесть что угодно, он умирал от голода.

Пока Макс делал заказ по телефону, Клей наслаждался чудесным видом на Пенсильвания-авеню. В ожидании обеда мужчины уселись у окна и принялись болтать о погоде, о последних поражениях «Иволг» и паршивом состоянии экономики. Пейс был словоохотлив и легко поддерживал беседу на любую тему, пока она не надоедала Клею. Видимо, он был атлетом и хотел, чтобы люди это видели: футболка плотно облегала мощную грудь и плечи. Он любил пощипывать усы, и каждый раз, когда поднимал руку, чтобы это сделать, бицепсы впечатляюще напрягались.

Каскадер высокого класса — может быть, но уж никак не охотник за головами.

Минут через десять Клей спросил:

— Эти две фирмы, о которых вы говорили. Может быть, расскажете о них немного?

— Их не существует, — ответил Макс. — Признаюсь: я вам солгал. Но обещаю: это будет единственная ложь, которую я себе позволил в отношении вас.

— Итак, вы не агент по кадрам?

— Нет.

— А кто?

— Пожарный.

— Благодарю, это многое проясняет.

— Дайте несколько минут. Я должен кое-что вам объяснить и уверяю, что, когда я закончу, вы останетесь довольны.

— Говорите быстро и прямо, Макс, или я ухожу.

— Не волнуйтесь, мистер Картер. Могу я называть вас просто Клеем?

— Пока не стоит.

— Ладно. Я действительно агент, вербовщик особого рода на вольных хлебах. Крупные компании нанимают меня, чтобы гасить пожары. Когда они совершают промахи и осознают их до того, как это заметили адвокаты, они нанимают меня, чтобы я деликатно разобрался в ситуации, все уладил и, при благоприятном раскладе, спас их деньги. Мои услуги всегда востребованы. Меня можно называть Макс Пейс или еще как-нибудь, это не важно. Не имеет значения, кто я и откуда. В данном случае важно лишь то, что одна крупная компания наняла меня, чтобы погасить пожар. Вопросы?

— Их слишком много, чтобы начать задавать прямо сейчас.

— Ладно, повременим. Я не могу сообщить вам имя своего клиента и, возможно, никогда не смогу. Если мы договоримся, посвящу вас в кое-какие детали. Пока история такова: мой клиент — мультинациональная компания, производящая медикаменты. Ее название вам известно. У нее широкий ассортимент продукции: от лекарств, хранящихся в каждой домашней аптечке, до сложных препаратов, используемых при лечении рака и ожирения. Это старая, надежная компания с высокими доходами и прочной репутацией. Около двух лет назад она изобрела препарат, предназначенный для лечения зависимости от наркотических средств, основанных на опиуме и кокаине, — гораздо более действенный, чем метадон, который, хотя и помогает многим наркоманам, сам по себе вызывает привыкание и потому снискал немало нареканий. Назовем этот чудо-препарат, скажем, тарваном — так его действительно называли некоторое время, пока не придумали то название, которое зарегистрировано сейчас. Его открыли благодаря некой ошибке и тут же опробовали на всех лабораторных животных, имевшихся в наличии. Результаты оказались ошеломляющими, но опыты по излечению от наркозависимости трудно проводить на крысах.

— Нужны люди, — догадался Клей.

Пейс подергал свои усы. При этом его бицепс взыграл волной.

— Да. Возможности, которые открывает тарван, лишили покоя баронов от фармакологии. Представьте себе: три месяца по одной таблетке в день — и все, вы свободны от зависимости. Вам больше не нужны ни кокаин, ни героин, ни крэк. После этого достаточно принимать тарван лишь время от времени, и вы избавились от недуга на всю жизнь. Для миллионов наркоманов это шанс вылечиться. А теперь подумайте, какую выгоду это сулит. Можно назначать любую цену, потому что несчастные с радостью отдадут за такое лекарство все. Подумайте о спасенных жизнях, о предотвращенных преступлениях, о сохраненных семьях, о миллиардах долларов, сэкономленных на реабилитации наркоманов. Чем больше хозяева фармакологических фирм думали о том, какие доходы может принести тарван, тем быстрее им хотелось выбросить его на рынок. Но, как вы справедливо заметили, требовались подопытные особи.

Пейс сделал паузу, отпил кофе, потом продолжил:

— И тут они начали делать ошибки. Были выбраны три места — Мехико, Сингапур и Белград, — достаточно удаленные от фармкомитета США. Под видом некой не имеющей четких контуров международной благотворительной организации основали реабилитационные клиники закрытого типа, где сохранялся полный контроль над наркоманами. Собрали самых безнадежных и стали испытывать тарван, не ставя об этом в известность пациентов. Тем было, в сущности, все равно, поскольку лечили и содержали их бесплатно.

— Лаборатории с подопытными человеческими существами, — заметил Клей. История становилась все интереснее, «пожарный» Макс был явно талантливым рассказчиком.

— Именно так, — подхватил он. — Лаборатории, недоступные для американской правоохранительной системы. И американской прессы. И американской юрисдикции. Это был блестящий план. И препарат прекрасно себя показал. Через месяц после начала приема тяга к наркотикам заметно ослабевала. Через два — пациенты счастливо избавлялись от нее вообще, а через три они уже не боялись вернуться к своей обычной жизни — только без наркотиков. Результаты наблюдений заносились в журнал, там фиксировалось все: диета, упражнения, терапия, даже разговоры. Мой клиент приставил к каждому пациенту минимум одного медработника, а ведь каждая клиника насчитывала по сто коек. Через три месяца пациентов отпустили на волю, взяв слово, что они время от времени будут приходить за своей дозой тарвана. Девяносто процентов не вернулись к старому. Девяносто! И только два процента снова начали принимать наркотики.

— А что с оставшимися восемью процентами?

— Вот в них-то и таилась проблема, однако мой клиент и представить не мог, насколько серьезной она окажется. Так или иначе, все три центра были заполнены, и за восемнадцать месяцев курс лечения тарваном прошли тысяча человек. Результаты превзошли ожидания. Мой клиент уже уловил запах многомиллиардной прибыли. Конкурентов не было.

Ни у одной другой компании не наблюдалось сколько-нибудь серьезных успехов в научно-исследовательской работе по созданию препаратов против наркозависимости. Большинство несколько лет назад прекратили даже попытки.

— А следующая ошибка?

После недолгой паузы Макс признался:

— Их было слишком много.

Раздался звонок, принесли обед. Официант вкатил сервировочный столик и минут пять суетился, расставляя блюда. Клей все это время стоял у окна, глубоко задумавшись, устремив взгляд на колонну Вашингтона, но ничего не видя. Макс щедро вознаградил официанта и наконец выпроводил его за дверь.

— Вы голодны? — спросил он Клея.

— Нет, продолжайте, — ответил тот и, сняв куртку, снова сел. — Полагаю, вы приближаетесь к самой интересной части своей истории.

— Это как посмотреть. Следующая ошибка состояла в том, что действо было перенесено на местную почву. И тут начинается самое неприятное. Изучив карту, мой клиент выбрал на ней еще три точки: одну на Кавказе, одну в Латинской Америке, одну в Азии. Требовалась еще одна — в Африке.

— Африканцев полно в округе Колумбия.

— Вот так же решил и мой клиент.

— Признайтесь, что все это сказки.

— Один раз я вам действительно солгал, мистер Картер. Но я ведь обещал, что больше лгать не буду.

Клей медленно встал и снова подошел к окну. Макс внимательно за ним наблюдал. Обед стыл, но никого это не волновало. Время словно замерло.

Обернувшись наконец, Клей прямо спросил:

— Текила?

Макс кивнул и подтвердил:

— Да.

— Уошед Портер?

— Да.

Прошла минута. Скрестив руки на груди и прислонившись к стене, Клей смотрел на Макса, у которого заметно напряглись все мускулы, потом сказал:

— Продолжайте.

— С восемью процентами пациентов что-то происходит, — сказал Макс. — Мой клиент не может ответить, что и как служит толчком и даже кто находится в группе риска. Но тарван побуждает этих людей убивать. Причем без всяких причин. Через сто дней после начала приема что-то щелкает в голове и появляется непреодолимое желание пролить кровь. Независимо от того, совершали эти люди насилие прежде или нет. Возраст, расовая принадлежность, пол не имеют никакого значения.

— Выходит, было восемьдесят жертв?

— По меньшей мере. Из трущоб Мехико трудно получить достоверную информацию.

— А сколько здесь, в округе Колумбия?

Это был первый вопрос, заставивший Макса поежиться.

— Об этом поговорим через несколько минут. Позвольте мне закончить рассказ. Сядьте, пожалуйста. Мне неприятно задирать голову, когда я говорю.

Клей сел.

— Следующей ошибкой было попытаться перехитрить фармкомитет.

— Да уж.

— У моего клиента в этом городе много влиятельных друзей. Испытанный метод профилактики: покупать политиков на деньги комитетов политических действий*, нанимать на работу их жен, подруг и бывших помощников — словом, обычные пакости, которые делаются с помощью больших денег. Была заключена сделка с участием шишек из Белого дома, госдепа, министерства экономики, ФБР,

* Political Action Commitees (PAC) — комитеты политических действий организуются в США корпорациями и профсоюзами для сбора средств на нужды избирательной кампании того или иного кандидата.

кое-каких других ведомств — разумеется, никто никаких бумаг не подписывал. Деньги не переходили из рук в руки; никто не давал взяток. Мой клиент просто сумел убедить достаточное количество людей в том, что тарван способен спасти мир, если его удастся испытать еще в одной лаборатории. Поскольку на получение лицензии фармкомитета требуется от двух до трех лет, а в Белом доме нашлись радетели за более быстрое внедрение препарата, сделка состоялась. Большие люди, чьих имен никто никогда не узнает, изыскали способ тайно задействовать тарван в нескольких тщательно отобранных реабилитационных клиниках федерального подчинения, расположенных в округе Колумбия. Если бы результат оказался положительным, Белый дом и некоторые влиятельные персоны оказали бы массированное давление на Комитет по фармакологии с целью скорейшего получения санкции на использование препарата.

— В процессе заключения сделки ваш клиент уже знал об этих восьми процентах?

— Не уверен. Мой клиент не открыл мне всего и никогда не откроет. Да я и не задаю лишних вопросов. Однако могу предположить, что тогда ему еще не было известно о вероятности побочного действия препарата. В противном случае риск был бы чересчур велик. Все произошло слишком быстро, мистер Картер.

— Теперь можете называть меня Клеем.

— Спасибо, Клей.

— Не за что.

— Я упомянул — никто не давал никаких взяток. Опять же так сказал мне мой клиент. Но будем реалистами. Вероятный доход от тарвана за предстоящие десять лет фирма оценила в тридцать миллиардов долларов. Чистую прибыль, заметьте. За тот же период тарван позволил бы сэкономить на налогах около ста миллиардов. Совершенно очевидно, что некоторая часть денег где-то в цепочке будет переходить из рук в руки.

— Все это уже в прошлом?

— О да. Препарат изъяли отовсюду шесть дней назад. Прекрасные клиники в Мехико, Сингапуре и Белграде закрыли в одну ночь, а весь их милый медперсонал исчез, как сонм привидений. Обо всех экспериментах забыли напрочь. Бумаги уничтожили. Мой клиент никогда в жизни не слышал ни о каком тарване. И мы бы хотели, чтобы все так и осталось.

— Чувствую, мой выход.

— Только если вы сами согласитесь. Откажетесь — у меня на примете есть другой адвокат.

— Откажусь от чего?

— От сделки, Клей, от сделки. На сегодняшний день пять человек в ОК убиты лицами, принимавшими тарван. Еще один — первая жертва Уошеда Портера — находится в коме. Итого шесть. Мы знаем, кто они, как погибли, кто их убил, — словом, знаем все. Мы хотим, чтобы вы взялись представлять их семьи. Вы от их имени предъявите иски, мы заплатим деньги, и все закончится быстро, тихо и мирно, без всяких судебных разбирательств, без какой бы то ни было огласки, без единого отпечатка пальца.

— А почему они должны согласиться нанять меня?

— Эти люди понятия не имеют, что сами могут возбудить дело в суде. Насколько им известно, их родные стали жертвами неспровоцированного уличного насилия. Здесь это в порядке вещей. Ваше чадо получает пулю от уличного бандита, вы его хороните, бандита арестовывают, назначается суд, и вы надеетесь лишь, что виновного продержат за решеткой до конца жизни. Но вам и в голову не приходит самому обратиться в суд. Кого преследовать? Уличного бандита? Даже самый голодный адвокат не возьмется за подобное дело. А вас они наймут потому, что вы пойдете к ним и скажете, что они могут возбудить дело, а вы можете добыть для каждого из них четыре миллиона долларов в результате быстрого и абсолютно конфиденциального соглашения сторон.

— Четыре миллиона, — повторил Клей, не решив пока, много это или мало.

— Да, мы рискуем, Клей. Если о тарване пронюхает какой-нибудь адвокат, а должен вам сказать, что пока вы первый и единственный, кому довелось учуять его запах, то суд вполне вероятен. Теперь представьте себе, что этим адвокатом окажется закаленный боевой жеребец, который здесь, в ОК, без труда поведет за собой жюри, состоящее сплошь из черных.

— Легко...

— Вот именно, легко. Допустим, что этот адвокат найдет достоверные доказательства. Возможно, какие-нибудь неуничтоженные записи. Еще вероятней, что кто-нибудь из сотрудников моего клиента окажется болтуном. Суд наверняка встанет на сторону семьи убитого. Вердикт могут вынести по максимуму. Но что хуже всего, по крайней мере для моего клиента, — огласка будет иметь катастрофические последствия. Акции компании обесценятся. Словом, Клей, представьте себе худшее, что только можете, и это сбудется. Поверьте, мои клиенты тоже это понимают. Они совершили нечто дурное, признают это и хотят исправить ошибку. Но они также стараются свести к минимуму свои потери.

— Четыре миллиона — выгодная сделка.

— И да и нет. Возьмем Рамона Памфри. Ему было двадцать два года, на своей почасовой работе он имел шесть тысяч долларов в год. Если он в соответствии со средним сроком жизни по стране прожил бы еще пятьдесят три года при годовом заработке, вдвое превышающем минимальную зарплату, экономический эквивалент его жизни, исчисленный в сегодняшних долларах, составил бы около полумиллиона долларов. Вот его цена.

— Добиться компенсаций было бы несложно.

— Как посмотреть. Это дело очень трудно доказать, Клей, поскольку нет никаких письменных улик. В тех папках, которые вы вчера просматривали, ничего нет. Наставники из реабилитационного лагеря и «Клин-Стритс» понятия не имели, что за препарат давали своим подопечным. В фармкомитете о тарване ничего не слышали. Мой клиент отвалит миллиард на адвокатов, экспертов и всех, кто понадобится, чтобы защитить его. Процесс обернется настоящей бойней, потому что мой клиент очень виновен!

— Шестью четыре — двадцать четыре миллиона.

— Добавьте десять, предназначенные адвокату.

— Десять миллионов?

— Да, таково условие сделки, Клей. Вы получите десять миллионов.

— Шутите.

— Я абсолютно серьезен. Итак, всего тридцать четыре миллиона. Чек могу выписать прямо сейчас.

— Мне нужно прогуляться.

— А как же обед?

— Спасибо, нет.

9

Не замечая ничего вокруг, Клей медленно брел вдоль ограды Белого дома. Затерявшись на минуту в группе голландских туристов, щелкающих фотоаппаратами и ожидающих, что вот-вот появится президент и помашет им рукой, он пересек Лафайет-парк, в дневное время свободный от бездомных бродяг, вышел на Фаррагат-сквер, устроился на скамейке и, не ощущая вкуса, съел холодный сандвич. Он был подавлен, соображал медленно, мысли путались. Стоял май, но воздух был непрозрачным и влажным, что не способствовало ясности мышления.

У него перед глазами смутно вырисовывалась картина: двенадцать черных лиц в ложе присяжных — двенадцать человек, разъяренных шокирующей историей, которую им излагали в течение недели, и он, Клей, обращается к ним с заключительным словом: «Им были нужны черные подопытные крысы, леди и джентльмены, предпочтительно американцы, ибо Америка — то место, где делают деньги. И они стали испытывать свой «чудодейственный» тарван в нашем городе». Все двенадцать лиц, неотступно следящих за ним, согласно кивнули. Присяжным не терпелось удалиться в комнату для совещаний, чтобы свершить правосудие...

Интересно, какова максимальная сумма компенсации, когда-либо присужденной по вердикту жюри присяжных? Интересно, есть ли такой раздел в Книге рекордов Гиннесса? Если есть, то Клей, безусловно, станет героем этого раздела, стоит лишь воззвать: «Просто напишите в соответствующей графе любую сумму, какую сочтете достаточной, господа присяжные!»

Но это дело никогда не дойдет до суда, и никакое жюри о нем не услышит. Кто бы ни был производителем тарвана, он потратит неизмеримо больше тридцати четырех миллионов, чтобы похоронить правду. Наймет чертову уйму головорезов, которые будут ломать ноги, красть документы, прослушивать телефоны, поджигать офисы — словом, делать все, чтобы скрыть страшную тайну от двенадцати разъяренных присяжных.

Клей подумал о Ребекке. Она стала бы совсем другой, будь у него куча денег. Мгновенно распрощалась бы со всеми треволнениями Капитолийского холма и обрела мир и покой в радостях материнства. Она стала бы его женой через три месяца, во всяком случае, не позднее того дня, к которому Барб сумела бы закончить свадебные приготовления.

Удивительно, но о Ван Хорнах он думал теперь как о совершенно незнакомых людях. Вычеркнул их из своей жизни и хотел забыть навсегда. После четырех лет плена он наконец освободился от них и больше никогда не позволит этим людям терзать его.

Впереди вообще брезжила свобода от многих неприятных вещей.

Час спустя Клей очутился на Дюпон-серкл. Он разглядывал витрины маленьких магазинчиков, выходящих на Массачусетс-авеню: редкие книги, изысканный фарфор, эксклюзивная одежда; особые люди вокруг. Уставившись на собственное отражение в зеркальной двери одного из магазинов, он вслух спросил себя:

— Кто же этот Макс-пожарный на самом деле — реальная фигура, мошенник или призрак?

Ему было тошно от мысли, что уважаемая компания могла сознательно выбрать в качестве своих жертв самых незащищенных людей, каких только можно найти в ОК. Но уже несколько секунд спустя, бредя по тротуару, Картер испытал приятное волнение при мысли о сумме, которая прежде ему даже не грезилась. Нужно было обсудить все с отцом. Уж Джаррет Картер точно знает, как следует поступать в подобных ситуациях.

Прошел еще час. Его ждали в конторе, где должно было состояться еженедельное совещание сотрудников.

— Можете меня уволить, — с улыбкой пробормотал Клей.

Он побродил немного по «Крамербукс» — своему любимому книжному магазину. Вероятно, вскоре ему по средствам будет не только отдел, где торгуют изданиями в бумажных обложках, но и тот, где продают роскошные книги в твердых переплетах. Он уставит ими стены своего нового дома.

Ровно в три часа Клей вошел в кафе, расположенное в глубине книжного магазина. Макс Пейс в одиночестве сидел за столиком, потягивая лимонад и ожидая его. Судя по всему, он обрадовался, увидев Картера.

— Вы следили за мной? — спросил Клей, усаживаясь за столик и не вынимая рук из карманов.

— Разумеется. Хотите что-нибудь выпить?

— Нет. А если я завтра подам в суд исковое заявление от имени семьи Рамона Памфри? Это дело само по себе может стоить больше, чем вы предлагаете за все шесть...

Похоже, Макс ждал подобного вопроса, поскольку ответ был у него готов.

— Вы столкнетесь с множеством проблем. Позвольте обозначить лишь три очевидных. Во-первых, вы не знаете, кому предъявлять иск. Вам неизвестно, кто изготовитель тарвана. Вероятно, этого никто никогда вообще не узнает. Во-вторых, у вас нет средств, чтобы вести длительную тяжбу с моим клиентом: для этого необходимо не менее десяти миллионов долларов. В-третьих, вы упустите возможность представлять всех известных истцов. Если не дадите своего согласия быстро, я готов обратиться к следующему в моем списке адвокату с тем же предложением. Моя задача — похоронить дело в течение месяца.

— Я мог бы прибегнуть к помощи крупной фирмы, занимающейся гражданскими правонарушениями.

— Конечно, но это породит еще больше проблем. Во-первых, вам придется отдать минимум половину своего гонорара. Во-вторых, на то, чтобы добиться результата, уйдет лет пять, а то и больше. В-третьих, даже самая крупная из таких американских фирм легко может проиграть дело. Клей, правда скорее всего никогда не выйдет наружу.

— Но рано или поздно должна выйти.

— Все может быть, но мне это безразлично. Мое дело — не дать разгореться огню. То есть соответствующим образом компенсировать ущерб пострадавшим и спрятать концы в воду. Не делайте глупостей, мой друг.

— Едва ли нас с вами можно назвать друзьями.

— Вы правы, но прогресс налицо.

— У вас есть список других кандидатов?

— Да, в нем еще два человека вроде вас.

— То есть «голодных»?

— Да, вы — голодный. Но, кроме того, вы блестящий профессионал.

— Мне это уже говорили. И еще то, что у меня широкие плечи. Остальные двое тоже из Вашингтона?

— Не будем говорить о них. Сегодня четверг. Ответ нужен мне в понедельник к полудню. В противном случае я перехожу к номеру второму.

— Тарван применяли в других городах США?

— Нет, только в округе Колумбия.

— Сколько пациентов прошли курс лечения?

— Ровнехонько сто.

Клей отпил воды со льдом, которую принес официант.

— Значит, по улицам бродят еще несколько потенциальных убийц?

— Вполне вероятно. Само собой, мы наблюдаем за всеми с большой тревогой.

— А остановить их нельзя?

— Остановить уличные убийства в этом округе?! Кто мог знать, что Текила Уотсон через два часа после выхода из лагеря кого-то убьет? Или Уошед Портер? У нас нет ключа к разгадке, мы не представляем, кто из пациентов способен сорваться и когда это может произойти. Существуют некие свидетельства, будто, выдержав десять дней без наркотиков, человек снова становится безобидным. Но пока мы не можем полагаться на эти данные.

— Значит, есть возможность, что убийства прекратятся через несколько дней?

— Мы очень на это рассчитываем. Надеюсь, нам удастся дожить до конца недели.

— Вашему клиенту место в тюрьме.

— Мой клиент — корпорация.

— Корпорации тоже подлежат уголовной ответственности.

— Давайте не будем спорить, хорошо? Это нас никуда не приведет. Сосредоточимся на вас: готовы вы или не готовы принять вызов?

— Уверен, что у вас уже есть план.

— Конечно, и весьма детальный.

— Я увольняюсь со своей нынешней службы, и что потом?

Отодвинув стакан, Пейс наклонился вперед с таким видом, словно собирался сообщить хорошую новость.

— Вы создаете собственную фирму. Снимаете помещение, прилично обставляете его и так далее. Вам нужно выгодно продать себя, Клей, а единственная возможность сделать это — выглядеть и действовать как успешный адвокат. Ваши потенциальные клиенты будут встречаться с вами у вас в офисе. На них необходимо произвести впечатление. Вам потребуется штат служащих и другие адвокаты, работающие на вас. Умение произвести впечатление решает все. Поверьте мне. Я сам когда-то был адвокатом. Клиентам нравятся солидные офисы. Они желают лицезреть успех. Вы будете говорить этим людям, что можете добиться для них досудебного соглашения в четыре миллиона долларов.

— Не маловато ли?

— Об этом позднее, ладно? Вы должны выглядеть преуспевающим, это необходимо.

— Я понял. Чего проще: я вырос в семье весьма преуспевающего адвоката.

— Нам это известно. Отчасти поэтому мы обратили внимание в первую очередь на вас.

— Насколько трудно сейчас найти помещение?

— Мы снимаем кое-что на Коннектикут-авеню. Хотите посмотреть?

Выйдя через заднюю дверь кафе, мужчины неторопливо зашагали по тротуару.

— За мной по-прежнему наблюдают? — спросил Клей.

— А что?

— Ну, не знаю. Просто любопытно. Такое не каждый день случается. И я хотел бы знать, застрелят ли меня, если я попытаюсь сбежать.

Пейс хмыкнул:

— Это было бы крайне неразумно с вашей стороны, не находите?

— Чертовски глупо, я бы так выразился.

— Мой клиент сильно нервничает, Клей.

— У него есть для этого все основания.

— В городе работают несколько десятков людей, которые наблюдают, ждут и молятся, чтобы не произошло других убийств. И они надеются, что вы — тот человек, который уладит дело.

— А как насчет этических проблем?

— Каких?

— Ну, вот хотя бы две: конфликт интересов и попытка подкупа истца.

— Подкупа? Вы шутите! Почитайте рекламные объявления адвокатов.

Они остановились на перекрестке.

— В настоящий момент я представляю обвиняемого, — сказал Клей. — Как же я могу одновременно представлять и его жертву?

— Не спрашивайте, просто делайте. Мы изучили этические каноны. Ситуация скользкая, но не криминальная. Поскольку вы увольняетесь из БГЗ, то имеете полное право открыть свой офис и начать регистрировать дела.

— Это как раз проще всего. А как быть с Текилой Уотсоном? Я же теперь знаю, почему он совершил убийство, и не имею права скрывать это ни от него, ни от адвоката, который меня сменит.

— Состояние алкогольного или наркотического опьянения не является для подсудимого смягчающим обстоятельством. Он виновен. Рамон Памфри мертв. Вам следует просто забыть о Текиле.

Светофор переключился, и они снова зашагали вперед.

— Такой ответ мне не нравится, — сказал Клей.

— Лучшего у меня нет. Если вы откажетесь от моего предложения и продолжите защищать своего клиента, то доказать, что тот принимал тарван, будет практически невозможно. Вы выставите себя болваном, используя этот аргумент в качестве оправдания.

— Оправданием он действительно служить не может, но смягчающим обстоятельством — вполне.

— Только в том случае, если вам удастся это доказать, Клей! Мы пришли.

Они остановились на Коннектикут-авеню перед длинным современным зданием с эффектной архитектурной композицией из стекла и бронзы, охватывающей первые три этажа.

Подняв голову, Клей заметил:

— Дорогой район.

— Ваш офис на пятом этаже, угловой, с потрясающим видом из окон.

Табличку, висевшую в отделанном мрамором вестибюле, можно было с полным правом назвать справочником «Кто есть кто в юстиции округа Колумбия».

— Это не совсем моя территория, — заметил Клей, читая названия фирм.

— Она может стать вашей, — возразил Макс.

— А что, если я не захотел бы снимать офис именно здесь?

— Дело хозяйское. Просто у нас случайно оказалось свободное помещение. Можем сдать его вам в субаренду по очень умеренной цене.

— Когда вы его сняли?

— Не задавайте лишних вопросов, Клей. Мы ведь одна команда.

— Пока нет.

В помещении, предназначенном для Картера, красили стены и стелили ковры. Дорогие ковры. Остановившись у окна большого пустого кабинета, Клей и Макс понаблюдали за потоком автомобилей, двигавшихся по Коннектикут-авеню. Чтобы открыть новую фирму, требовалось соблюсти массу формальностей, в том числе таких, о которых Клей понятия не имел, но он подозревал, что Макс знает ответы на все вопросы.

— Ну, что думаете? — спросил тот.

— Я не очень-то способен сейчас думать. Все это очень неожиданно.

— Не упустите свой шанс, Клей. Больше такого не представится. Между тем часы тикают.

— Сюр какой-то.

— Всю документацию можете оформить по Интернету, это займет не более часа. Выберите банк, откройте счета. Фирменные бланки и все прочее можно изготовить за один день. Чтобы обставить офис и укомплектовать штат, понадобится еще пара дней. К следующей среде будете сидеть здесь за шикарным столом и режиссировать свое шоу.

— А как мне найти других истцов?

— Ваши друзья Родни и Полетт прекрасно знают город и его жителей. Наймите их, устройте им жалованье, выделите хорошие кабинеты. Они установят контакт с семьями жертв. А мы поможем.

— Вы все предусмотрели.

— Да. Я управляю высокоэффективным, почти идеальным механизмом. Но счет времени идет на часы. Нам нужен лишь ключевой атакующий защитник.

По пути вниз лифт остановился на четвертом этаже, вошли трое мужчин и женщина — все в элегантных костюмах, сшитых на заказ, с маникюром, с дорогими кожаными кейсами. Эти четверо имели неистребимо важный вид, который придает служба в крупной адвокатской конторе. Макс был настолько поглощен собственными мыслями, что не обратил на них никакого внимания. А вот Клей жадно впитывал все: манеру держаться, выверенные реплики, серьезный, надменный вид. Это были влиятельные адвокаты, шишки, на него они просто не обратили внимания, словно его и не было. Конечно, в своих потертых штанах и стоптанных мокасинах он никак не походил на их коллегу по судебным баталиям.

Неужели буквально завтра все может измениться?

Попрощавшись с Максом, Клей отправился на очередную долгую прогулку, на сей раз — в направлении своей конторы. Прибыв на место, он не увидел на столе никаких срочных сообщений. Что касается совещания, то, судя по всему, не один он его пропустил. Никто не поинтересовался, где был Картер. Похоже, никто вообще не заметил его долгого отсутствия.

Собственный кабинетик вдруг показался ему еще более крохотным и обшарпанным, чем прежде, и невыносимо унылым. На столе возвышалась стопка папок — дела, о которых он не мог заставить себя думать. Как ни крути, все его клиенты были преступниками.

По правилам БГЗ сотрудник был обязан уведомить о своем увольнении за месяц. Однако никто особенно не настаивал на этом, потому что настаивать было бессмысленно. Ну напишет ему Гленда угрожающее письмо. Он любезно ответит. Тем дело и кончится.

Лучшим секретарем бюро была мисс Глик, закаленный боец. Она вполне могла ухватиться за шанс удвоить свое жалованье и оставить в прошлом невыносимое однообразие службы в БГЗ. Клей уже решил, что обстановка в его новом офисе будет веселой и непринужденной, чему поспособствуют высокая зарплата, премии, длинные отпуска и, возможно, даже перспектива получения части прибыли.

Последний рабочий час Клей просидел за запертой дверью, строя планы, мысленно перебирая стоящих работников, обдумывая, кто из адвокатов и параюристов ему подойдет.

В третий раз он встретился с Максом Пейсом в тот же день, в ресторане «Оулд Эббит гриль» на Пятнадцатой улице, в двух кварталах от «Уилларда». К удивлению Клея, Макс начал с бокала мартини, что значительно помогло ему расслабиться. Обстановка совсем разрядилась после порции джина, Макс начал походить на обыкновенного человека. Когда-то в Калифорнии он вел дела в суде в качестве адвоката, пока некая неприятность не положила конец его тамошней карьере. Благодаря прежним связям, однако, он нашел свою нишу на рынке юридических услуг, став «пожарным». Посредником в темных делах. Высокооплачиваемым агентом, чьей работой было тайком пробраться на место преступления, убрать весь мусор и слинять, не оставив следов. Покончив с бифштексом и бутылкой бордо, Макс сообщил, что вслед за тарваном Клея ждет еще кое-что.

— Кое-что гораздо более существенное, — сообщил он, озираясь по сторонам.

— Что? — поинтересовался Клей после долгой паузы.

Вновь бросив быстрый взгляд на соседние столики, чтобы проверить, не подслушивает ли кто, Пейс ответил:

— У моего клиента есть конкурент, который выпустил на рынок недоброкачественное лекарство. Об этом еще никто не знает. Его препарат более эффективен, чем наш, но у моего клиента есть веские доказательства того, что он способствует образованию опухолей. Теперь клиент ждет лишь удобного момента для атаки.

— Атаки?

— Да, нужен коллективный иск, который возбудит молодой агрессивный поверенный, собравший надежные улики.

— Вы предлагаете мне еще одно дело?

— Да. Вы беретесь за дело о тарване, улаживаете его за месяц, и я вручаю вам новое дело, которое будет стоить много миллионов.

— Больше, чем тарван?

— Гораздо больше.

К тому времени Клей кое-как сжевал половину своего филе-миньона, не ощутив никакого вкуса, а ко второй половине даже не притронулся. Он умирал от голода, но аппетит пропал начисто.

— Почему я? — спросил он, обращаясь не столько к новому приятелю, сколько к себе самому.

— Вечный вопрос счастливчика, выигравшего в лотерее. Вы выиграли в лотерее, Клей. В адвокатской лотерее. Вы оказались достаточно сообразительны, чтобы взять след тарвана, а мы в этот самый момент отчаянно нуждались в адвокате, на которого могли бы полностью положиться. Мы нашли друг друга, Клей, и сейчас настал тот краткий миг, когда вы должны принять решение, которое изменит всю вашу жизнь. Скажете «да» — станете очень видным адвокатом, «нет» — упустите выигрыш.

— Мне нужно подумать, собраться с мыслями.

— У вас для этого два выходных.

— Спасибо. Послушайте, я хочу совершить небольшое путешествие, уеду завтра утром и вернусь в воскресенье вечером. Мне кажется, вашим ребятам незачем меня сопровождать.

— Могу я поинтересоваться, куда вы направляетесь?

— На Абако, Багамы.

— Повидаться с отцом?

Клей удивился было осведомленности собеседника, но тут же напомнил себе, что Макс знает о нем все.

— Да, — кивнул он.

— Зачем?

— Не ваше дело. Рыбу ловить.

— Простите, но мы должны быть в курсе. Надеюсь, вы это понимаете.

— Не очень. Я сообщу номера рейсов, только не надо никого за мной посылать, ладно?

— Даю слово.

10

Знаменитый остров Абако представляет собой узкую полоску земли в северной части Багамского архипелага, милях в ста от Флориды. Клей бывал здесь четыре года назад, когда удалось наскрести денег на авиабилет. Тогда он прилетел на длинный уик-энд, намереваясь обсудить с отцом кое-какие серьезные вопросы. Но ничего не получилось: Джаррет еще не забыл о своем позоре и занимался преимущественно тем, что с полудня начинал накачиваться ромовым пуншем. Он охотно говорил о чем угодно, только не о юриспруденции.

Нынешний визит, как надеялся Клей, станет совсем иным.

Клей прибыл к концу дня на переполненном и очень душном внутри турбовинтовом самолете компании «Коконат эйр». Служащий на таможне мельком заглянул в его паспорт и махнул: проходите. Поездка в такси по непривычной, левой, стороне шоссе к бухте Марш заняла пять минут.

Водитель оказался любителем громких негритянских духовных песнопений, но у Клея не было настроения препекаться. Равно как и давать чаевые. Выйдя из машины на берегу бухты, он отправился искать отца.

Джаррет Картер однажды вел дело против самого президента Соединенных Штатов и, хоть проиграл его, понял на собственном опыте, что каждое следующее дело легче предыдущего. Он никого не боялся ни в суде, ни за его пределами. Его блестящая репутация зиждилась на одной великой победе — грандиозном вердикте, которого он добился в деле о преступной халатности, допущенной во время операции превосходным врачом, президентом Американской медицинской ассоциации. После того как немилосердное жюри консервативного округа вынесло свой вердикт, Джаррет Картер вмиг стал одним из самых востребованных адвокатов. Он брался за наиболее трудные дела, большинство из них выигрывал и к сорока годам приобрел широкую известность, после чего основал собственную фирму, прославившуюся бескомпромиссной борьбой в зале суда. У Клея не было никаких сомнений, что он пойдет по отцовским стопам и сделает карьеру именно в суде.

Колесо фортуны начало пробуксовывать, когда Клей учился в колледже. Безобразный бракоразводный процесс дорого обошелся Джаррету. Фирма дала трещину, и, что весьма типично, партнеры принялись судиться друг с другом. Обескураженный Джаррет в течение двух лет не выиграл ни одного процесса, от чего серьезно пострадала его репутация. Самой большой ошибкой стало то, что они с бухгалтером начали фальсифицировать отчетность: укрывать доходы, указывать завышенные цифры расходов. Когда их поймали, бухгалтер застрелился, Джаррет — нет. Однако репутация была растоптана, и впереди брезжила тюрьма. На счастье, прокурором Соединенных Штатов, который представлял обвинение, оказался его университетский сокурсник.

Условия их соглашения навсегда останутся тайной. Обвинение так и не было предъявлено, по неофициальной договоренности Джаррет тихо прикрыл свою контору, сдал лицензию и покинул страну. Он уехал ни с чем, хотя кое-кто утверждал, будто Картер припрятал некие суммы в оффшорных компаниях. Никаких признаков существования подобных сбережений Клей, однако, не наблюдал.

Так великий Джаррет Картер стал капитаном рыболовного суденышка на Багамах, что иным казалось сказочной жизнью. Клей нашел отца на его шестидесятифутовой яхте «Танцующая на волнах», зажатой в тесноте между другими судами, заполонившими акваторию. Многие только что вернулись после долгого дня, проведенного в море. Загорелые рыбаки хвастались уловом. В глазах рябило от фотовспышек. Матросы из аборигенов сновали по палубам, выгружая из холодильных камер морского окуня и тунца, подавали на берег мешки с пустыми бутылками и пивными банками.

Джаррет возился на носу со шлангом и губкой. Клей несколько минут издали наблюдал за отцом, не желая отрывать от работы. Он, безусловно, имел вид типичного изгнанника, так и не нашедшего пристанища: босой, с задубевшей загорелой кожей, седой хемингуэевской бородой, серебряными цепями на шее, в рыбацкой кепке с длинным козырьком и допотопной выгоревшей рубашке с высоко закатанными рукавами. Если бы не «пивное» пузцо, Джаррет был бы в отличной форме.

— Черт меня побери! — заорал старик, увидев сына.

— Симпатичная посудина, — сказал Клей, ступая на борт. Они обменялись крепким рукопожатием — не более. Джаррет не был склонен к чрезмерному проявлению эмоций, по крайней мере с сыном. Впрочем, некоторые бывшие его секретарши утверждали иное. От него пахло потом, морской солью и пивным перегаром — он весь день провел в море. Рубашка и шорты лоснились от грязи.

— Да. Ее хозяин — врач из Бока. Прекрасно выглядишь.

— Ты тоже.

— Я здоров, остальное не важно. Возьми пиво. — Джаррет указал на холодильную камеру, стоявшую на палубе.

Открыв по банке, они уселись на парусиновых стульях, наблюдая за группой рыбаков, устало бредущих по пирсу. Лодку мягко покачивало.

— Тяжелый выдался день? — спросил Клей.

— Мы вышли на рассвете: отец с двумя сыновьями — крупными, сильными парнями. Все трое тяжелоатлеты, откуда-то из Нью-Джерси. Никогда не видел столько мускулов в одной лодке. Стофунтовых рыб-парусников вытаскивали из воды так, словно это мелкая форель.

Мимо прошли две женщины лет сорока, с рюкзаками за спиной и рыболовными снастями. У них был такой же усталый вид, как у других рыбаков, и они были такими же загорелыми. Одна чуть полноватая, другая вполне стройная, но Джаррет обеих проводил одинаково заинтересованным взглядом, пока те не скрылись из виду. Этот взгляд казался почти нескромным.

— У тебя все еще есть то кооперативное жилье? — спросил Клей. Он побывал в запущенной двухкомнатной квартирке, расположенной в доме на дальнем берегу бухты, в свой прошлый приезд.

— Да, но теперь я живу на яхте. Хозяин бывает редко, так что я здесь поселился. В каюте найдется диван и для тебя.

— Ты живешь на этой яхте?

— Ну да. Здесь просторно, есть кондиционер. И большую часть времени никого, кроме меня, не бывает.

Глядя на новую группу ковыляющих мимо рыбаков, Картеры продолжали потягивать пиво.

— Меня зафрахтовали на завтра, — сообщил Джаррет. — Хочешь присоединиться?

— А что еще мне здесь делать?

— Какие-то клоуны с Уолл-стрит хотят выйти в море аж в семь утра.

— Забавно.

— Я проголодался. — Джаррет вскочил и швырнул пустую банку в мусорную корзину. — Пошли.

Идя по пирсу, они миновали несколько десятков яхт самых разных моделей. На многих ужинали. Капитаны-рыболовы пили пиво и отдыхали. Почти каждый, завидев Джаррета, выкрикивал какое-нибудь приветствие, тот коротко всем отвечал. Он по-прежнему был босиком. Идя на шаг позади, Клей думал: «И это мой отец, великий Джаррет Картер, — босой портовый пьянчуга в вылинявших шортах и расстегнутой рубашке, король здешней бухты. А в сущности, несчастный человек».

В баре «Голубой плавник» было тесно и шумно. Джаррет, судя по всему, знал здесь всех. Не успели они найти два свободных стула, как бармен уже поставил перед ними высокие стаканы с ромовым пуншем.

— Твое здоровье, — сказал Джаррет и, чокнувшись с Клеем, одним глотком выпил полстакана. Потом он вступил в долгий серьезный разговор с капитаном рыболовецкой шхуны, забыв на время о Клее, что вполне того устраивало. Покончив с первым стаканом, Джаррет крикнул, чтобы принесли второй. Потом еще один.

За большим столом в углу бара затевался какой-то праздник. Блюда с омарами, крабами и креветками уже были на столе. Джаррет жестом велел Клею следовать за ним, отец и сын заняли места среди полудюжины других посетителей. Музыка играла громко, но голоса звучали еще громче. Все участники застолья, руководимые Джарретом, изо всех сил старались напиться.

Соседом Клея справа оказался моряк, пожилой хиппи, утверждавший, будто в свое время сжег призывное свидетельство, чтобы не служить во Вьетнаме. Он отвергал все идеи демократов, в том числе касающиеся занятости и налогов с доходов.

— Я слоняюсь по Карибам уже тридцать лет, — хвастался он, набив рот креветками. — А фэбээровцы понятия не имеют о том, что я существую!

Клей подозревал, что фэбээровцам наплевать, существует ли этот человек, равно как и все остальные неудачники, с которыми он сейчас бражничал. Матросы, капитаны шхун, профессиональные рыбаки — все они в свое время от чего-то бежали: от алиментов, налогов, судебных преследований, последствий неудачных деловых операций. Они мнили себя бунтарями, нонконформистами, вольнолюбцами — эдакими современными пиратами, слишком независимыми, чтобы подчиняться каким бы то ни было правилам.

Летом предыдущего года на Абако обрушился мощный ураган, и капитан Флойд, самый громогласный мужчина за столом, поведал, как до сих пор воюет со страховой компанией. Это породило лавину историй об урагане, что, разумеется, повлекло новый раунд пуншевых возлияний. Клей вовремя остановился, его отец — нет. Джаррет говорил все громче, пил все больше, как, впрочем, и остальные.

Через два часа с едой было покончено, но не с питьем. Теперь официант таскал ром кувшинами, и Клей решил под шумок исчезнуть. Он незаметно выскользнул из-за стола, а потом и из «Голубого плавника».

На тихий семейный ужин это совсем не походило.

Он проснулся в темноте от того, что отец громко топал за дверью каюты, насвистывал и даже напевал какой-то мотивчик, отдаленно напоминавший песенку Боба Марли.

— Вставай! — вопил Джаррет. Яхта раскачивалась не столько от волн, сколько от яростной атаки Джаррета на новый день.

Клей еще немного полежал на коротком и узком топчане, пытаясь собраться с мыслями и вспоминая легенду о Джаррете Картере. Тот всегда являлся в контору до шести утра, часто к пяти, а порой и к четырем. И так шесть дней в неделю, иногда и все семь. Он пропустил большую часть бейсбольных и футбольных матчей, в которых участвовал Клей, просто потому, что был занят по горло. Его никогда не видели дома до наступления темноты, а бывало, он и вовсе не возвращался. Когда Клей повзрослел и стал работать в отцовской фирме, Джаррет славился тем, что безжалостно заваливал делами молодых помощников. После того как рухнул его брак, он вообще стал спать в офисе, иногда даже один. Невзирая на все свои дурные привычки, Джаррет неизменно сам открывал дверь, поспевая на звонок раньше других. Он и тогда был не дурак выпить, но всегда мог остановиться, если пьянство мешало работе.

В дни своей славы отец мог не спать сутками; судя по всему, привычка сохранилась. Старик пронесся мимо дивана с громкой песней, распространяя вокруг свежий аромат геля для душа и дешевого лосьона.

— Пора в путь! — крикнул он.

О завтраке никто даже не заикнулся. Клею удалось лишь недолго поплескаться в птичьей ванночке, носившей гордое название душа. Он не страдал клаустрофобией, но от мысли, что можно постоянно жить в такой тесноте, у него закружилась голова. Небо оказалось покрыто облаками, воздух уже нагрелся. Джаррет стоял на мостике, слушал радио и хмуро поглядывал вверх.

— Плохие новости, — сообщил он.

— Что случилось?

— Надвигается сильный шторм. Обещают проливные дожди на весь день.

— А который теперь час?

— Половина седьмого.

— Когда ты вчера вернулся?

— Ты напоминаешь мне свою мать. Кофе — вон там.

Клей налил себе чашку крепкого кофе и устроился рядом со штурвалом.

Лицо Джаррета было почти скрыто за большими солнцезащитными очками, бородой и надвинутым козырьком кепки. Клей подозревал, что очки были надеты, чтобы скрыть опухшие от тяжелого похмелья веки. По радио с крупных судов, находящихся в открытом море, постоянно повторяли штормовое предупреждение. Джаррет и капитан соседней яхты перекрикивались, обсуждая сводку, при этом оба то и дело смотрели на небо и качали головой. Прошло полчаса. Ни одно судно не покинуло бухту.

— Проклятие! — вырвалось у Джаррета. — День потерян.

Прибыли те самые молодые боссы с Уолл-стрит — все четверо в белых теннисных шортах, новеньких кроссовках и таких же новых рыболовных кепочках. Увидев клиентов, Джаррет вышел на корму и, прежде чем те успели прыгнуть на борт, крикнул:

— Мне очень жаль, ребята, но сегодня рыбалка отменяется. Штормовое предупреждение.

Вся четверка мгновенно уставилась на небо. Беглый осмотр облаков привел «бывалых моряков» к заключению, что прогноз ошибочен.

— Вы шутите, — сказал один.

— Будет всего лишь небольшой дождь, — заявил второй.

— Давайте все же попробуем, — предложил третий.

— Ответ — нет, — твердо сказал Джаррет. — Посмотрите: вы видите, чтобы кто-нибудь сегодня рыбачил?

— Но мы заплатили за аренду яхты.

— Получите деньги назад.

Клиенты снова обозрели небо, которое темнело на глазах. Издали, словно канонада, донеслись раскаты грома.

— Простите, ребята, — повторил Джаррет.

— А как насчет завтра? — спросил один.

— Завтра я занят.

Горе-рыбаки удалились, уверенные, что их обманули, лишив трофейных марлинов.

Решив таким образом рабочие проблемы, Джаррет подошел к холодильнику и достал банку пива.

— Хочешь? — спросил он Клея.

— Который час?

— Самый подходящий для пива, — ответил Джаррет.

— Я еще кофе не допил.

Отец и сын устроились на палубе на складных стульчиках, прислушиваясь к отдаленным раскатам грома. В акватории кипела работа: капитаны и матросы закрепляли тросами свои суда, а незадачливые рыбаки носились по пирсу, таща за собой сумки-холодильники и рюкзаки, набитые маслом для загара и кинокамерами. Ветер постепенно усиливался.

— Ты разговаривал с матерью? — спросил Джаррет.

— Нет.

Семейная история Картеров представляла собой сплошной кошмар, так что оба сочли за благо не касаться ее.

— Все еще служишь в БГЗ? — спросил Джаррет.

— Да, и я приехал сюда как раз затем, чтобы поговорить об этом.

— Как Ребекка?

— Осталась в прошлом, судя по всему.

— Это хорошо или плохо?

— Пока это просто больно.

— Сколько тебе лет?

— На двадцать четыре года меньше, чем тебе. Тридцать один.

— Правильно. Ты еще слишком молод, чтобы жениться.

— Спасибо, папа.

Бежавший по пирсу капитан Флойд остановился напротив их яхты.

— Гюнтер приехал. Покер начинается через десять минут. Идем скорее!

Джаррет вскочил, вдруг став похожим на ребенка, проснувшегося рождественским утром в радостном предвкушении подарков.

— Ты как? — спросил он Клея.

— Насчет чего?

— Насчет покера.

— Я не играю в покер. А кто такой Гюнтер?

Джаррет, вытянув руку, указал:

— Видишь вон ту стофутовую яхту? Это его. Немец, старый хрыч с миллионом в кармане и полной коробочкой девиц. Поверь, это лучшее место для того, чтобы переждать шторм.

— Скорее! — крикнул капитан Флойд, уже удаляясь.

Выбираясь на пирс, Джаррет бросил Клею через плечо:

— Так ты идешь?

— Нет, я — пас.

— Не глупи. Это куда интереснее, чем целый день торчать здесь без дела! — крикнул Джаррет, догоняя капитана Флойда.

Клей помахал отцу на прощание.

— Лучше почитаю.

— Как хочешь.

Они прыгнули в шлюпку вместе с еще каким-то типом и, рассекая волны, заскользили в направлении яхты Гюнтера. Вскоре их уже не было видно за скопившимися в бухте судами.

В течение нескольких предстоящих месяцев Клею больше не суждено было увидеть отца. А значит, и посоветоваться.

Оставалось принимать решение самому.

11

На сей раз апартаменты были сняты в другом отеле. Пейс все время курсировал по округу, словно его преследовали сонмы шпионов. Обменявшись короткими приветствиями, мужчины перешли к делу. Клей заметил, что жизнь под прессом тайны сказалась на Пейсе. Атлет выглядел усталым. Движения стали нервными, речь слишком быстрой. Ни улыбок, ни вопросов о рыбалке на Багамах. Пейс был решительно настроен покончить с делом, не важно, с чьей помощью — Клея ли, либо другого адвоката из своего списка. Они сели за стол, открыли блокноты, приготовили ручки.

— Полагаю, пять миллионов за каждого убитого — более уместная сумма, — начал Клей. — Конечно, они лишь уличные мальчишки, чья жизнь не имеет существенной экономической ценности, но то, что сделал ваш клиент, могло бы стоить ему миллионных штрафов. Так что суммируем стоимость товара и штрафа и получаем пять миллионов.

— Парень, находившийся в коме, прошлой ночью умер, — сообщил Пейс.

— Стало быть, у нас шесть жертв.

— Семь. В субботу утром появилась еще одна.

Клей столько раз за эти дни умножал пять на шесть, что теперь затруднился с ходу произвести новые вычисления.

— Кто? Где?

— Неприятные подробности потом, ладно? Должен заметить, это был очень долгий уик-энд. Пока вы рыбачили, мы отслеживали все звонки по 911, для чего в таком городе, как наш, да еще в выходные, нужна маленькая армия.

— Вы уверены, что это убийство тоже спровоцировано тарваном?

— Уверены.

Клей стал царапать что-то бессмысленное в блокноте, выигрывая время.

— Итак, сойдемся на пяти миллионах за каждую смерть, — сказал он наконец.

— Согласен.

По пути из Абако Клей убедил себя в том, что это лишь игра в крестики и нолики. Нужно думать не о реальных деньгах, а просто представлять себе цепочку нулей, стоящих после неких цифр. На время надо забыть о том, что можно купить на эти деньги, забыть обо всех судьбоносных переменах, которые они сулят. Забыть о всяких там жюри присяжных. Просто играть в крестики и нолики. Не обращать внимания на острый нож, бередящий душу. Притвориться железным. И помнить главное: твой оппонент слаб, напуган, при этом баснословно богат и очень виновен.

Клей сглотнул комок в горле и заговорил непринужденно:

— Гонорар адвоката тоже недостаточен.

— Неужели? — Пейс наконец улыбнулся. — Десять миллионов — мало?

— Для такого дела — да. Ваши расходы были бы серьезнее, если бы дело вела крупная юридическая фирма.

— Вы быстро схватываете.

— Половина суммы уйдет на уплату налогов. Накладные расходы, запланированные вами для меня, весьма высоки. Я ведь должен в считанные дни открыть работоспособную юридическую фирму, причем в престижном районе города. Кроме того, я хотел бы кое-что сделать для Текилы и других обвиняемых, которые пострадают вследствие всего этого.

— Назовите свою цену. — Пейс уже что-то записывал.

— Пятнадцать миллионов позволят мне легче преодолеть переход в новое качество.

— Кидаете дротики?

— Нет, просто торгуюсь.

— Значит, в общей сложности вы хотите пятьдесят миллионов — тридцать пять семьям погибших и пятнадцать себе. Я правильно понял?

— Правильно.

— Договорились, — сказал Пейс, протягивая руку. — Поздравляю.

Клей пожал его руку и не нашел что сказать, кроме «спасибо».

— Вот контракт, в нем оговорены некоторые детали и условия. — Макс достал бумаги из кейса.

— Какого рода условия?

— Прежде всего вы ни словом не упоминаете о тарване ни Текиле Уотсону, ни его новому адвокату, ни кому бы то ни было из других подзащитных, имеющих отношение к этому делу. В противном случае вы подвергнете моего клиента серьезной опасности. Как мы уже говорили, состояние наркотического опьянения не является аргументом в пользу обвиняемого. Это могло бы послужить смягчающим обстоятельством при вынесении приговора, но мистер Уотсон совершил убийство, и, что бы он ни говорил, сути дела это не изменит.

— Я понимаю это лучше, чем вы.

— Тогда забудьте об убийцах. Теперь вы представляете интересы семей погибших. Вы — по другую сторону баррикады, Клей, примите это как данность. Согласно договору, пять миллионов будут перечислены вам авансом, еще пять — по истечении десяти дней, остальные пять — по достижении соглашения. Если вы проговоритесь о тарване, контракт будет считаться расторгнутым. Нарушите оговоренные условия — потеряете прорву денег.

Клей кивал, не отводя взгляда от толстой пачки документов, лежавших на столе.

— Самое существенное здесь то, что соглашение сугубо конфиденциальное, — продолжал Макс, постукивая пальцем по контракту. — В нем полно темных тайн, которые вы обязаны скрывать даже от своей секретарши. Например, имя моего клиента не должно упоминаться ни при каких обстоятельствах. На Бермудах основана теневая корпорация с новым подразделением в голландской части Антильских островов. Она подчиняется швейцарской компании со штаб-квартирой в Люксембурге. Цепочка бумажной отчетности начинается ниоткуда и кончается нигде, проследить ее не смог бы даже я. Ваши новые клиенты получают немалые деньги, поэтому вряд ли станут задавать вопросы. Не думаю, что с ними возникнут проблемы. Что касается вас — вы сделаете себе состояние. Об угрызениях совести и высоких моральных принципах говорить не будем. Просто берите деньги, делайте свою работу, и все от этого только выиграют.

— Просто продайте свою душу?

— Я же сказал, оставьте нравственные терзания. Вы не делаете ничего неэтичного. Просто добываете колоссальные компенсации для клиентов, которые понятия не имели, что им кто-то что-то должен. Это не называется «продавать душу». Ну а ваше внезапное обогащение... Вы же не первый адвокат, на которого удача свалилась с неба.

Пока Макс заполнял какие-то графы в многостраничном контракте, Клей размышлял об авансе в пять миллионов долларов. Потом Пейс пододвинул ему бумаги и пояснил:

— Предварительное соглашение. Прочтите, подпишите, после этого я сообщу вам еще кое-что о своем клиенте. А пока пойду закажу нам кофе.

Клей взял контракт, подержал — тот с каждой секундой казался все тяжелее, — затем начал читать первый абзац. Макс по телефону заказывал кофе.

Прежде всего Клею надлежало немедленно, сегодня же, уволиться из БГЗ и отозвать свое согласие защищать Текилу Уотсона. Бумаги, связанные с открытием новой конторы, были подготовлены и прилагались к контракту. Мистер Картер должен был без промедления зарегистрировать свою адвокатскую фирму, нанять штат служащих, открыть банковский счет и так далее. Типовой проект устава адвокатской конторы Дж. Клея Картера-второго также прилагался. Ему вменялось как можно быстрее связаться с семьями пострадавших и начать проводить работу по выработке мирового соглашения.

Когда принесли кофе, Клей еще читал контракт. Макс в другом конце апартаментов разговаривал по сотовому — он с серьезным видом что-то хрипло шептал в трубку, видимо, передавал последние новости своему шефу. А может, проверял по своей агентурной сети, не произошло ли новое убийство по вине тарвана. Поставив подпись на одиннадцатой странице, Клей мог рассчитывать в тот же день получить на свой счет пять миллионов долларов; эту сумму Макс уже аккуратно внес в соответствующую графу. Когда Клей выводил росчерк, рука у него дрожала — не от страха и не от нравственных угрызений, а от изумительного вида множества нулей.

Покончив с первой порцией бумаг, они покинули отель и сели в роскошный автомобиль, управляемый тем самым телохранителем, который встречал Клея в вестибюле «Уилларда».

— Предлагаю первым делом заняться открытием счета, — мягко, но решительно сказал Макс.

Клей казался себе сейчас Золушкой, отправляющейся на бал, настолько все походило на сказку.

— Прекрасная мысль, — с трудом выдавил он.

— Вы предпочитаете какой-нибудь определенный банк? — спросил Пейс.

В нынешнем банке Клея были бы потрясены предстоящими переменами. Ему едва удавалось сохранять на счете необходимый минимум, и значительное поступление вызвало бы переполох. Как-то служащий банка позвонил ему, чтобы сообщить, что на его счет переведена небольшая ссуда, так Клей почти увидел, как управляющий, глядя на распечатку, рот открыл от удивления.

— Уверен, у вас уже есть какой-нибудь на примете, — сказал он.

— Мы часто прибегаем к услугам банка «Чейз»*. Там все операции проходят более гладко.

Стало быть, «Чейз», с улыбкой подумал Клей. Какая разница, лишь бы переводы проводились быстро.

— В банк «Чейз», на Пятнадцатую, — скомандовал Макс водителю, который и так ехал в нужном направлении. «Пожарный» достал из кейса еще какие-то бумаги. — Это договор аренды и субаренды на ваш офис. Помещение престижное, как вы знаете, и, следовательно, недешевое. Мой клиент арендовал его через подставную компанию на два года за восемнадцать тысяч в месяц. Мы сдадим его вам по той же цене.

— Это четыреста тысяч в год — ни больше ни меньше.

Макс улыбнулся и сказал:

— Вы можете себе это позволить, сэр. Привыкайте мыслить как адвокат, не стесненный в средствах.

Представительный вице-президент уже ожидал их. Макс назвал нужное имя, и перед ними мгновенно расстелили

---

* Имеется в виду банк «Чейз Манхэттен» холдинговой банковской и финансовой корпорации, контролируемой домом Рокфеллеров.

красную ковровую дорожку. Клей подписал необходимые документы и вступил в права владения счетом. По словам вице-президента, деньги должны были быть переведены к пяти часам того же дня.

Мужчины снова сели в машину. Вид у Макса был исключительно деловой.

— Мы взяли на себя смелость подготовить проект устава вашей фирмы, — сказал он, передавая документ Клею.

— Я его уже видел, — ответил тот, продолжая размышлять о трансфере.

— Это типовой вариант — ничего особенного. Зарегистрируйте его через Интернет. Заплатите по кредитке двести долларов, и вы в деле. Это займет не больше часа. Можете сделать это из своего кабинета в БГЗ.

Держа бумаги в руках, Клей смотрел в окно. Перед светофором справа от них остановился светло-коричневый «Ягуар XJ», и мысли Клея переключились на автомобили. Он не мог, как ни старался, сосредоточиться на деле.

— Кстати, о БГЗ, — говорил между тем Макс. — Когда вы собираетесь заняться формальностями?

— Давайте сделаем это прямо сейчас, — предложил Клей.

— На Восемнадцатую, — распорядился Макс небрежно, но шофер, похоже, ничего не пропускал мимо ушей. Снова обращаясь к Клею, Пейс спросил: — Вы уже подумали насчет Родни и Полетт?

— Да, поговорю с ними сегодня же.

— Отлично.

— Рад, что вы одобрили.

— У нас есть еще несколько человек, которые ориентируются в городе, как у себя дома, и могут оказаться полезными. Они будут работать на нас, но вашим клиентам этого знать не следует. — Говоря это, он кивнул в сторону водителя. — Нельзя расслабляться ни на минуту, пока все семь семей не станут вашими клиентами.

— Но Родни и Полетт придется все рассказать.

— Почти все. Только они в вашей фирме будут в курсе дела. Но и они не должны знать названий лекарства и корпорации, тем более — видеть тексты соглашений. Их мы тоже составим для вас.

— Однако им необходимо представлять, что мы предлагаем клиентам.

— Разумеется. Они обязаны убедить клиентов взять деньги, но им не должно быть известно, от кого эти деньги исходят.

— Это будет непросто.

— Давайте сначала наймем их.

Если кто-то в БГЗ и переживал из-за отсутствия Клея, то этого не было заметно. Даже бдительная мисс Глик, озабоченная телефонными разговорами, не задала обычного вопроса «Где ты был?». У него на столе лежала дюжина сообщений, теперь уже не важных, поскольку ничто здесь больше не имело значения. Гленда уехала в Нью-Йорк на какую-то конференцию, и ее отсутствие, как всегда, означало более долгий обеденный перерыв и множество проблем. Клей быстро написал заявление об уходе и отправил Гленде по электронной почте. Закрыв дверь в кабинет, он собрал свои вещи в два портфеля, оставив старые книги и еще кое-какие предметы, к которым некогда был привязан. Всегда ведь можно вернуться сюда, подумал он, понимая, что этого не будет никогда.

Стол Родни находился в крохотном закутке, который тот делил еще с одним параюристом.

— У тебя найдется минутка? — спросил Клей.

— Вообще-то я занят, — ответил Родни, едва подняв голову.

— В деле Текилы Уотсона намечается прорыв. Это займет всего минуту.

Родни нехотя заткнул ручку за ухо и последовал за Клеем в его кабинет с опустевшими уже полками. Когда они вошли, Клей запер дверь.

— Я увольняюсь, — начал он почти шепотом.

Они проговорили около часа. Все это время Пейс нетерпеливо ждал в спортивно-прогулочном автомобиле, припаркованном у тротуара в неположенном месте. Когда Клей появился в дверях с двумя пухлыми портфелями, Родни сопровождал его. Он тоже нес толстый портфель и набитую бумагами пластиковую сумку. Направившись к своей машине, Родни в мгновение ока исчез. Клей уселся в машину Пейса и доложил:

— Он с нами.

— Какая неожиданность, — съязвил Макс.

В офисе на Коннектикут-авеню они застали дизайнера, которого Макс попросил задержаться. Клею предложили широкий выбор дорогой офисной мебели, которая имелась на складе и могла быть доставлена в течение двадцати четырех часов. Он указал несколько образцов — все из верхней части прейскуранта — и подписал наряд-заказ.

В помещении как раз ставили телефоны. После ухода декоратора явился консультант по компьютерам. Видя, как утекают деньги, Клей в какой-то момент пожалел, что не потребовал у Макса побольше.

Вскоре после пяти Макс, выходя из свежеотремонтированного кабинета и засовывая в карман мобильник, сообщил:

— Деньги переведены.

— Пять миллионов?

— Именно. Вы теперь мультимиллионер.

— Я ухожу, — сказал Клей. — До завтра.

— Куда направляетесь?

— Хватит вопросов, ладно? Вы мне не начальник. И прекратите следить за мной. Мы же подписали соглашение.

Картер прошел несколько кварталов по Коннектикут-авеню — наступил час пик, улица была запружена толкающимися людьми, но он лишь глупо улыбался и, казалось, летел, не касаясь ногами тротуара, — до Семнадцатой, откуда открывался вид на Зеркальный пруд и колонну Вашингтона, где мириады школьников фотографировались, сбиваясь в кучки. Повернув направо, Клей прошел через парк Конституции, миновал мемориал павших на войне во Вьетнаме, остановился у киоска, купил две дешевых сигары, закурил и направился дальше, к ступеням мемориала Линкольна, на которых долго сидел, глядя на видневшийся вдали Капитолий.

Поразмыслить трезво, спокойно никак не удавалось. Мысли захлестывали и вытесняли одна другую. Он думал об отце, который жил на чужой рыболовецкой яхте и притворялся, будто это прекрасно, хотя едва сводил концы с концами и сильно пил, чтобы не думать о нищете. Пятьдесят пять лет — и никакого будущего. Потом, попыхивая сигарой, Клей мысленно, забавы ради, подсчитал, во сколько обойдется все, что он хотел купить, — новый гардероб, по-настоящему хороший автомобиль, стереосистема, несколько путешествий. Все, вместе взятое, составило ничтожную часть его нынешнего состояния. Вопрос об автомобиле оказался не таким простым. Машина должна быть престижной, но без претензий.

И разумеется, следовало сменить адрес. Надо поискать солидный старинный дом в Джорджтауне. Клею доводилось слышать легенды о том, что порой такие дома стоят до шести миллионов, но ему такой дорогой был ни к чему. Он не сомневался, что удастся найти что-нибудь подходящее в пределах миллиона.

Миллион туда, миллион сюда.

Клей подумал о Ребекке, но не стал задерживаться на мыслях о ней. Последние четыре года она была единственным другом, с которым он делился всем. Теперь ему было не с кем поговорить. Прошло всего пять дней с момента их разрыва, но за это время столько всего произошло, что ему некогда было о ней думать.

— Забудь о Ван Хорнах! — вслух приказал он себе и выпустил густое облако сигарного дыма.

Надо сделать крупное пожертвование в Пьедмонтский фонд на нужды борьбы за сохранение природы северной

Виргинии. Нанять специального сотрудника, чьей единственной обязанностью будет отслеживать последние покушения на нее корпорации БВХ. Сделать все возможное, чтобы быть в курсе новых проектов Ван Хорна и в случае необходимости нанять адвокатов для защиты интересов мелких землевладельцев, не подозревающих пока, что им грозит соседство с Беннетом-Бульдозером. Уж он развернется на ниве защиты окружающей среды!

«Забудь об этих людях», — повторил он мысленно.

Закурив вторую сигару, Клей позвонил Ионе, который отрабатывал свои несколько часов в компьютерном магазине.

— Я заказал столик в «Цитронелле» на восемь вечера, — сообщил он. В настоящий момент это был самый модный французский ресторан в округе.

— Ну разумеется, — включился в розыгрыш Иона.

— Я серьезно. Будем праздновать мой переход на новую работу. Все объясню при встрече. Приходи обязательно.

— А можно с подругой?

— Ни в коем случае.

Иона никуда не ходил без очередной подружки. Клей был намерен переехать в новый дом один и не собирался завидовать героическим постельным подвигам своего соседа. Он позвонил еще двум однокашникам, но обоих, обремененных детьми и всякими семейными обязательствами, как выяснилось, следовало пригласить заранее.

Итак, ужин вдвоем с Ионой. Что ж, это всегда сулило приключение.

12

В нагрудном кармане лежали новенькие — краска еще не высохла — визитки, которые Родни заказал в круглосуточной экспресс-мастерской. На них значилось: «Родни Элбриттон, главный параюрист адвокатской конторы Дж. Клея Картера II». «Главный», будто под его началом был целый штат параюристов. Пока ничего похожего, но чем черт не шутит.

Если даже Родни успеет купить новый костюм, то, пожалуй, не станет надевать его, идя на свое первое задание. Старенькая форма — синяя куртка, вылинявшие джинсы, ободранные черные армейские ботинки — уместнее. Задание по-прежнему связано с работой «на улице», и выглядеть нужно соответственно. Он нашел Адельфу Памфри на ее обычном посту. Женщина сидела, уставившись в панель мониторов внутреннего обзора, но ничего не видя.

Со дня смерти ее сына прошло десять дней.

Взглянув на Родни, она указала, где ему следует расписаться в журнале посетителей. Тот протянул визитку и представился:

— Я работаю на одного влиятельного здешнего адвоката.

— Приятно познакомиться, — безучастно откликнулась Адельфа, едва взглянув на визитку.

— Мне нужно с вами поговорить, это займет всего несколько минут.

— О чем?

— О вашем сыне Рамоне.

— А что такое?

— Мне известно о его смерти кое-что, чего вы не знаете.

— Не самая приятная для меня тема.

— Прекрасно понимаю и прошу простить меня, но вам будет небесполезно узнать то, что я хочу сообщить. Обещаю долго вас не задерживать.

Она посмотрела на полусонного охранника в форме, дежурившего у входной двери.

— Я могу взять перерыв на двадцать минут. Давайте встретимся в кафетерии на втором этаже.

Поднимаясь по лестнице, Родни думал о том, что заслуживает каждого пенни из своей новой солидной зарплаты. Любой белый, который попытался бы поговорить с Адельфой на столь деликатную тему, до сих пор стоял бы у окошка, нервничал, дрожал, давился словами, а она и не подумала бы сдвинуться с места. Белый не вызвал бы у нее никакого доверия, она и слушать бы его не стала, по крайней мере первые минут пятнадцать.

Но Родни был спокойным, приличным на вид и черным, а ей хотелось с кем-нибудь поговорить.

Досье Макса Пейса на Рамона Памфри было кратким, но исчерпывающим, дополнительных сведений почти не требовалось. Предполагаемый отец никогда не был женат на его матери. Звали этого человека Леон Тиз, и в настоящее время он отбывал тридцатилетний срок в Пенсильвании за ограбление и покушение на убийство. Судя по всему, они с Адельфой прожили вместе достаточно долго, поскольку успели произвести на свет двоих детей — Рамона и его младшего брата, которого звали Майклом. Еще один сын родился у Адельфы от недолгого брака с другим мужчиной. После развода она больше замуж не выходила и, кроме двух оставшихся сыновей, воспитывала сейчас еще двух племянниц — дочерей ее сестры, которая сидела за торговлю наркотиками.

Адельфа зарабатывала двадцать одну тысячу в год в качестве охранницы офисного здания, ни для кого не представлявшего повышенного интереса. От дома в северо-восточной части города, где семья снимала квартиру, она каждый день добиралась в центр на метро. Машины у нее не было, да она и водить-то за ненадобностью не научилась. Имелся текущий счет в банке с самым низким уровнем процентной ставки, две кредитные карточки — и никаких шансов получить существенный кредит. Проблем с правосудием у нее никогда не было. Помимо работы и семьи, Адельфа проявляла интерес лишь к Старосалемскому евангелическому центру, расположенному неподалеку от дома.

Поскольку оба выросли в этом городе, они несколько минут поиграли в «общих знакомых»: в какую школу вы ходили, откуда ваши родители... Нашли некоторые точки соприкосновения. Адельфа заказала диетическую колу, Родни — черный кофе. Кафетерий был заполнен лишь наполовину — мелкими служащими, беседующими о чем угодно, только не о своей однообразной работе.

— Вы хотели поговорить о моем сыне, — напомнила Адельфа после нескольких минут пустого разговора. Голос у нее был низкий и мелодичный, однако напряженный, как у жестоко страдающих людей.

Немного поерзав, Родни склонился к ней.

— Еще раз прошу прощения, что приходится бередить вашу рану. У меня тоже есть дети, и я могу представить, что вы пережили.

— Да уж.

— Я, как уже говорил, работаю на одного здешнего адвоката, молодого, но очень влиятельного. Он располагает сведениями, которые могут принести вам большие деньги.

Похоже, мысль о больших деньгах не слишком взволновала Адельфу. Но Родни не сдавался:

— Парень, который убил вашего Рамона, только что вышел из реабилитационного заведения, где провел почти четыре месяца. Наркоман, мальчишка с улицы, без каких бы то ни было шансов в жизни. Его лечили там, в частности, неким препаратом, который, как мы предполагаем, оказал на него специфическое воздействие, спровоцировав на стрельбу по случайной жертве.

— Разве все произошло не из-за наркотиков?

— Вовсе нет.

Женщина отвела взгляд, глаза ее увлажнились, и на какой-то миг Родни показалось, что у нее вот-вот начнется нервный припадок. Но Адельфа взяла себя в руки и, глядя на него, спросила:

— Большие деньги — это сколько?

— Больше миллиона, — ответил Родни с видом блефующего игрока в покер. Он репетировал это выражение лица десятки раз, поскольку отнюдь не был уверен, что сумеет провести кульминационную сцену, не выдав собственного потрясения.

Адельфа не удивилась и не разволновалась, во всяком случае, поначалу. Она обвела взглядом зал.

— Вы меня разыгрываете?

— С какой стати? Чего бы это я явился сюда и стал вас дурачить? Эти деньги получить реально, большие деньги. Некая крупная фармацевтическая корпорация хочет, чтобы вы взяли их, но держали рот на замке.

— Что за корпорация?

— Послушайте, я сказал все, что знаю сам. Моя задача — повидаться с вами, сообщить, что происходит, и предложить встретиться с мистером Картером, адвокатом, на которого я работаю. Он объяснит остальное.

— Какой-нибудь белый тип?

— Да, но хороший тип. Мы работаем вместе пять лет. Он вам понравится, и вам понравится то, что он скажет.

Взгляд женщины немного прояснился, она пожала плечами и ответила:

— Ладно.

— Когда вы заканчиваете работу?

— В половине пятого.

— Наш офис — на Коннектикут-авеню, в пятнадцати минутах ходьбы отсюда. Мистер Картер будет вас ждать. У вас есть моя визитная карточка.

Она более внимательно взглянула на визитку.

— И еще одно очень важное условие, — почти шепотом добавил Родни. — Вы должны хранить тайну. Это обязательное условие. Делайте то, что скажет мистер Картер, и получите денег больше, чем когда-либо мечтали. Но если хоть слово скажете кому-то, не получите ничего.

Адельфа кивала.

— И начинайте думать о переезде.

— О переезде?

— Да, о переезде в новый дом в новом городе, где вас никто не знает и не догадается, что вы разбогатели внезапно. Хорошенький домик на тихой улочке, где дети могут кататься на велосипедах по тротуарам, где нет наркоторговцев, уличных банд и нет металлоискателей при входе в школу. А также никаких родственников, которые будут зариться на ваши деньги. Послушайте добрый совет: смените окружение. Уезжайте отсюда. Появитесь с этими деньгами в людном месте — и вас заживо сожрут.

Раскинув сеть во время своего последнего набега на БГЗ, Клей поймал в нее мисс Глик, высококвалифицированную секретаршу, которая без долгих колебаний ухватилась за возможность удвоить жалованье, свою давнюю подругу Полетт Таллос, которая, несмотря на приличное содержание, обеспечиваемое ей греческим мужем, моментально сделала стойку, услышав о двухстах тысячах в год против нынешних сорока, и, разумеется, Родни. Следствием этого набега были два срочных и пока оставленных без ответа звонка от Гленды, а также целая серия ее резких электронных посланий, тоже оставленных без внимания, по крайней мере пока. Клей дал себе обещание встретиться с Глендой в ближайшее время и придумать какое-нибудь правдоподобное объяснение тому факту, что он увел у нее хороших работников.

Чтобы сбалансировать наличие этих хороших работников в новой фирме, он пригласил в нее и своего соседа по квартире Иону, который, несмотря на отсутствие опыта работы юристом, был его приятелем. Что до профессиональных навыков, Клей надеялся: Иона со временем их разовьет. А поскольку тот был болтлив, женолюбив и любил выпить, Картер лишь в общих чертах обрисовал ему задачи новой фирмы. Он собирался посвящать Иону в суть дела постепенно и очень осторожно. Почувствовав запах денег, Иона выторговал себе начальное жалованье в девяносто тысяч. Это было меньше, чем получал главный параюрист, но никто из сотрудников фирмы не знал, сколько платят другим. Все расчеты и ведомости вела новая бухгалтерская контора, располагавшаяся этажом ниже.

Полетт и Ионе Клей дал те же осторожные разъяснения, что и Родни, а именно: он случайно набрел на секретную информацию о недоброкачественном препарате — ни названия лекарства, ни названия компании, его выпустившей, никогда не узнают ни они, ни кто-либо другой. Он связался с компанией и договорился о возможности быстрого проведения сделки. Речь идет об очень серьезных деньгах. Но требуется строжайшая конфиденциальность. Просто выполняйте свою работу и не задавайте вопросов. Мы создаем маленькую симпатичную адвокатскую фирму, делаем деньги, а заодно приятно развлекаемся.

Кто бы отказался от такого предложения?

Мисс Глик встретила Адельфу Памфри восторженно, как первого клиента свеженькой, с иголочки, фирмы, — впрочем, так оно, в сущности, и было. Здесь все пахло новизной: краска, ковры, обои, итальянская кожаная мебель, расставленная в приемной. Мисс Глик предложила Адельфе воды в хрустальном стакане, никогда прежде не использовавшемся, и продолжила обустраивать сверкающий стеклом и хромом стол. Эстафету приняла Полетт, она пригласила Адельфу в свой кабинет для предварительной беседы — светского, но уже вполне серьезного разговора. Положив на стол бумаги, содержащие подготовленную Максом Пейсом информацию о семье Адельфы, она обратилась к горюющей матери с подобающими случаю словами сочувствия.

Пока все сотрудники фирмы, с которыми познакомилась Адельфа, были черными, это отчасти успокоило ее.

— Возможно, вы уже видели мистера Картера. — Полетт приступила к прогонке сценария, который они с Клеем набросали заранее. — Он присутствовал в зале суда, когда и вы были там. Судья назначил его защитником Текилы Уотсона, но мистер Картер отказался от назначения. Вот каким образом он оказался вовлеченным в это дело.

Адельфа, как они и предполагали, была в замешательстве, но Полетт не давала ей передышки:

— Мы с мистером Картером вместе проработали пять лет в Бюро государственных защитников, уволились оттуда несколько дней назад и основали эту фирму. Вам понравится мистер Картер. Он очень приятный человек и прекрасный адвокат. Честный, преданный своим клиентам.

— Так вы только что открылись?

— Да. Клей давно мечтал о собственной фирме и предложил мне работать с ним. Вы попали в хорошие руки, Адельфа.

Замешательство сменилось оторопью.

— Есть вопросы? — спросила Полетт.

— Столько, что я не знаю, с какого начать.

— Понимаю. Но вот вам мой совет: не задавайте слишком много вопросов. Существует крупная компания, готовая выплатить вам значительную сумму, чтобы избежать судебного преследования, которое вы могли бы возбудить по факту смерти вашего сына. Если вы будете колебаться и задавать вопросы, можете легко все потерять. Просто возьмите деньги, Адельфа, и исчезните.

Когда настал момент встретиться наконец с самим мистером Картером, Полетт повела клиентку по коридору в большой угловой кабинет. Клей уже почти час нервно мерил его шагами, но при появлении Адельфы собрался, спокойно и дружелюбно поприветствовал ее. Узел галстука у него был ослаблен, рукава закатаны, а на столе громоздились стопки папок и бумаг, словно Клей одновременно работал над множеством дел. Полетт в соответствии с планом повертелась в кабинете, пока лед окончательно не растаял, потом извинилась и ушла.

— Я вас узнала, — начала Адельфа.

— Да, я был в суде на предъявлении обвинения. Судья взвалил на меня это дело, но я от него избавился. Теперь я — по другую сторону баррикады.

— Слушаю вас.

— Вероятно, наше предложение вас немного смущает.

— Да, это так.

— На самом деле все очень просто. — Клей присел на край стола и сверху взглянул в лицо клиентки, выражавшее полнейшее недоумение. Скрестив руки на груди, он постарался принять вид человека, занимающегося подобными делами не впервые, и принялся рассказывать знакомую сказку про большую фармацевтическую компанию — сказку, которая, хоть и значительно отличалась от того, что Адельфа уже слышала от Родни, и была более насыщена деталями, в сущности, повторяла те же сюжетные ходы, не открывая новых фактов. Адельфа сидела в глубоком кожаном кресле, сложив руки на коленях и недоверчиво следя за адвокатом немигающими глазами.

В завершение своего рассказа Клей сказал:

— Вот они и хотят заплатить вам кучу денег, причем немедленно.

— А кто они?

— Фармацевтическая компания.

— У нее есть название?

— У нее много названий и несколько адресов, но вы никогда не узнаете, что она представляет собой на самом деле. Это условие сделки. Мы, то есть вы и я, клиент и адвокат, должны договориться сохранить все в тайне.

Адельфа наконец моргнула, разомкнула руки и сменила положение. Уставившись на новенький прекрасный персидский ковер, покрывавший половину пола, она тихо спросила:

— И сколько же денег они предлагают?

— Пять миллионов долларов.

— Боже праведный! — воскликнула женщина и, закрыв лицо руками, разрыдалась.

Клей выдернул из коробки бумажную салфетку и протянул ей.

Деньги, предназначавшиеся для выплат по сделкам, в ожидании распоряжений хранились в банке «Чейз», там же, где и деньги самого Клея. Стопка подготовленных Максом документов лежала на столе. Клей ознакомил с ними Адельфу, объяснил, что деньги будут переведены ей завтра же утром, как только откроется банк. Он не переставая листал бумаги, подчеркивая законность сделки и указывая, где следует ставить подписи. Адельфа была слишком потрясена, чтобы что-либо говорить.

— Доверьтесь мне, — несколько раз повторил Клей. — Если хотите получить деньги, распишитесь вот здесь.

— У меня ощущение, будто я делаю что-то плохое, — в какой-то момент призналась Адельфа.

— Нет, плохое сделали другие. А вы — пострадавшая, Адельфа, пострадавшая — клиент моей фирмы.

— Мне нужно с кем-нибудь поговорить, — сказала она, ставя очередную подпись.

Но поговорить ей было не с кем. Согласно имевшейся у Макса информации, ее приятель то появлялся, то исчезал, к тому же это был совсем не тот человек, у которого следовало просить совета. У нее были братья и сестры, разбросанные по разным городам от округа Колумбия до Филадельфии, но они понимали в юриспруденции не больше самой Адельфы. А родители давно умерли.

— Только не совершите ошибки, — мягко увещевал женщину Клей. — Если вы сохраните все в секрете, эти деньги изменят вашу жизнь. Но если вы кому-нибудь проговоритесь, вас погубят.

— Я не привыкла распоряжаться такими деньгами.

— Мы вам поможем. Если хотите, Полетт вас проконсультирует, даст полезный совет.

— Да, было бы неплохо.

— Именно для этого мы и существуем.

Полетт отвезла Адельфу домой. Они провели довольно много времени в пути из-за пробок — был час пик. Позднее Полетт сообщила Клею, что Адельфа почти все время молчала, а когда они подъехали к дому, долго не хотела выходить из машины. Женщины просидели с полчаса, обсуждая ее новую жизнь — без вечных пособий, без стрельбы на ночных улицах. Не нужно будет больше молить Бога защитить детей, тревожиться за них так, как тревожилась она за Рамона.

Больше никаких уличных банд. Никаких плохих школ.

Прощаясь с Полетт, Адельфа плакала.

13

Черный «порше-каррера» подкатил к стоянке под раскидистым деревом на Дамбартон-стрит. Выйдя из машины, Клей сделал вид, что даже не смотрит на свою новую игрушку, но, оглянувшись по сторонам и никого не заметив, в очередной раз обласкал ее восхищенным взглядом. Это чудо принадлежало ему уже три дня, а он все еще не мог в это поверить. Нужно привыкнуть, без конца твердил он себе, и ему даже удавалось вести себя так, словно это всего лишь новая машина, ничего особенного, но, стоило ему увидеть ее даже после короткой отлучки, сердце начинало биться учащенно.

— У меня свой «порше», — гордо повторял он вслух, торча в пробках, но представляя себя гонщиком «Формулы-1».

Сейчас он находился в восьми кварталах от основного кампуса Джорджтаунского университета, где провел четыре студенческих года, прежде чем поступил в магистратуру юридического факультета, расположенного возле Капитолийского холма. Дома здесь были старинные и живописные, лужайки ухоженные, улицы утопали в тени раскидистых дубов и кленов. В двух кварталах к югу, на Эм-стрит, начинался район популярных магазинов и ресторанов. По этим улочкам он четыре года бегал трусцой, не сосчитать, сколько долгих вечеров они с друзьями провели, прочесывая забегаловки и пабы, вытянувшиеся вдоль Висконсин-авеню и Эм-стрит.

А теперь он собирался здесь поселиться.

За дом, который привлек его внимание, просили миллион триста тысяч. Клей обратил на него внимание, когда бродил по Джорджтауну два дня назад. Был другой, на Энстрит, и третий — на Вольте, все располагались в нескольких минутах ходьбы друг от друга, и Клей решительно настроился приобрести один из них до конца недели.

Дом на Дамбартон, нравившийся ему больше других, был построен в 1850 году и прекрасно сохранился. Кирпичный фасад неоднократно перекрашивался, сейчас он был бледно-голубым. Четыре этажа, включая цокольный. Агент по недвижимости сообщил, что в нем жила и содержала его в безукоризненном порядке пожилая пара, которой доводилось принимать здесь и чету Кеннеди, и чету Киссинджер, и других очень важных персон. Вашингтонские риелторы умеют сыпать именами почище риелторов с Беверли-Хиллз, особенно когда речь идет о домах, расположенных в Джорджтауне.

Клей приехал на четверть часа раньше назначенного времени. Дом был пуст, бывшие владельцы, если верить агенту, переселились в шикарное заведение для престарелых. Пройдя на задний двор, Клей полюбовался прелестным садом. Бассейна здесь не было, и не было места, где его можно было бы устроить, — земля в Джорджтауне на вес золота. Однако имелся внутренний дворик с кованой чугунной мебелью и фигурными решетками, увитыми ползучими растениями. Клей с удовольствием стал бы уделять несколько часов в неделю садоводству — больше вряд ли получится. А может, просто наймет садовника.

Ему очень нравился и этот дом, и соседние. Нравилась улица, нравился весь этот уютный район, где люди жили рядом, но уважали частную жизнь друг друга. Присев на ступеньки, Клей решил, что предложит миллион, будет жестко торговаться, блефовать, сделает вид, что решил отказаться, и вдоволь повеселится, наблюдая за метаниями риелтора, но, в сущности, он был готов заплатить требуемую цену.

Созерцая свой ненаглядный «порше», Картер погрузился в сказочный мир, где деньги росли на деревьях и он мог покупать все, чего душа желает. Итальянские костюмы, немецкие спортивные автомобили, дома в Джорджтауне, офисы в самом центре города — что еще? Он подумал о яхте для отца, разумеется, большего водоизмещения, чем нынешняя, чтобы Джаррет мог лучше зарабатывать. Вероятно, ему удастся внедриться в мелкий чартерный бизнес на Багамах, купить яхту со скидкой и списать большую часть расходов, что позволит отцу вести безбедную жизнь. Сейчас

Джаррет влачил жалкое существование, слишком много пил, спал с кем попало, жил на арендованной яхте, едва наскребая деньги на жизнь. Клей был решительно настроен облегчить его положение.

Громкий щелчок захлопнувшейся автомобильной дверцы на время прервал его фантазии. Прибыл риелтор.

Составленный Пейсом список ограничивался семью жертвами — теми, кого сумели отследить он и его агенты. Тарван не применялся уже восемнадцать дней, а по наблюдениям компании, каким бы ни было пагубное воздействие препарата, заставлявшего людей убивать, десять дней спустя оно прекращалось. Имена жертв располагались в хронологическом порядке. Рамон Памфри значился под номером шесть.

А первым в списке стоял студент Университета Джорджа Вашингтона, который имел несчастье выйти из кофейни «Старбакс» на Висконсин-авеню в Бетесде как раз в тот момент, когда мимо проходил человек с пистолетом. Студент был родом из Блуфилда, на западе Виргинии. Клей доехал туда за рекордно короткое время — всего за пять часов, хотя не торопился, автомобиль словно сам несся по долине Шенандоа со скоростью, приличествующей участнику ралли. Следуя точным указаниям Пейса, он нашел дом родителей несчастного студента — весьма жалкое жилище, расположенное неподалеку от центра города. Остановив машину, Картер вслух произнес:

— Сам не верю, что действительно делаю это.

Однако существовали две причины, заставившие его все же выйти из машины. Во-первых, отсутствие выбора. Во-вторых, итоговая сумма — не одна треть и не две трети, а все пятнадцать миллионов. Полностью.

Одет он был неброско, кейс оставил в машине. Отец парня еще не вернулся с работы. Мать поначалу неохотно впустила Клея, но через некоторое время даже предложила ему чаю со льдом и печенье. Сидя на диване в гостиной,

Клей разглядывал развешанные повсюду фотографии их покойного сына. Шторы были задернуты, в доме царил чудовищный кавардак.

«Что я здесь делаю?»

Женщина долго рассказывала о сыне, Клей вслушивался в каждое ее слово.

Ее муж работал в страховой фирме, находившейся в нескольких кварталах от дома, и вернулся, когда лед в стаканах еще не успел растаять. Клей рассказал о деле, с которым пожаловал, все, что было можно. Родители покойного начали с робких вопросов: сколько еще человек погибло из-за препарата? Почему нельзя обратиться к властям? Неужели все так и останется в тайне? Клей отбивал удары, как заядлый спортсмен, — Пейс отлично натренировал его.

Как у всех родственников погибших, у них был выбор: они могли разозлиться, начать задавать неприятные вопросы, взывать к правосудию, но могли и согласиться тихо взять деньги. Поначалу сумма в пять миллионов не произвела на них должного впечатления, — если произвела, им блестяще удалось это скрыть. Супруги демонстрировали праведный гнев и выказывали полное отсутствие материального интереса. Но время шло, и постепенно все начало становиться на свои места.

— Если вы не сообщите мне названия компании, я не возьму денег! — в какой-то момент воскликнул отец.

— Я сам не знаю ее названия, — спокойно ответил Клей.

Последовали угрозы, слезы, вспышки ненависти и любви, прощения и жажды возмездия, — до наступления вечера Клею довелось стать свидетелем проявления почти всех возможных эмоций. Эти люди только что похоронили младшего сына, и боль все еще была нестерпимой. Они ненавидели Клея за вторжение в их жизнь, но испытывали благодарность к нему за глубокое сочувствие. Они не доверяли ему как адвокату из большого города, который, очевидно, лгал насчет оскорбительной сделки, однако пригласили поужинать чем Бог послал.

Ужин начался ровно в шесть: четыре дамы из их прихода притащили еду, которой хватило бы на целую неделю. Клей был представлен как друг из Вашингтона и тут же подвергся со стороны прибывшей четверки перекрестному допросу. Никакой пронырливый юрист не проявил бы такого любопытства.

Наконец дамы ушли. После ужина, в преддверии ночи, Клей постепенно усилил нажим, уверяя, что принять его предложение — единственное разумное решение. Вскоре после десяти они начали подписывать бумаги.

Третий пункт оказался, несомненно, самым сложным. Жертвой стала семнадцатилетняя проститутка, большую часть своей недолгой жизни проработавшая на улице. В полиции считали, что она и ее убийца некогда были связаны деловыми отношениями, но мотива убийства установить не удалось. Парень убил ее на улице, на глазах у трех свидетелей.

Девушку звали просто Бэнди, без всякой фамилии. Согласно результатам расследования Пейса, у нее не было ни мужа, ни матери, ни отца, ни других родственников, ни детей, ни домашнего адреса, ни знакомых по школе или приходу, но что самое удивительное — у нее не было и приводов в полицию. Ее, как десятки других бездомных, ежегодно погибающих на улицах округа, похоронили в общей могиле. Когда один из агентов Пейса попытался навести справки в канцелярии городского коронера, ему ответили:

— Ищите в могиле неизвестной проститутки.

Единственную зацепку дал ее убийца. Он сообщил полиции, что у Бэнди была тетка, которая жила в Маленьком Бейруте — самом опасном гетто на юго-востоке округа Колумбия. Но двухнедельные упорные поиски этой женщины результатов не дали.

По причине отсутствия наследников сделка оказалась невозможной.

14

Последними клиентами Клея по делу о тарване оказались родители студентки Университета Хауарда*, двадцати одного года от роду, которая всего за неделю до трагической смерти получила диплом бакалавра. Они жили в Уоррентоне, Виргиния, в сорока милях от округа Колумбия. Целый час супруги сидели в кабинете Клея, не разнимая рук, словно один не мог существовать без другого. Оба то плакали, то держались стоически, были так непреклонны и настолько не выказывали интереса к деньгам, что Клей начал сомневаться, удастся ли вообще уговорить их согласиться на сделку.

Но они согласились, хотя из всех клиентов, чьи дела когда-либо вел Клей, этих людей деньги привлекали меньше всего. Позднее они, вероятно, оценят выгоду, но теперь думали лишь об одном: дочь не вернуть...

Полетт и мисс Глик проводили их до лифта, обняли на прощание. Когда двери лифта закрывались, раздавленные горем отец и мать едва сдерживали слезы.

После этого все сотрудники маленькой фирмы Клея собрались в конференц-зале, испытывая облегчение от того, что по крайней мере в ближайшее время не надо будет иметь дело с безутешными вдовами и родителями. По случаю завершения работы заранее было охлаждено очень дорогое шампанское. Клей начал разливать его по бокалам. Мисс Глик отказалась, поскольку не употребляла спиртного, но она была единственной трезвенницей среди присутствовавших. Полетт и Иона, судя по всему, испытывали наибольшую жажду. Родни пил наряду с остальными, но предпочитал «Будвайзер».

Когда открыли вторую бутылку, Клей попросил внимания.

---

* Частный университет в Вашингтоне, в свое время основанный как колледж для чернокожих и традиционно сохраняющий такой студенческий контингент.

— У меня есть сообщение, касающееся всех, — сказал он, постучав по бокалу. — Первое. Дело о тайленоле завершено. Поздравляю и благодарю всех. — Название популярного лекарства он использовал в качестве замены тарвана — его названия никто из сотрудников так ни разу и не услышал. Равно как никто не знал и размера его гонорара. Догадывались, разумеется, что Картер огреб целое состояние, но сколько именно — понятия не имели.

Все зааплодировали.

— Второе. Сегодня мы празднуем окончание сделки в «Цитронелле». Жду всех ровно в восемь. Веселиться можем хоть до утра, потому что завтра не работаем.

Все снова зааплодировали, выпили еще шампанского.

— Третье. Через две недели мы всем дружным коллективом отбываем в Париж. Каждый имеет право взять с собой одного человека, желательно супруга или супругу, если таковые имеются. Все расходы за счет фирмы. Полет первым классом, проживание в отеле класса люкс — все как полагается. Едем на неделю. Никаких отговорок. Я начальник и приказываю всем лететь в Париж.

Мисс Глик прикрыла рот ладонями. Все были потрясены. Первой обрела дар речи Полетт:

— Надеюсь, не в тот Париж, что в штате Теннесси?

— Нет, дорогая, в настоящий Париж.

— А если я там столкнусь со своим мужем? — шутливо встревожилась Полетт.

Все расхохотались.

— Ты в порядке исключения можешь ехать в теннессийский Париж, — милостиво разрешил Клей.

— Ну уж нет, дорогой.

Когда способность говорить вернулась и к мисс Глик, она пожаловалась:

— У меня нет паспорта.

— Заполните необходимые бланки, они у меня на столе. Я прослежу за оформлением, это займет не больше недели. Что-нибудь еще?

Все наперебой заговорили о погоде, о французской кухне, о том, что брать с собой. Иона, естественно, тут же начал выторговывать право прихватить подружку. Полетт единственной из присутствующих доводилось бывать в Париже, она провела там укороченный медовый месяц, прерванный тем, что грека вызвали по какому-то срочному делу. Она возвратилась домой одна.

— Ребята, в первом классе подают шампанское, — объясняла она коллегам. — А кресла там — как диваны.

— Так могу я взять с собой кого-нибудь? — не отставал Иона, явно терзавшийся проблемой выбора.

— Сойдемся на том, что это будет по крайней мере незамужняя дама, — милостиво разрешил Клей.

— Это сужает сферу поиска.

— А кого возьмешь ты? — поинтересовалась Полетт.

— Вероятно, никого, — ответил Клей, и в комнате на миг воцарилось молчание. Потом сотрудники стали перешептываться насчет Ребекки и их с Клеем разрыва. Главным источником сплетен был, разумеется, Иона. Всем хотелось видеть своего босса счастливым, хотя никто не считал себя вправе вмешиваться.

— Там, кажется, есть какая-то знаменитая башня, — вспомнил Родни.

— Да, Эйфелева, — подхватила Полетт. — Можно забраться на самую ее вершину.

— Ну нет, это не для меня, слишком опасно.

— Ты, как я погляжу, отважный путешественник, — пошутила Полетт.

— И сколько мы там пробудем? — спросила мисс Глик.

— Семь дней, — ответил Клей. — И семь ночей.

Вся компания, подогретая шампанским, отдалась радостному предвкушению. Трудно было поверить, что еще месяц назад эти люди тащили на себе ярмо унылой жизни в БГЗ. Кроме Ионы, конечно, — тот торговал компьютерами, да и то неполный день.

* * *

Макс Пейс хотел поговорить, и, поскольку контора пустовала, Клей предложил встретиться там в полдень, после того как в помещении закончат уборку.

Тяжелое похмелье напоминало о предыдущем вечере.

— Паршиво выглядите, — любезно начал Пейс.

— Мы праздновали...

— То, что я хочу с вами обсудить, очень важно. Вы в состоянии слушать?

— Безусловно. Валяйте.

Пейс стал расхаживать по кабинету с коричневым стаканчиком кофе в руке.

— С тарваном разобрались, — сказал он, давая понять, что работа считается выполненной лишь после того, как он это подтвердит. — Улажено шесть дел. Если когда-нибудь объявится человек, который будет претендовать на родство с этой девицей Бэнди, надеемся, вы этим займетесь. Но я уверен, что у нее нет родственников.

— Я тоже.

— Вы хорошо поработали, Клей.

— Мне за это хорошо заплатили.

— Сегодня я переведу на ваш счет остаток суммы, так что там будет пятнадцать миллионов. Или, во всяком случае, то, что от них осталось.

— А вы считаете, я должен был продолжать ездить на старой колымаге, жить в обшарпанной конуре и донашивать старое тряпье? Вы сами сказали: следует потратиться, чтобы производить должное впечатление.

— Я шучу. Но теперь вы действительно выглядите как состоятельный человек.

— Спасибо.

— Вы на удивление легко перешли от нищеты к богатству.

— Это талант.

— Все же поостерегитесь привлекать излишнее внимание.

— Давайте поговорим о следующем деле.

Пейс сел и послал Клею через стол папку.

— Название лекарства — «Дилофт», препарат произведен в «Лабораториях Акермана». Это сильное противовоспалительное средство, которым пользуются люди, страдающие тяжелым артритом. Препарат новый, и врачи теперь очень часто его назначают. Оно творит чудеса, пациенты в восторге. Но с этим лекарством связаны две проблемы. Во-первых, оно изготовлено конкурентом моего клиента. Во-вторых, есть свидетельства, что оно провоцирует образование мелких опухолей в мочевом пузыре. Мой клиент — тот же, что в деле с тарваном, — производит сходный препарат, который пользовался большим спросом до тех пор, пока год назад рынок не завоевал дилофт. Весь рынок лекарств аналогичного действия стоит три миллиарда долларов — ни больше ни меньше. Дилофт уже на втором месте, в этом году сумма его продаж может составить миллиард. Точнее сказать трудно, потому что продажи растут не по дням, а по часам. Мой клиент пока имеет со своего препарата полтора миллиона, но стремительно уступает позиции. Дилофт — это чума, которая способна угробить всех конкурентов. Вот так. Несколько месяцев назад мой клиент купил небольшую фармацевтическую компанию в Бельгии. Когда-то это предприятие имело подразделение, впоследствии поглощенное «Лабораториями Акермана». Нескольких исследователей вышвырнули на улицу, они, естественно, затаили обиду. Кое-какие научные разработки исчезли вместе с ними и появились позднее в неположенном месте. У моего клиента имеются свидетели и документы, подтверждающие, что в «Лабораториях Акермана», по крайней мере последние полгода, известно о вероятных последствиях лечения дилофтом. Вы слушаете меня?

— Да. Сколько человек уже принимали дилофт?

— Трудно сказать... число таких пациентов увеличивается как лавина.

— Каков процент тех, у кого обнаружились опухоли?

— Согласно исследованиям, примерно пять процентов — вполне достаточно, чтобы запретить препарат.

— Как можно обнаружить опухоль?

— По анализу мочи.

— Вы хотите, чтобы я завел дело на «Акермана»?

— Терпение. Правда о дилофте выплывет очень скоро. До сегодняшнего дня ни одного иска против компании не возбуждено, не было ни рекламаций, ни разоблачительных статей в научных журналах. По сообщениям наших осведомителей, «Акерман» лихорадочно считает деньги и переводит их в оффшорные компании, чтобы иметь возможность оплатить адвокатов, когда грянет гром. Вероятно, параллельно они пытаются усовершенствовать препарат, но на это уйдет много времени, потребуется новая лицензия. Компания оказалась в чрезвычайно затруднительном положении, потому что требуются наличные. Она взяла большие кредиты на покупку ряда мелких компаний и до сих пор не вернула их. Акции компании продаются приблизительно по сорок два доллара. Год назад они стоили восемьдесят.

— Что будет, если сведения о дилофте просочатся наружу?

— Это прикончит компанию на рынке ценных бумаг, что и является целью моего клиента. Если повести дело правильно, а я полагаю, нам с вами это под силу, «Лабораториям Акермана» крышка. А поскольку у нас есть добытые в самой этой компании доказательства опасности дилофта, у них не останется иного выбора, кроме как пойти на досудебную сделку. С таким продуктом они не могут рисковать, доводя дело до суда.

— Каковы наши слабые стороны?

— Девяносто пять процентов опухолей доброкачественные и очень маленькие. Реальной угрозы для мочевого пузыря они не представляют.

— Значит, тяжба рассчитана на то, чтобы обрушить рынок?

— Да, и, разумеется, добиться компенсаций для пострадавших. Мне бы не хотелось иметь опухоль в мочевом пузыре — не важно, добро- или злокачественную. Большинство присяжных, уверен, разделят мои чувства. Словом, сценарий таков: вы собираете группу истцов, человек пятьдесят, и возбуждаете крупное дело от имени множества пациентов, принимавших дилофт. Одновременно с этим запускаете телерекламу, которая должна привлечь еще больше клиентов. Удар наносите быстро и сокрушительно — и тысячи новых дел у вас в кармане. Ваша реклама моментально прокатывается по экранам от побережья до побережья, нагоняет страх на людей и заставляет их немедленно набирать ваш бесплатный номер здесь, в округе Колумбия, где на телефоны надо будет посадить целый штат служащих, принимающих жалобы. Это встанет в копеечку, но если вы соберете, скажем, пять тысяч дел и выторгуете каждому клиенту по двадцать тысяч долларов, это составит сто миллионов. Ваш гонорар будет равен трети общей суммы компенсаций.

— Это даже как-то неприлично!

— Нет, Клей, это лишь коллективный иск в наилучшем виде. Именно так работает система в наше время. И если вы не согласитесь, будьте уверены, это охотно сделает кто-нибудь другой. И очень скоро. Речь идет о таких деньгах, что адвокаты — специалисты по коллективным искам, — как стервятники, высматривают добычу в виде недоброкачественных препаратов. А таких, поверьте мне, пруд пруди.

— И почему такое счастье выпало именно мне?

— Все дело в сроках, мой друг. Если мой клиент будет точно знать, когда вы возбудите дело, он сможет своевременно отреагировать на рыночные перемены.

— А где я найду первых пятьдесят клиентов? — спросил Клей.

Макс похлопал по другой папке:

— Нам известна как минимум тысяча. Имена, адреса — все здесь.

— Вы что-то сказали насчет целого штата служащих?

— Не менее полудюжины. Именно столько народу понадобится, чтобы отвечать на звонки и оформлять документы. У вас может скопиться до пяти тысяч индивидуальных исков.

— А телереклама?

— У меня есть на примете телекомпания, которая может состряпать рекламу менее чем за три дня. Ничего сверхъестественного — на фоне таблеток, просыпающихся на стол, голос за кадром повествует о том зле, какое может причинить дилофт. Пятнадцать секунд ужаса, призванные заставить людей броситься к телефонам, чтобы связаться с адвокатской конторой Клея Картера-второго. Такая реклама производит впечатление, уверяю вас. Покрутить с неделю на популярных каналах, и у вас отбоя от клиентов не будет.

— Сколько все это мне будет стоить?

— Миллиона два, но вы теперь можете это себе позволить.

Теперь настала очередь Клея походить по комнате, чтобы разогнать кровь. Ему доводилось видеть рекламу таблеток для похудания, которые, как выяснилось, имели опасные побочные эффекты. Невидимые адвокаты старались запугать принимавших их людей и вынудить звонить по бесплатным номерам. Нет, он не мог пасть так низко.

Но тридцать три миллиона долларов гонорара! Он еще от первого не успел опомниться.

— Сроки?

Пейс достал список первоочередных дел.

— Первую группу клиентов вы должны собрать максимум за две недели. Три дня на изготовление рекламы. Несколько дней уйдет на то, чтобы купить эфирное время. Вам придется набрать штат параюристов и арендовать для них помещение в пригороде; здесь это обойдется слишком дорого. Необходимо подготовить иск. У вас прекрасные сотрудники. Они помогут вам управиться меньше чем за месяц.

— Я собирался повезти их в Париж на неделю, но мы успеем.

— Мой клиент хочет, чтобы иск был готов не позже чем через месяц, точнее, ко второму июля.

Клей вернулся к столу и, глядя прямо в глаза Пейсу, признался:

— Я никогда не имел дела с подобными исками.

Пейс что-то вытащил из папки.

— Вы заняты в эти выходные? — спросил он, протягивая Клею буклет.

— Не особенно.

— Давно не были в Новом Орлеане?

— Лет десять.

— Слышали когда-нибудь о кружке барристеров?

— Что-то слышал... смутно помню.

— Он существует давно, но в последнее время в него вдохнули новую жизнь. Это группа выступающих в суде адвокатов, специализирующихся на коллективных исках, так называемых массовиков. Они собираются дважды в год и обсуждают новейшие процессуальные тенденции. Это будет весьма полезный для вас уик-энд. — Пейс пододвинул Клею буклет. На обложке красовалась цветная фотография отеля «Ройял сонеста», что во Французском квартале.

В Новом Орлеане, особенно во Французском квартале, было, как всегда, жарко и влажно.

Клей прилетел один и радовался этому. Даже если бы они с Ребеккой не расстались, она вряд ли смогла бы к нему присоединиться. У нее ведь была куча дел на работе, а кроме того, она обещала матери в выходные походить с ней по магазинам. Все как всегда. Клей подумал было взять с собой Иону, но их отношения в настоящий момент несколько осложнились. Клей съехал из тесной квартирки и переселился в комфортабельный джорджтаунский дом, не предложив Ионе переселиться вместе с ним. Тот чувствовал себя оскорбленным, но Клей это предвидел. Последнее, чего ему хотелось бы, — это иметь в новом доме сексуально озабоченного соседа, уходящего и возвращающегося в любое время суток с очередной бездомной кошкой, какую удалось подцепить.

Деньги способствовали изоляции. Клей перестал звонить старым приятелям, чтобы избежать расспросов. Перестал посещать места, где раньше был завсегдатаем, поскольку теперь мог позволить себе кое-что получше. Менее чем за месяц он сменил работу, дом, машину, банк, гардероб, ресторан, гимнастический зал и был близок к тому, чтобы сменить подружку, хотя пока не имел на примете никого определенного. С Ребеккой они не разговаривали уже двадцать восемь дней. Предполагалось, что он позвонит ей на тридцатый день, как обещал, но слишком многое изменилось за эти дни.

К тому времени, когда Клей вошел в вестибюль отеля, его рубашка взмокла и прилипла к спине. Регистрационный взнос составлял пять тысяч долларов — несусветная сумма за несколько дней общения с узким кружком адвокатов-«массовиков». Однако она была призвана дать понять юридическому сообществу, что не любому открыт доступ в этот круг. Еще по четыреста пятьдесят долларов пришлось выложить за каждый день проживания. Клей расплатился платиновой кредитной карточкой, которой пользовался впервые.

В отеле проходили разные семинары. Клей поучаствовал в том, где речь шла о процессе, связанном с токсическими отходами. Его вели два адвоката, преследовавшие химическую компанию за отравление питьевой воды веществами, которые то ли могли, то ли не могли вызывать рак, но компании в любом случае пришлось выплатить полмиллиарда, и оба адвоката разбогатели. В следующем зале адвокат, которого Клей видел по телевизору, задыхаясь от восторга, рассказывал, как управляться со средствами массовой информации, но здесь слушателей было не много. Вообще семинары посещались слабо. Однако была всего лишь пятница, а главные персоны ожидались в субботу.

Существенное скопление людей Клей обнаружил лишь в небольшом зале, где некая авиакомпания демонстрировала видеофильм о новинке, которая была на подходе, — самолете класса люкс, самом новейшем и шикарном. Фильм шел на широком экране, расположенном в углу зала, и юристы, столпившись, разве что не разинули рты, следя за этим чудом авиационной техники. Дальность полета — четыре тысячи миль, что равно беспосадочному перелету с побережья на побережье Америки или из Нью-Йорка в Париж. Расход горючего меньше по сравнению с другими четырьмя моделями самолетов этого класса, о которых Клей слыхом не слыхивал, а скорость выше. Просторный салон, уставленный креслами и диванами, и даже вышколенная миловидная стюардесса с бутылкой шампанского и вазой вишен на подносе. Мебель обита кожей богатого коричневого цвета. Все условия как для отдыха, так и для работы, поскольку «Гэлакси-9000» оснащен радиотелефоном и спутниковой антенной, которые позволяют деловым людям связываться прямо из самолета с любой точкой мира. Имеются также факс, сканер, ксерокс и, разумеется, прямой доступ в Интернет. В заключение на экране появилась группа суровых адвокатов, сгрудившихся вокруг небольшого стола. Рукава рубашек у всех были закатаны, словно эти ребята работали над каким-то чрезвычайно важным документом, не обращая ни малейшего внимания на миловидную блондинку в короткой юбочке с ее шампанским.

Клей подошел чуть поближе, чувствуя себя так, словно преступает границу чужого владения. Цена «Гэлакси-9000» благоразумно не упоминалась. Зато говорилось о перечне возможностей, предоставляемых продавцом, в том числе о покупке на паях, зачете стоимости сдаваемого в обмен самолета, продаже с последующей сдачей в аренду. Более подробные объяснения могли представить торговые агенты, стоявшие здесь же и готовые заключать сделки. Когда экран погас, адвокаты заговорили все разом — не о недоброкачественных лекарствах и коллективных исках, а о самолетах и стоимости найма пилотов. Торговых агентов окружили нетерпеливые покупатели. Клей расслышал, как кто-то сказал:

— Это на уровне тридцати пяти.

Конечно, речь не могла идти о тридцати пяти миллионах, решил он.

Другие экспоненты тоже предлагали всевозможные предметы роскоши. Возле судостроителя собралась группа адвокатов, интересующихся яхтами. Присутствовал в зале специалист по недвижимости на Карибах. Еще один предлагал животноводческие ранчо в Монтане. Особенно оживленно было у стенда с выставленными на нем наиновейшими, несуразно дорогими электронными устройствами.

И конечно, был автомобильный стенд. Одна стена была целиком увешана изображениями шикарных машин — «мерседес-бенц» с откидным верхом, «корветт» штучной сборки, темно-бордовый «бентли», какой должен быть у каждого уважающего себя адвоката по коллективным искам. Фирма «Порше» демонстрировала новую модель спортивно-прогулочного автомобиля, и продавец едва успевал принимать заказы. Больше всего людей глазели на сияющий ярко-синий «ламборгини». Ценник был стыдливо слегка задвинут за фотографию, словно производитель опасался обнародовать цену, составлявшую «всего» двести девяносто тысяч долларов при очень ограниченном количестве автомобилей. Несколько адвокатов едва не подрались из-за этого автомобиля.

В более тихом углу модельер со своим помощником снимал мерку с весьма статуарного адвоката, желавшего сшить итальянский костюм. На табличке значилось, что модельер из Милана, хотя говорил тот на типичном американском английском.

Как-то, еще в студенческие годы, Клею довелось присутствовать на дискуссии по вопросу о досудебных соглашениях на крупные суммы. Немалое внимание было уделено тому, что адвокаты непременно должны предостерегать клиентов от искушений, кои рождает внезапное богатство. Несколько адвокатов рассказали леденящие кровь истории о рабочих семьях, которых погубили подобные сделки, и поделились занятными наблюдениями над человеческой натурой. Один из них заметил: «Наши клиенты тратят свои деньги едва ли не быстрее, чем мы их зарабатываем».

Озираясь теперь по сторонам, Клей видел адвокатов, тративших деньги так же быстро, как они их делали. Не одержим ли он сам этим пороком?

Разумеется, нет. Он приобретал лишь самое необходимое, во всяком случае, пока. Кому же не хочется иметь новую машину и дом получше? Он же не покупал яхты, самолеты и ранчо. Они ему не были нужны. Даже если дилофт принесет новый куш, он ни при каких обстоятельствах не станет просаживать деньги на самолеты и новые дома. Он зароет их на заднем дворе или спрячет в банке.

Клею стало тошно от этой безудержной оргии потребления, и он вышел из отеля на улицу, намереваясь полакомиться устрицами в пивном баре «Дикси».

15

На девять часов в субботу был назначен единственный семинар, посвященный новейшей информации о коллективном иске, который в настоящее время обсуждался в конгрессе. Он привлек всего несколько человек. Но Клей за свои пять тысяч намеревался извлечь из поездки максимум информации. Похоже, он единственный из присутствующих не страдал похмельем. Все остальные мучительно старались «поправить здоровье» с помощью кофе в высоких пластиковых стаканах.

Докладчиком выступал вашингтонский адвокат-лоббист, который начал с парочки скабрезных анекдотов, вызвав возмущение в зале. Аудитория состояла сплошь из белых мужчин, принадлежащих к единому профессиональному сообществу, но не расположенных в данный момент к сомнительным шуткам. Игривый тон, который пытался задать докладчик, мгновенно сменился зеленой тоской. Тем не менее Клею происходящее казалось по-своему интересным и умеренно познавательным; он слишком мало знал пока о коллективных исках, и все было для него ново.

В десять ему пришлось выбирать между «круглым столом» по делу о «Тощем Бене» и докладом адвоката, специализировавшегося по свинцовым красителям. Последняя тема показалась Клею слишком скучной, поэтому он выбрал первую. Аудитория была полна.

«Тощим Беном» фамильярно называли печально известные таблетки от ожирения, которые выписывали миллионам пациентов. Их производитель положил в карман миллиарды и считал уже, что владеет миром, когда у значительного числа пользователей стали возникать проблемы с сердцем, связанные с приемом лекарства. Буквально за один день была возбуждена тяжба, но компания, разумеется, не желала доводить дело до суда. Карманы были глубокими, и производители предпочли откупиться от истцов, заключив досудебные соглашения на колоссальные суммы. За последние три года «массовики» из всех пятидесяти штатов скрупулезно собирали клиентов, пострадавших от «Тощего Бена».

За длинным столом лицом к аудитории сидели четыре адвоката и ведущий. Соседнее с Клеем кресло пустовало, пока в самый последний момент в него не плюхнулся злобный коротышка, с трудом протиснувшийся между рядов. Открыв кейс, он достал блокнот, печатные материалы, заранее розданные участникам семинара, два сотовых телефона и пейджер. Когда командный пункт был таким образом оборудован и Клей отодвинулся от соседа как можно дальше, тот прошипел:

— Доброе утро.

— Доброе, — так же шепотом ответил Клей, не расположенный к болтовне. Глядя на сотовые телефоны коротышки, он подумал: кому, интересно, он собирается звонить в субботу в десять утра?

— У вас сколько дел? — снова зашептал сосед-адвокат.

Интересный вопрос, и именно тот, на который Клей никак не был готов ответить. Покончив с тарваном, он собирался приступить к дилофту, но пока у него не было ни одного реального дела. Впрочем, такой ответ был бы неуместен здесь, где оперировали лишь огромными, вероятно, преувеличенными цифрами.

— Пара дюжин, — небрежно солгал он.

Сосед нахмурился, давая понять, что этого совершенно недостаточно, и разговор прекратился, во всяком случае, на несколько минут. Заговорил один из участников «круглого стола», и зал стих. Темой выступления было состояние финансов «Здоровой жизни», компании — производителя препарата. В ней имелось несколько подразделений, почти все — прибыльные. Стоимость акций пока не снизилась. Компания не дрогнув прошла через все имевшие место до сих пор крупные сделки. Это явно свидетельствовало о том, что инвесторы знают, какой огромной наличностью располагают производители.

— Это Пэттон Френч, — шепотом сообщил сосед.

— А кто он? — поинтересовался Клей.

— Главный в стране специалист по коллективным искам. В прошлом году заработал триста миллионов гонорара.

— Он, кажется, докладчик и на послеобеденном заседании, я не ошибаюсь?

— Именно. Смотрите не пропустите.

Мистер Френч невыносимо подробно рассказывал о том, как удалось уладить приблизительно триста тысяч дел о вреде, причиненном «Тощим Беном», в общей сложности за семь с половиной миллиардов. Он наряду с другими экспертами полагал, что существует еще около ста тысяч потенциальных истцов, стоимость сделок оценивал в сумму от двух до трех миллиардов. Компания и ее страховщики располагали немереным количеством наличных, чтобы удовлетворить и их иски, поэтому задача тех, кто находится сейчас в аудитории, срочно разыскать этих истцов. Присутствующие заметно воодушевились.

У Клея не было никакого желания нырять в этот омут. Однако он не мог не отметить, что стоящий перед ним низенький толстый напыщенный мерзавец с микрофоном на лацкане огреб триста миллионов за один год и горел энтузиазмом огрести еще больше. Участники перешли к обсуждению творческих подходов для привлечения новых клиентов. Один из них оказался богат настолько, что держал в штате на полной ставке двух докторов, единственной обязанностью которых было, курсируя по стране, выявлять тех, кто принимал злополучные таблетки. Другой полностью полагался на телевизионную рекламу. Эта тема заинтересовала Клея, но она быстро потонула в пустых дебатах по вопросу о том, должен ли адвокат сам появляться на экране или лучше нанять какого-нибудь вышедшего в тираж актера.

Как ни странно, о судебной стратегии — о показаниях экспертов, осведомителях, отборе присяжных, научных доказательствах, то есть обо всем том, что составляет основной предмет адвокатских дискуссий на семинарах такого рода, — здесь никто даже не заикался. Клей понял, что подобные дела обычно не доходят до суда, а следовательно, умение выигрывать прения сторон никакой роли не играло. Этих людей заботило лишь то, как быстро сколотить коллектив истцов и получить баснословный гонорар. В процессе дискуссии все четыре участника «круглого стола», а также те, кто подбрасывал им из зала соответствующие вопросы, с явным удовольствием намекали, что заработали миллионы на своих последних сделках.

Клею захотелось вымыть руки.

В одиннадцать местный торговый представитель фирмы «Порше» устраивал прием, который собрал широкий круг желающих приобщиться к устрицам, коктейлям и неумолчным разговорам о том, кто сколько дел собрал. И как собрать еще больше. Тысячу здесь — тысячу там. Судя по всему, тактика состояла в том, чтобы накопить как можно больше индивидуальных исков, затем скооперироваться с Пэттоном Френчем, который с восторгом включит эти дела в свой собственный коллективный иск на заднем дворе родного дома в Миссисипи, где судьи и присяжные всегда будут на его стороне и вынесут требуемый вердикт, грозящий производителю разорением. Френч управлял своими поставщиками, как какой-нибудь чикагский головорез — своей бандой.

После того как все перекусили в буфете, он снова держал речь. На сей раз темой выступления была кухня каджунских* ресторанов и пиво «Дикси»**. Френч разрумянился, его речь стала развязной и по-своему выразительной. Безо всяких бумажек он пустился в разглагольствования об истории американской системы коллективных тяжб и о том, какое значение она имеет для защиты масс от алчных и коррумпированных мегакорпораций, производящих недоброкачественную продукцию. Попутно досталось страховым компаниям, банкам, транснациональным компаниям, а заодно и республиканцам. Жертвы безжалостного капитализма нуждаются в таких закаленных бойцах, как те, кто сплотился в кружок барристеров, вещал Френч, те, кто, защищая интересы маленьких людей, трудящихся, держит линию обороны, не боясь атак большого бизнеса.

Пэттона Френча, зарабатывающего в год триста миллионов гонорара, нелегко было представить себе защитником угнетенных, но он играл на публику. Оглядев аудиторию, Клей не в первый раз за два дня задался вопросом, не единственный ли он здесь психически здоровый человек. Неужели эти люди так ослеплены деньгами, что искренне полагают себя оплотом бедных и больных?

Ведь у большинства из них есть даже собственные самолеты!

Рассказы о боевых победах лились из уст Френча без всяких видимых усилий. Коллективная сделка на сумму четыреста миллионов долларов в связи с обнаруженным опасным побочным эффектом препарата против образования холестерина. Миллиард — за лекарство против диабета,

---

* Каджуны — потомки выходцев из канадской провинции Акадия. Живут на юго-западе Луизианы. Специфическая острая кухня каджунов пользуется большой популярностью в южных штатах США.

** Собирательное название южных штатов США.

угробившее около ста пациентов. За некачественную электропроводку, установленную в двухстах тысячах частных домов и ставшую причиной полутора тысяч пожаров, унесших жизни семнадцати человек и лишивших крова еще сорок, — сто пятьдесят миллионов. Адвокаты жадно ловили каждое слово мэтра. По некоторым замечаниям можно было догадаться, на что он тратит свои деньги.

— Это стоило им новенького «гольфстрима», — не без злорадства заметил он в какой-то момент, вызвав овацию. Побродив по демонстрационному залу отеля менее суток, Клей уже успел узнать, что «гольфстрим» — новейший и лучший из всех предназначенных для личного пользования самолетов, стоивший сорок пять миллионов.

Конкурент Френча, табачный адвокат откуда-то из Миссисипи, заработал миллиард и купил яхту длиной в сто восемьдесят футов. Длина старой яхты Френча равнялась всего ста сорока футам, поэтому ему пришлось купить новую, двухсотфутовую, сдав старую в зачет платежа. Эта история тоже повеселила собравшихся. В его фирме на данный момент насчитывалось тридцать адвокатов, но ему нужно было еще столько же. Френч был женат четвертым браком. Последняя его жена имела апартаменты в Лондоне.

И так далее и тому подобное... Как приобрести деньги, как их потратить. Неудивительно, что он работал по семь дней в неделю.

Нормальных людей такое вульгарное хвастовство роскошью покоробило бы, но Френч знал, с кем имеет дело. Его рассказы воодушевляли аудиторию на то, чтобы больше зарабатывать, больше тратить, возбуждать больше дел, собирать больше клиентов. Он говорил час, порой грубо и бесстыдно, но почти никто не скучал.

Пять лет в БГЗ очевидно изолировали Клея от многих аспектов современной юриспруденции. Он читал, разумеется, о коллективных исках, но понятия не имел, что практикующие их адвокаты представляли собой настолько организованное и сплоченное сообщество. Непохоже, чтобы эти люди были блестящими профессионалами. Вся их стратегия сводилась к тому, чтобы собрать побольше истцов и добиться досудебной сделки — никакой судебной практики они не имели.

Френч мог говорить бесконечно долго, но через час все же покинул трибуну, провожаемый бурными аплодисментами стоя приветствовавшей его несколько обалдевшей аудитории. В три ему предстояло выступать на семинаре о торговле в Интернете. Представление грозило повториться. Клей счел, что с него достаточно.

Клей пошел гулять по кварталу, заглядывая не в бары и стрип-клубы, а в антикварные магазины и галереи, хотя ничего и не покупал, полный решимости копить деньги. Посидел в открытом кафе на Джексон-сквер, наблюдая за сменяющимися перед глазами уличными персонажами. Он старался спокойно наслаждаться горячим цикорием, но ничего не получалось. Никаких записей он не делал, но в голове подсчеты произвел. Гонорар от тарвана минус сорок пять процентов налогов и накладные расходы, минус то, что он уже потратил, равнялся шести с половиной миллионам. Он мог положить эти деньги в банк и через год получить триста тысяч — проценты. Это в восемь раз превышало годовое жалованье, которое он получал в БГЗ. Триста тысяч в год — это двадцать пять тысяч в месяц. Сидя жарким новоорлеанским днем под тентом кафе, он даже представить себе не мог, куда потратить такую уйму денег.

Но это был не сон. Это была реальность. Деньги уже лежали на его счете. Он обеспечил себя до конца дней своих и не желал становиться одним из тех клоунов, которые заполоняли сейчас «Ройял сонесту», жалуясь на дороговизну услуг авиапилотов и капитанов яхт.

Проблема была лишь одна, но существенная. Он нанял людей и обнадежил их. Родни, Полетт, Иона и мисс Глик по его призыву бросили насиженные места и слепо доверились ему. Он не имел права прямо сейчас перекрыть кран, взять деньги и сбежать.

Перейдя на пиво, Клей принял мудрое решение: надо поработать еще немного, уладить дело с дилофтом, от которого, честно признаться, было бы глупо отказываться, ведь Макс Пейс предложил золотую жилу. А когда с дилофтом будет покончено, он выдаст баснословные премии своим сотрудникам и закроет контору, после чего будет тихо жить в своем джорджтаунском доме, путешествовать по миру когда захочется, ловить рыбу с отцом, наблюдать, как растут его денежки, и никогда, ни при каких обстоятельствах, близко не подойдет к тем местам, где собирается кружок барристеров.

Не успел Клей положить трубку, заказав завтрак в номер, как телефон зазвонил: Полетт, единственный человек, знавший, где находится босс.

— У тебя номер хороший? — поинтересовалась она.

— Отличный.

— А факс есть?

— Разумеется.

— Тогда стартуй, посылаю тебе кое-что интересное.

Это была копия вырезки из воскресного выпуска «Пост». Уведомление о помолвке Ребекки Эллисон Ван Хорн и Джейсона Шуберта Майерса-четвертого. «Мистер и миссис Беннет Ван Хорн из Маклина, Виргиния, сообщают о помолвке своей дочери Ребекки с мистером Джейсоном Шубертом Майерсом-четвертым, сыном мистера и миссис Д. Стефенс Майерс из Фоллз-Черч...» Газетный снимок, к тому же ксерокопированный и преодолевший тысячу миль с помощью факса, был тем не менее довольно четким — симпатичная девушка с кем-то обручалась.

Д. Стефенс Майерс был сыном Далласа Майерса, советника нескольких президентов — от Вудро Вильсона до Дуайта Эйзенхауэра. Согласно заметке в газете, Джейсон Майерс окончил Университет Брауна и юридический факультет Гарварда и успел уже стать партнером в фирме «Майерс и О'Мэлли», быть может, старейшей адвокатской фирме округа Колумбия и уж наверняка самой консервативной. Он создал отдел по делам об интеллектуальной собственности и стал самым молодым партнером в истории фирмы. Кроме круглых очков, ничего интеллектуального в его облике не наблюдалось, хотя Клей понимал, что не может, даже если бы хотел, быть беспристрастным судьей. Внешность Джейсона не была отталкивающей, но Ребекке он, конечно же, не пара.

Бракосочетание должно было состояться в декабре в епископальной церкви Маклина, свадебный прием — в загородном клубе «Потомак».

Меньше чем за месяц она нашла человека, которого любила настолько, чтобы выйти за него замуж. Человека, согласившегося терпеть Беннета и Барб. Человека, имевшего достаточно денег, чтобы произвести впечатление на Ван Хорнов.

Снова зазвонил телефон, это опять была Полетт.

— Ты как там? — спросила она.

— Прекрасно, — ответил Клей, изо всех сил стараясь говорить бодро.

— Мне очень жаль, Клей.

— Полетт, между нами все было кончено. Уже год, как дело шло к разрыву. Это хорошая новость. Теперь я смогу забыть о ней.

— Если ты так считаешь...

— Со мной все в порядке. Спасибо, что позвонила.

— Когда ты возвращаешься?

— Сегодня. Завтра утром буду в конторе.

Принесли завтрак. Клей и забыл, что заказал его. Он выпил немного сока, к остальному даже не притронулся. Вероятно, этот роман зрел уже некоторое время, и все, что требовалось, — избавиться от Клея, что не составило для Ребекки никакого труда. Ее предательство с каждой минутой казалось все более чудовищным. Картер так и видел, как ее мать дергает за ниточки у них за спиной, подталкивая к разрыву, расставляя ловушки для Майерса, а теперь детально планируя свадебное торжество.

— Поздравляю себя с избавлением, — пробормотал Клей.

Потом представил Майерса и Ребекку в постели, шваркнул стаканом об стену и тут же обозвал себя идиотом.

Сколько людей читали это уведомление о помолвке и, вспомнив о Клее, подумали: «Быстро же она его забыла...»

Интересно, как там сейчас Ребекка? Наверняка она злорадствовала, представляя, как он читает это объявление. А может, и не злорадствовала. Какая разница? Вот мистер и миссис Ван Хорн, те наверняка и думать о нем забыли. Почему бы и ему не поступить так же?

Ребекка поспешила — это Клей знал наверняка. Их роман длился слишком долго и был слишком счастливым, а после разрыва прошло еще слишком мало времени, чтобы вот так просто отшвырнуть его и подобрать другого. Они спали вместе четыре года, Майерс был с ней всего месяц, а то и меньше, остается надеяться, что не больше.

Клей снова вышел на Джексон-сквер, где уже собрались уличные артисты, гадалки, раскинувшие свои карты Таро, жонглеры, музыканты. Он купил мороженое и сел на скамейку возле памятника Эндрю Джексону. Сначала решил, что непременно позвонит Ребекке и по крайней мере пожелает счастья. Потом передумал: он подцепит сногсшибательную куколку-блондинку и найдет случай продемонстрировать ее бывшей возлюбленной. Возможно, возьмет девочку — разумеется, в короткой юбочке, с ножками длиной в милю, — с собой на свадьбу. С его-то деньгами не трудно будет такую найти. Черт, да он возьмет ее напрокат, если понадобится.

— Все кончено, старина, — несколько раз повторил он себе. — Возьми себя в руки. Отпусти ее.

16

В офисе сразу же была принята вольная форма одежды. Тон задавал сам босс, предпочитавший джинсы и дорогие футболки. На случай важной встречи он держал под рукой спортивный пиджак. Для совещаний и официальных приемов Клей обзавелся костюмами от дорогих модельеров, но подобные мероприятия были редки, поскольку пока фирма не имела клиентов и не вела никаких дел. Тем не менее все сотрудники обновили гардероб, к немалому удовольствию Клея.

В понедельник к концу дня Полетт, Родни и имевший весьма помятый вид Иона собрались в зале заседаний. Мисс Глик, завоевавшая в фирме за недолгий срок ее существования большой авторитет, оставалась тем не менее лишь секретарем-администратором.

— Ребята, есть работенка, — сообщил Клей.

Основываясь на информации, полученной от Пейса, он рассказал об истории создания и свойствах дилофта, сделал краткий обзор состояния дел в «Лабораториях Акермана» — суммы продаж, доходы, наличность, конкуренты, проблемы с законом, — затем перешел к самому существенному: пагубному побочному эффекту препарата — образованию опухолей мочевого пузыря и тому, что компании-производителю этот эффект известен.

— До настоящего времени им не был предъявлен ни один иск, но мы изменим ситуацию. Второго июля мы объявим «Акерману» войну, возбудив здесь, в округе Колумбия, коллективный иск от имени пациентов, пострадавших от дилофта. Поднимется ураган, и мы окажемся в самом его центре.

— У нас уже есть такие клиенты? — поинтересовалась Полетт.

— Пока нет. Зато есть их имена и адреса. Мы сегодня же начнем с ними связываться. Нужно разработать план, который ты и Родни начнете претворять в жизнь... — Хотя насчет телевизионной рекламы у Клея оставались сомнения, по пути из Нового Орлеана он сумел убедить себя, что иного выбора нет. Как только он возбудит иск и выведет дилофт на чистую воду, стервятники из кружка барристеров, с которыми ему на днях довелось познакомиться, ринутся собирать клиентов. И тогда единственным эффективным способом быстро аккумулировать в своих руках наибольшее количество жертв дилофта станет телереклама. Объяснив это своим подчиненным, он добавил: — Она будет стоить нам около двух миллионов долларов.

— Наша фирма располагает двумя миллионами?! — воскликнул Иона, высказав то, о чем подумали и другие.

— Да. Работу над рекламой нужно начать сегодня же.

— Но ты ведь не собираешься сам светиться на экране, босс? — умоляюще простонал Иона. — Только не это!

В округе Колумбия, как и в прочих регионах страны, ранние утренние и поздние вечерние телепрограммы кишели рекламой, призывавшей пострадавших от чего бы то ни было немедленно звонить адвокату такому-то или такому-то, который был готов надрать задницу виновному, не требуя никакой платы за предварительную консультацию. Часто адвокаты сами появлялись на экране, обычно выглядели они при этом весьма непривлекательно.

У Полетт вид тоже был испуганный, она едва заметно качала головой.

— Разумеется, нет, — успокоил их Клей. — Предоставим дело профессионалам.

— Сколько ожидается клиентов? — спросил Родни.

— Тысячи. Трудно сказать точно.

Родни медленно обвел взглядом присутствующих.

— По моим подсчетам, нас всего четверо, — заметил он.

— Будет больше. Иона отвечает за расширение фирмы. Снимем помещение где-нибудь в пригороде и набьем его параюристами. Они будут сидеть на телефонах и оформлять документы.

— А где мне искать этих параюристов? — встревожился Иона.

— В разделах «Ищу работу» юридических журналов. Начинай работать над рекламой. Кроме того, сегодня у тебя встреча с агентом по недвижимости из Манассаса. Нам нужно около пяти тысяч квадратных футов площади. Ничего сверхъестественного, но чтобы там обязательно был телефонный кабель и все необходимое для подключения компьютеров, которые, как известно, являются твоей специальностью. Сними помещение, оборудуй, найми служащих и организуй их работу. Чем скорее ты все это сделаешь, тем лучше.

— Слушаюсь, сэр.

— Сколько стоит каждое дело? — поинтересовалась Полетт.

— Столько, сколько смогут выложить «Лаборатории Акермана». Амплитуда от десяти тысяч — это минимум — до пятидесяти. Итог будет зависеть от многих факторов, не в последнюю очередь от масштабов урона, нанесенного мочевому пузырю клиента.

Полетт что-то подсчитывала в блокноте.

— И сколько дел мы можем получить? — уточнила она.

— Пока сказать невозможно.

— Ну, хоть примерно.

— Не знаю. Несколько тысяч.

— Ладно, предположим, три тысячи. Три тысячи дел умножить на минимум десять тысяч долларов — получается тридцать миллионов, так? — медленно бубнила она, производя вычисления.

— Правильно.

— А каковы будут гонорары юристов? — не унималась Полетт. Остальные не сводили глаз с Клея.

— Треть от общей суммы компенсаций.

— То есть десять миллионов? — не веря своим ушам произнесла Полетт. — На всех?

— Да. Мы их разделим.

Слово «разделим» несколько секунд эхом отдавалось от стен. Иона и Родни смотрели на Полетт, подстрекая взглядами: ну, давай, давай, доводи дело до конца.

— Разделим — в каком соотношении? — осторожно спросила та.

— По десять процентов.

— Значит, если не ошибаюсь, моя доля составит миллион?

— Совершенно точно.

— А моя? — решился задать вопрос Родни.

— Твоя тоже. Иона получит столько же. И это, смею надеяться, минимум.

Минимум или нет, но они в глубоком молчании, как показалось, очень долго осмысляли названные цифры, мысленно уже прикидывая, на что истратить будущие деньги. Для Родни эта сумма означала возможность дать образование детям. Для Полетт — развестись с греческим мужем, которого она за последний год видела всего лишь раз. Для Ионы — воплощение мечты поселиться на яхте и ловить рыбу дни напролет.

— Ты ведь не шутишь, правда, Клей? — уточнил Иона.

— Я абсолютно серьезен. Если мы хорошенько потрудимся с годик, у всех будет реальный шанс уйти на покой молодыми.

— Кто тебя навел на дилофт? — спросил Родни.

— На этот вопрос я вам никогда не отвечу. Простите. Просто доверьтесь мне. — В этот момент Клей искренне надеялся, что собственная слепая вера в Макса Пейса его не подведет.

— Я даже про Париж почти забыла, — хмыкнула Полетт.

— Вот это ты напрасно. На следующей неделе мы там непременно будем.

Иона вскочил на ноги и схватил свой блокнот.

— Как зовут этого риелтора? — спросил он, готовый действовать.

На третьем этаже своего дома Клей устроил небольшой кабинет. Не то чтобы он собирался там много работать, но было необходимо место для бумаг. Старинный стол, напоминавший чем-то гигантскую тумбу для разделки туш, он нашел в антикварном магазине во Фредериксбурге. Стол полностью занимал пространство вдоль одной стены, и на нем помещалось все необходимое: телефон, факс, ноутбук...

Устроившись именно за этим столом, Клей начал робкие попытки вхождения в мир коллективных досудебных соглашений. Первый звонок он сделал, дождавшись девяти часов вечера — времени, когда некоторые, особенно пожилые люди, страдающие артритом, отходят ко сну. Выпив чуть-чуть для храбрости, он набрал номер.

На другом конце провода трубку сняла женщина, скорее всего миссис Тед Уорли из Верхнего Мальборо, штат Мэриленд. Клей представился вежливо и небрежно, будто в звонке адвоката не было ничего необычного и тревожного, и спросил, может ли он поговорить с мистером Уорли.

— Он смотрит футбол, — ответила женщина. Видимо, когда играли «Иволги», Тед к телефону не подходил.

— Понимаю, но... нельзя ли отвлечь его на минутку?

— Говорите, вы адвокат?

— Да, мэм, адвокат из округа Колумбия.

— А что он натворил?

— О, ничего, разумеется, ничего. Я хочу поговорить с ним о его артрите. — У Клея возникло острое желание повесить трубку и убежать куда подальше, но он подавил его, благодаря Бога, что в этот момент его никто не видит и не слышит. «Думай о деньгах, — мысленно убеждал он себя. — О будущем гонораре».

— О его артрите? Но ведь вы, кажется, адвокат, а не врач.

— Совершенно верно, мэм, я адвокат, и у меня есть веские основания полагать, что мистер Уорли лечит свой артрит опасным лекарством. Если не возражаете, я отниму у него всего несколько минут.

Клей услышал, как миссис Уорли звала Теда, тот что-то недовольно прокричал в ответ, но наконец все же взял трубку.

— С кем я говорю? — спросил он, и Клей поспешно представился еще раз.

— Какой счет? — спросил он.

— Три — два, «Красные носки» на пятой линии. Мы знакомы? — Мистеру Уорли было семьдесят лет.

— Нет, сэр. Я адвокат, специализируюсь по делам о недоброкачественных препаратах, преследую в судебном порядке фармацевтические компании, выбрасывающие на рынок опасную продукцию.

— Ну и чего вы хотите?

— Согласно сведениям, содержащимся в Интернете, вы, кажется, лечитесь от артрита препаратом дилофт. Не могли бы вы сказать, действительно ли его принимаете?

— А может, я не желаю вам сообщать, чем лечусь!

Вполне законный ответ, но Клей был к нему готов.

— Разумеется, вы имеете полное право не сообщать мне этого, мистер Уорли. Но единственный способ определить, можно ли включить вас в коллективный иск, — это знать, принимаете ли вы данное лекарство.

— Проклятый Интернет, — буркнул мистер Уорли, после чего между ним и его женой, видимо, находившейся рядом, состоялся краткий диалог. — Что за коллективный иск? — спросил он наконец.

— Давайте поговорим об этом после того, как вы сообщите мне, принимаете ли вы дилофт. Если нет, вы счастливый человек.

— Но ведь, насколько я понимаю, это уже не секрет?

— Нет, сэр. — Конечно, это был секрет. С какой стати чья-либо история болезни перестала бы быть сугубо конфиденциальной? Но это маленькое вранье необходимо, повторил себе Клей, нужно смотреть на дело шире. Такова его работа. Мистер Уорли и тысячи ему подобных могут никогда не узнать, что принимают опасное лекарство, если он, Клей, им этого не скажет. «Лаборатории Акермана», естественно, не станут афишировать свою недобросовестность.

— Ну да, я принимаю дилофт.

— Как давно?

— Около года. Действует потрясающе.

— Не наблюдали ли вы побочных эффектов?

— Например?

— Кровь в моче, жжение при мочеиспускании. — Клей уже смирился с тем, что в предстоящие месяцы придется обсуждать урологические проблемы с незнакомыми людьми. Обойти их никак нельзя. Жаль, что на юридическом факультете этому не учат.

— Нет. А что? — спросил мистер Уорли.

— Мы располагаем предварительными результатами исследований, которые «Лаборатории Акермана» — компания, производящая дилофт, — пытается скрыть. Существуют подтверждения, что препарат способствовал образованию опухолей мочевого пузыря у некоторых принимавших его пациентов.

Теперь остаток вечера и большую часть предстоящей недели мистер Уорли, который еще недавно был занят собственными делами, например, смотрел матч с участием своих обожаемых «Иволг», будет с тревогой думать об опухоли, которая, вероятно, уже зреет в его мочевом пузыре. Клей чувствовал себя мерзавцем, ему хотелось попросить прощения, но он снова и снова повторял себе: делать то, что он делал, необходимо. Как иначе мистер Уорли узнает правду? Если у несчастного старика действительно опухоль, должен же он быть в курсе.

Держа трубку в одной руке и почесывая бок другой, мистер Уорли сказал:

— Знаете, я вот сейчас подумал и вспомнил: несколько дней назад у меня действительно было ощущение жжения.

Клей услышал, как миссис Уорли заворчала:

— Зачем ты ему это рассказываешь?

— Не мешай, — ответил ей муж.

Опасаясь упустить инициативу, Клей поспешил добавить:

— Моя фирма представляет интересы потребителей дилофта. Вам стоит подумать о том, чтобы обследоваться.

— Каким образом?

— Сдать анализ мочи. У нас есть врач, который может принять вас завтра же. Это ничего не будет вам стоить.

— А если он найдет, что у меня что-то не в порядке?

— Тогда мы можем обсудить условия вашего участия в иске. Когда правда о дилофте выйдет наружу, а это случится через несколько дней, многие предъявят компании претензии. Моя фирма будет лидером атаки на «Лаборатории Акермана», и я готов включить вас в число своих клиентов.

— Может, мне лучше сначала поговорить со своим врачом?

— Разумеется, вы можете это сделать, мистер Уорли, но не исключено, что ваш врач будет не совсем объективен, ведь это он прописал вам лекарство. Лучше независимая экспертиза.

— Подождите минутку. — Мистер Уорли прикрыл трубку ладонью и довольно долго совещался о чем-то с женой, потом, снова обращаясь к Клею, сказал: — Я не верю в справедливый исход дел, возбуждаемых против врачей.

— Я тоже, — ответил Клей. — Но я специализируюсь в судебных преследованиях крупных корпораций, которые наносят вред здоровью людей.

— Мне прекратить принимать лекарство?

— Давайте сначала сделаем анализ. Думаю, примерно в середине лета дилофт вообще будет снят с продажи.

— Где я могу сделать анализ?

— Наш врач принимает в Чиви-Чейзе. Вам удобно подъехать туда завтра?

— Конечно, почему нет? Глупо откладывать, не так ли?

— Совершенно верно. — Клей сообщил собеседнику имя и адрес врача, которого указал ему Макс Пейс. Каждое обследование, цена которому восемьдесят долларов, обойдется его конторе в триста, но бизнес есть бизнес.

Когда они обсудили все детали, Клей извинился за беспокойство, поблагодарил за уделенное ему время и отпустил мистера Уорли досматривать матч, терзаясь неизвестностью. Только опустив трубку на рычаг, он почувствовал, что на лбу выступила испарина. Соблазнять клиентов по телефону... В кого же он превращается?

В богатого адвоката, напомнил он себе.

Но для этого нужно быть толстокожим, каким Клей никогда не был и, вероятно, не мог стать.

Два дня спустя, свернув на подъездную аллею, ведущую к дому четы Уорли, Клей увидел пожилых супругов, ожидавших его на пороге. Анализ, включавший и цитологическое исследование, показал повышенное содержание специфических клеток в моче, что, согласно обширному и, разумеется, неправедно добытому Максом Пейсом медицинскому заключению, явно свидетельствовало о наличии опухоли в мочевом пузыре. Через неделю мистеру Уорли предстояло отправиться к урологу, который должен был удалить опухоль эндоскопическим методом при помощи вводимого через мочевые протоки тончайшего зонда с микроскопической телекамерой и лазерным скальпелем. Специалисты считали такую операцию рутинной, однако мистеру Уорли она таковой не казалась. Он был напуган до смерти. Миссис Уорли пожаловалась, что две последние ночи они не сомкнули глаз.

Как бы Клею этого ни хотелось, он не имел права сказать старикам, что опухоль вполне может оказаться доброкачественной. Пусть врачи по окончании операции сами сообщат результат гистологического исследования.

Пока все пили растворимый кофе с молоком, Клей разъяснял условия контракта и отвечал на юридические вопросы. Поставив подпись в конце страницы, Тед Уорли стал первым в стране истцом по делу о дилофте.

В течение некоторого времени складывалось впечатление, что он может остаться и единственным. Целыми днями не отходя от телефона, Клей уговорил еще одиннадцать человек пройти обследование. Все одиннадцать случаев дали отрицательный результат.

— Продолжайте работать, — не давал ему расслабляться Макс Пейс.

Около трети абонентов либо сразу вешали трубку, либо отказывались верить, что то, о чем говорил им Клей, серьезно.

Он, Полетт и Родни разделили список потенциальных клиентов на черных и белых. Совершенно очевидно, что черные были не так недоверчивы, как белые, — они гораздо легче уступали уговорам посетить врача. А может, они больше любили лечиться. Или, как не раз повторяла Полетт, у нее был особый дар уговаривать.

К концу недели Клей заполучил трех клиентов, чьи анализы дали положительный результат. Родни и Полетт, действуя командой, подписали контракты еще с семью.

Коллективный иск к производителю дилофта обретал черты декларации об открытии военных действий.

17

Согласно подсчетам Рекса Гриттла, человека, который узнавал все больше и больше обо всех аспектах жизни Клея, парижский вояж обошелся тому в девяносто пять тысяч триста долларов. Гриттл был директором не очень крупной бухгалтерской фирмы, расположенной непосредственно под офисом Картера. Нет необходимости уточнять, что он тоже был нанят Максом Пейсом.

Минимум раз в неделю Клей спускался по черной лестнице на один этаж или Гриттл поднимался к нему, и они примерно полчаса обсуждали состояние финансов Клея, а также наиболее разумные способы управления ими. Бухгалтерский учет юридической конторы Клея был простым и прозрачным. Мисс Глик регистрировала все расходы и поступления и пересылала данные в компьютеры Гриттла.

По мнению Гриттла, столь стремительно обретенные средства должны были неминуемо спровоцировать аудиторскую проверку со стороны департамента по налогам и сборам. Вопреки советам Пейса Клей согласился и даже настаивал на том, чтобы отчетность велась добросовестно и чтобы не было никаких серых зон, когда речь заходила о списываемых со счета суммах и удержаниях. Он только что заработал больше денег, чем когда-либо мечтал. У него и мысли не было о том, чтобы обмануть правительство, укрываясь от налогов. Плати налоги и спи спокойно.

— Что это за перевод на полмиллиона на счет «Ист-Медиа»? — спросил Гриттл.

— Мы заказали телерекламу, необходимую для будущего процесса. Это первый платеж.

— Первый? А сколько еще предстоит? — Гриттл посмотрел на Клея поверх очков, как делал уже не раз. Взгляд говорил: «Сынок, ты что, с ума сошел?»

— В общей сложности сумма составит два миллиона долларов. Через несколько дней мы начинаем крупное дело. Клиентов будем набирать с помощью рекламной блиц-кампании, которую ведет «Ист-Медиа».

— Ладно, — нехотя согласился Гриттл, явно недовольный такими гигантскими тратами. — Надеюсь, дело принесет гонорар, который покроет этот расход.

— Я тоже надеюсь! — рассмеялся Клей.

— А что насчет офиса в Манассасе? Задаток в счет арендной платы на пятнадцать тысяч?

— Да, мы расширяемся. Я нанимаю еще шесть параюристов и снимаю помещение в Манассасе, там арендная плата ниже.

— Рад, что вы думаете об экономии. Шесть параюристов?

— Да, четверо уже наняты. Вот их контракты и платежная ведомость.

Гриттл несколько минут изучал распечатки; десятки вопросов, словно в калькуляторе, щелкали в его голове.

— Можно поинтересоваться, зачем вам шесть новых параюристов, если у вас так мало дел?

— Уместный вопрос, — признал Клей и коротко рассказал Гриттлу об ожидающемся коллективном иске, не упомянув ни названия лекарства, ни его производителя. Если отчет и удовлетворил любопытство Гриттла, тот этого не показал. Как бухгалтер он, разумеется, скептически относился к любой схеме, которая зиждилась на вербовке большого количества истцов без гарантии.

— Надеюсь, вы знаете, что делаете, — саркастически произнес он, уверенный, судя по всему, что Клей рехнулся.

— Поверьте мне, Рекс, скоро деньги потекут к нам рекой.

— Пока они рекой от нас утекают.

— Чтобы заработать деньги, надо вложить деньги.

— Да, я слышал.

Штурм начался первого июля после захода солнца. Все, кроме мисс Глик, собравшись перед телевизором в зале заседаний, затаив дыхание ждали двадцати часов тридцати двух минут. Пятнадцатисекундная реклама началась с появления в кадре красивого молодого актера в белом халате, с толстой книгой в руках и искренним взглядом, устремленным прямо в камеру. «Вниманию всех страдающих артритом. Если вы принимаете препарат дилофт, вы можете предъявить претензии производителю этого препарата. Отмечено несколько случаев, когда побочным эффектом лечения дилофтом оказалось образование опухолей в мочевом пузыре». Внизу экрана побежала строка: «Горячая линия «Дилофт». Звоните по телефону 1-800-555-dylo». «Доктор» продолжал: «Звоните по этому номеру немедленно. Горячая линия «Дилофт» организует для вас бесплатное медицинское обследование. Звоните прямо сейчас!»

Все эти пятнадцать секунд никто не дышал. Молчание царило в зале еще несколько минут после окончания рекламы. Для Клея момент был особенно мучительным: только что он развязал злонамеренную и грозящую искалечить его собственную душу войну против корпорации-колосса, которая, можно не сомневаться, ответит мощным ударом. А если Макс Пейс получил ложную информацию о лекарстве? Если он использовал Клея как пешку в корпоративной шахматной партии? Что, если Клей не сможет доказать с помощью экспертов, что препарат вызывает опухоли? Несколько недель адвокат мучился сам и мучил этими вопросами Пейса. Они постоянно обменивались колкостями, а два раза крупно поссорились. И наконец Макс передал ему украденный или, во всяком случае, незаконно добытый доклад о побочных действиях дилофта. Клей попросил приятеля по студенческому братству, ныне врача, практикующего в Балтиморе, провести независимую экспертизу. По заключению приятеля, доклад был серьезным и устрашающим.

Клей в конце концов убедил себя в том, что он прав, а «Акерман» — виноват. Но, увидев рекламу, услышав произнесенное с экрана обвинение, все же дрогнул и ощутил слабость в коленках.

— Замечательно злобно, — высказался Родни, уже раз десять смотревший рекламу на видео. В эфире, однако, все выглядело куда более суровым. В «Ист-Медиа» обещали, что шестнадцать процентов телезрителей в каждом регионе, входящем в предполагаемый фармацевтический рынок, увидят эту рекламу. Ее должны были показывать ежедневно в течение десяти дней в девяноста таких регионах от побережья до побережья. Прогнозируемая аудитория — восемьдесят миллионов человек.

— Сработает, — счел нужным заверить присутствующих Клей как лидер.

В течение первого часа рекламу показали по телеканалам тридцати регионов, расположенных вдоль восточного побережья, затем — в восемнадцати регионах зоны центрального часового пояса. Через четыре часа после запуска она достигла западного берега, где охватила сорок два региона. Маленькая фирма Клея в первый же вечер истратила на рекламу более четырехсот тысяч долларов.

Бесплатные междугородные звонки направлялись в «Лакомку» — так условно было названо новое ответвление адвокатской конторы Дж. Клея Картера-второго. Там шесть параюристов-новобранцев принимали звонки, заполняли необходимые графы в анкетах, отсылали абонентов на сайт горячей линии «Дилофт» и сообщали, что им перезвонит кто-нибудь из адвокатов фирмы. Через час после запуска рекламы все телефоны были заняты. Компьютер фиксировал номера тех, кто не смог дозвониться. Автоответчик советовал этим абонентам пока обратиться на соответствующий сайт.

На следующее утро в девять часов Клею позвонил адвокат из крупной фирмы, расположенной на той же улице. Он представлял интересы «Лабораторий Акермана» и требовал, чтобы рекламу немедленно изъяли из эфира. Речь его была весьма напыщенной, он угрожал всеми ужасами судебного преследования, если Клей срочно не даст задний ход. Однако к концу разговора речь адвоката стала более спокойной.

— Вы будете в своем офисе в ближайшее время? — спросил Клей.

— Да, а что?

— Я кое-что пришлю вам с курьером. Он будет у вас через пять минут.

Родни в качестве курьера помчался по улице с копией двадцатистраничного иска. Клей же отправился в суд, чтобы зарегистрировать оригинал. В соответствии с инструкцией Пейса копии были отосланы также в «Вашингтон пост», «Уолл-стрит джорнал» и «Нью-Йорк таймс».

Еще Пейс намекнул, что игра на понижение акций «Лабораторий Акермана» будет выгодным вложением капитала. При закрытии биржи в пятницу они стоили сорок два доллара пятьдесят центов. При открытии в понедельник Клей отдал распоряжение о продаже ста тысяч акций. Через несколько дней, когда их цена упадет приблизительно до тридцати долларов, он выкупит их и заработает на этом миллион долларов. Таков, во всяком случае, был план.

По возвращении Картер застал в конторе страшную суматоху. В «Лакомке» было шесть бесплатных входящих линий, но в рабочее время, когда все шесть оказывались перегруженными, часть звонков переводилась в главный офис на Коннектикут-авеню. Родни, Полетт и Иона безостановочно отвечали потребителям дилофта со всей Северной Америки.

— Вот посмотри... — Мисс Глик протянула боссу розовую полоску бумаги, на которой было написано имя репортера из «Уолл-стрит джорнал». — И еще мистер Пейс ждет тебя в твоем кабинете.

Макс стоял у окна с чашкой кофе в руках.

— Зарегистрировал, — сообщил Клей. — Мы разворошили осиное гнездо.

— Радуйтесь.

— Их адвокат уже звонил. Я послал ему копию иска.

— Отлично. Это начало их конца. Они только что напоролись на засаду и понимают, что скоро их разорвут в клочья. Такой поворот дела — мечта любого адвоката, Клей, извлеките из него максимум выгоды.

— Сядьте, у меня есть к вам вопрос.

Пейс, как всегда весь в черном, плюхнулся в кресло и положил ногу на ногу. Его ковбойские сапоги были, похоже, сделаны из кожи гремучей змеи.

— Если бы «Лаборатории Акермана» в настоящий момент наняли вас защищать их интересы, что бы вы предприняли? — спросил Клей.

— Для них сейчас важно не терять времени. Я бы начал выпускать пресс-релизы, все отрицать и обвинять алчных адвокатов. Защищал бы свой препарат. Бомба взорвалась. А после того как пыль уляжется, главное — предотвратить падение акций. При открытии торгов они стоили сорок два с половиной доллара, сейчас уже тридцать три. Я бы послал президента компании на телевидение, чтобы он произнес все нужные слова, заставил весь отдел по связям с общественностью развернуть мощную пропаганду, а адвокатов — готовить организованную защиту. Менеджерам по продажам велел бы взбадривать врачей, убеждая их, что препарат абсолютно безвреден.

— Но препарат не безвреден.

— Об этом я подумал бы позже. В первые несколько дней неразбериха неизбежна. Если инвесторы поверят, что с препаратом не все в порядке, они тут же заморозят свои средства — и поминай как звали, тогда падение акций неизбежно продолжится. После того как буря немного уляжется, я бы серьезно поговорил с большими шишками. Раз с лекарством действительно существует проблема, я бы припал к специальным компьютерам и подсчитал, во что мне обойдется досудебное соглашение, поскольку, имея препарат с таким побочным эффектом, доводить дело до суда нельзя. Жюри может вынести вердикт на черт знает какую сумму. Одно жюри присудит истцу миллион долларов. Другое, в другом штате, потеряв голову, оценит штрафные санкции в двадцать миллионов. Это своего рода игра в кости по-крупному. Поэтому нужно идти на сделку. Поскольку, как вы уже успели убедиться, адвокаты по коллективным искам срывают немалый процент, с ними нетрудно договориться.

— Какой суммой наличных располагает «Акерман»?

— Они застрахованы по меньшей мере на триста миллионов. Кроме того, у них имеется около полумиллиарда наличными, большую часть этой суммы им принес дилофт. Банк, конечно, ограничивает их расходы, но если бы решал я, то планировал бы выплатить миллиард. И постарался бы провернуть дело поскорее.

— А «Акерман» постарается?

— Они не прибегают к моим услугам, поэтому действуют не лучшим образом. Я давно наблюдаю за этой компанией, особой сообразительностью там не отличаются. Как все производители лекарственных средств, они до смерти боятся судебных процессов. Но вместо того чтобы нанять такого пожарного, как я, идут проторенной дорожкой — полагаются на своих адвокатов, которые, разумеется, не заинтересованы в быстром улаживании дела. Их головная фирма — нью-йоркская «Уокер стирнз». Они скоро дадут о себе знать.

— Значит, на быстрое соглашение рассчитывать не приходится?

— Вы зарегистрировали иск всего час назад. Расслабьтесь.

— Но деньги, которые вы мне дали, стремительно тают.

— Не волнуйтесь. Через год вы будете еще богаче.

— Через год?

— Так я думаю. Сначала их адвокаты постараются накопить подкожный жирок. «Уокер стирнз» бросит на это дело полсотни сотрудников, которые будут производить многометровые подсчеты. Акермановские адвокаты хапнут на деле мистера Уорли сотню миллионов, не забывайте это.

— Почему бы «Акерману» вместо этого не заплатить мне сто миллионов отступного?

— Вот теперь вы рассуждаете как истинный мастер коллективного иска. Они заплатят вам даже больше, но сначала им придется ублажить собственных адвокатов. Так действует механизм.

— Но вы бы поступили иначе?

— Конечно. В деле с тарваном клиент выложил мне всю правду, что случается не часто. Я сделал домашнее задание, нашел вас и спрятал концы в воду тихо, быстро и дешево. Пятьдесят миллионов — и ни цента собственным адвокатам моего клиента.

В дверях возникла мисс Глик.

— Снова звонит репортер из «Уолл-стрит джорнал», — сообщила она.

Клей вопросительно взглянул на Пейса.

— Поговорите с ним, — сказал тот. — И помните: противная сторона располагает огромным штатом пиарщиков, которые лихорадочно гасят пожар.

На следующее утро деловые приложения к «Таймс» и «Пост» вышли с краткой информацией о коллективном иске по делу о дилофте на первых страницах. Обе газеты упоминали фамилию Клея, что взволновало его и вызвало тайную радость. Предоставили слово и защищающейся стороне. Президент фармацевтической компании называл предъявленный иск «легкомысленным» и квалифицировал как «еще один пример профессионального злоупотребления со стороны адвокатов». Вице-президент по научным исследованиям утверждал: «Дилофт прошел доскональную проверку, никаких вредных побочных эффектов зафиксировано не было». Обе газеты сообщали, что акции «Лабораторий Акермана», которые за три предыдущих квартала упали на пятьдесят процентов, в результате предъявленного иска обрушились еще больше.

Лучше всего, по мнению Клея, сработал репортер «Уоллстрит джорнал». Для начала он поинтересовался возрастом Клея. «Всего тридцать один год?» — удивился он и продолжил беседу серией вопросов о профессиональном опыте мистера Картера, его фирме и тому подобном. История Давида и Голиафа куда занятнее, чем сухие финансовые выкладки или лабораторные отчеты, такой рассказ приобретает для читателя самостоятельный интерес. Репортер привел с собой фотографа, и все сотрудники наблюдали, как Клей ему позировал.

Левая колонка на первой странице была озаглавлена: «Новичок меряется силами с могущественными “Лабораториями Акермана”». Здесь же поместили компьютерный шарж на улыбающегося Клея Картера. Первый абзац гласил: «Менее двух месяцев назад адвокат из округа Колумбия Клей Картер трудился в городской системе уголовного правосудия как никому не известный и низкооплачиваемый государственный защитник. Вчера он в качестве владельца собственной адвокатской конторы предъявил иск на миллиард долларов занимающей третье место в мире фармацевтической компании, выдвинув обвинение в том, что ее новейший чудо-препарат дилофт хоть и облегчает острую боль пациентам, страдающим артритом, в то же время способствует образованию опухолей в мочевом пузыре».

Статья изобиловала вопросами о том, как удалось молодому адвокату в столь короткий срок столь радикально изменить свое положение. Поскольку Клей не имел права упоминать ни тарван, ни что бы то ни было с ним связанное, он лишь неопределенно сослался на некое быстро достигнутое досудебное соглашение по делу, на которое наткнулся, исполняя прежние обязанности государственного защитника. Позиция фармацевтического гиганта упоминалась лишь вскользь — «профессиональные злоупотребления», «адвокаты, навязывающие свои услуги клиентам и наносящие ущерб экономике», — основная же часть текста была посвящена Клею и чудесной истории его восхождения. Автор хорошо отзывался об отце Клея, «легендарном юристе из ОК, одержавшем множество побед в суде», который ныне поселился на Багамах, «удалившись от дел».

Гленда в качестве директора БГЗ характеризовала Клея как «рьяного защитника обездоленных». Отличная характеристика, за которую Клей отблагодарил ее обедом в шикарном ресторане. Президент Национальной академии правозащиты признался, что никогда не слышал о Клее Картере, но «весьма впечатлен его работой». Некий профессор из Йеля сокрушался, видя в ней «еще один пример злоупотребления процедурой коллективной тяжбы», а другой, из Гарварда, называл ее «идеальным примером того, как с помощью коллективных исков можно призвать к ответственности корпоративных правонарушителей».

— Проследи, чтобы эта статья была размещена на нашем сайте, — сказал Клей, передавая газету Ионе. — Клиентам она понравится.

18

Текила Уотсон признал себя виновным в убийстве Рамона Памфри и был приговорен к пожизненному заключению. С правом условно-досрочного освобождения через двадцать лет, хотя статья в «Пост» об этом умалчивала. В ней говорилось, что Рамон Памфри стал жертвой одного из серии уличных убийств, которые представлялись на редкость немотивированными даже для города, привыкшего к бессмысленному насилию. У полиции не имелось никаких объяснений. Клей пометил в ежедневнике: позвонить Адельфе, узнать, как она поживает.

В некотором роде он был обязан Текиле, но не знал, чем мог бы его отблагодарить. Клей убеждал себя, что для парня, большая часть жизни которого прошла в наркотическом дурмане, пребывание в тюрьме, независимо от тарвана, может оказаться даже благом, но гордости от своего поступка все равно не испытывал. Все было просто и понятно: он продался. Взял деньги и похоронил правду.

Статья, опубликованная на предыдущей странице, привлекла его внимание и заставила забыть о Текиле Уотсоне. На фотографии красовалась одутловатая физиономия мистера Беннета Ван Хорна в неизменной твердой шляпе с монограммой. Мистер Ван Хорн и другой мужчина — подпись под фотографией гласила, что это главный проектировщик корпорации БВХ, — напряженно всматривались в какие-то чертежи. Компания развязала мерзкую возню за право застройки территории близ Ченселлорсвилльского мемориального поля сражения, что в часе езды на юг от Вашингтона. Беннет, как всегда, предлагал один из своих уродливых проектов, включавших особняки, кондоминиумы, многоквартирные дома, магазины, теннисные корты и неизменный пруд, — все это в какой-нибудь миле от центра мемориального поля и в непосредственной близости от того места, где генерал Джексон по прозвищу Твердокаменный был убит патрулем конфедератов. Общество охраны исторических памятников, юристы, военные историки, защитники окружающей среды и члены общества конфедератов обнажили мечи, приготовившись искромсать Беннета-Бульдозера. Неудивительно, что «Пост» пела хвалу всем этим группам, не удостаивая Ван Хорна добрым словом. Тем не менее земля, о которой шла речь, принадлежала неким пожилым фермерам, и, похоже, Беннет одерживал верх, по крайней мере в настоящий момент.

В статье приводился длинный список других исторических памятных мест Виргинии, заасфальтированных застройщиками. Газета сообщала, что Общество истории Гражданской войны возглавило движение протеста. Адвокат общества характеризовался как бесстрашный радикал, готовый довести дело до суда, чтобы не отдать историю на поругание. «Но для ведения тяжбы мы нуждаемся в деньгах», — цитировала его слова газета.

Сделав два звонка, Клей узнал номер телефона адвоката. Они проговорили около получаса, и, вешая трубку, Клей уже выписывал чек на сто тысяч долларов для основанного Обществом истории Гражданской войны Фонда защиты Ченселлорсвилля.

Когда он проходил мимо стола мисс Глик, она вручила ему телефонограмму. По дороге в зал заседаний Клей дважды перечитал имя и, набирая указанный номер, не мог избавиться от сомнений.

— Могу я поговорить с мистером Пэттоном Френчем? — сказал он, когда на другом конце линии сняли трубку. В телефонограмме говорилось, что его просят срочно перезвонить.

— Простите, как вас представить?

— Клей Картер из округа Колумбия.

— Ах да, конечно, мистер Френч ждет вашего звонка.

Клею было трудно представить себе могущественного и чрезвычайно занятого Пэттона Френча сидящим в ожидании его звонка. Тем не менее великий человек снял трубку моментально.

— Привет, Клей, спасибо, что перезвонили, — сказал он так непринужденно, что Картер даже немного растерялся. — Отличная статья в «Джорнал», не так ли? Неплохо для новичка. Жаль, что я не познакомился с вами лично в Новом Орлеане. — Голос звучал так же, как и там, через микрофон, но гораздо небрежнее.

— Не стоит извинений, — ответил Клей. На слете кружка барристеров было сотни две адвокатов. Ни у Клея, ни тем более у Пэттона Френча не было причины для личного знакомства, едва ли Френч вообще знал, что в аудитории присутствует человек по фамилии Картер. Однако, судя по всему, теперь он навел кое-какие справки.

— Клей, я бы хотел с вами встретиться. Думаю, мы могли бы посотрудничать. Я уже месяца два отслеживаю дилофт. Вы меня обскакали, но у «Акермана» денег хватит на всех.

Клею совершенно не хотелось лезть в одну берлогу с Пэттоном Френчем. Хотя, с другой стороны, о методах, с помощью которых тот принуждал фармацевтические корпорации идти на многомиллионные соглашения, ходили легенды.

— Что ж, можно обсудить, — ответил Клей.

— Слушайте, я прямо сейчас лечу в Нью-Йорк. Что, если я подхвачу вас в округе Колумбия и мы полетим вместе? У меня новенький «Гольфстрим-5», и мне не терпится его продемонстрировать. Остановимся на Манхэттене, чудненько поужинаем сегодня вечером, поговорим о деле и вернемся завтра к вечеру. Ну как, идет?

— Вообще-то я очень занят. — Клей отчетливо вспомнил, какое отвращение вызвало у него в Новом Орлеане публичное хвастовство Френча своими игрушками — новым самолетом, яхтой, замком в Шотландии.

— Не сомневаюсь. Я тоже занят. Мы все чертовски занятые люди. Но эта поездка может оказаться для вас самой выгодной из когда-либо предпринятых. Я не принимаю никаких отказов. Встречаемся в три часа в аэропорту Рейгана. Договорились?

У Клея не было особых дел — разве что несколько телефонных разговоров да вечерняя партия в рэкетбол. Телефоны в конторе раскалились от звонков напуганных потребителей дилофта, но на них отвечали его сотрудники. К тому же в Нью-Йорке Клей не был уже несколько лет.

— Ладно, почему бы нет? — Он был не прочь взглянуть на «Гольфстрим-5» и поужинать в каком-нибудь шикарном нью-йоркском ресторане.

— Правильное решение, Клей. Правильное.

Терминал для частных самолетов аэропорта Рейгана кишел замотанными администраторами и чиновниками, сновавшими туда-сюда, прилетавшими и улетавшими. Аккуратненькая брюнетка в короткой юбочке у стойки вылетов держала написанный от руки плакат с его именем. Клей представился. Девушку звали Джулия.

— Следуйте за мной. — Она профессионально-обворожительно улыбнулась. Они спустились по наклонному пандусу к выходу и сели в служебный микроавтобус. Дюжины «лиров», «соколов», «ястребов», «челленджеров» стояли на парковках либо буксировались тягачами к терминалам. Аэродромные команды виртуозно разводили самолеты так, что их крылья едва не касались друг друга. Ревели моторы, все это действовало на нервы.

— Вы откуда? — спросил Клей.

— Мы базируемся в Билокси, — ответила Джулия. — У мистера Френча там основной офис.

— Я несколько недель назад слышал его выступление в Новом Орлеане.

— Да, мы там тоже были. Нам редко доводится пожить дома.

— Он, наверное, много наматывает?

— Около ста часов в неделю.

Они остановились возле самого большого на стоянке самолета.

— Это наш, — просияла Джулия, и они вышли из микроавтобуса. Пилот взял у Клея сумку и исчез с ней.

Пэттон Френч, естественно, разговаривал по телефону. Он махнул Картеру, приветствуя его на борту своего самолета. Джулия взяла у Клея пиджак и спросила, что принести выпить. Только воду с лимоном. Клей впервые попал на борт частного самолета, и у него захватило дух. Картинки из экспозиции в Новом Орлеане не могли даже отдаленно передать роскошь, что открылась его взору.

В салоне стоял легкий запах кожи, очень дорогой кожи: кресла, диваны, стены, даже столы были обтянуты кожей различных оттенков голубого и бронзового. Все светильники, дверные ручки и панели электронных устройств — позолочены. Деревянные — похоже, красного дерева — детали оформления интерьера отполированы до блеска. Это напоминало роскошный люкс пятизвездного отеля, только снабженный мотором и крыльями.

Рост Клея составлял ровно шесть футов, но над головой у него оставалось еще свободное пространство. В глубине длинного салона был устроен кабинет. Там-то и сидел Френч, продолжая разговаривать по телефону. Бар и кухня располагались в отдельной кабине, оттуда спустя несколько секунд вышла Джулия с водой для Клея.

— Вам лучше присесть, — посоветовала она. — Сейчас нас начнут буксировать.

Когда самолет медленно тронулся, Френч резко оборвал разговор и двинулся навстречу Клею. С сияющей белозубой улыбкой и новыми извинениями за то, что не уделил ему внимания в Новом Орлеане, он энергично потряс руку гостя. Френч был грузноват, в густых вьющихся волосах элегантно пробивалась седина, ему можно было дать лет пятьдесят пять, до шестидесяти он явно недотягивал. Казалось, каждая клеточка его организма излучала мощную жизненную энергию.

Адвокаты уселись за стол друг против друга.

— Недурно для прогулки, а? — сказал Френч, обводя рукой интерьер самолета.

— Весьма, — согласился Клей.

— У вас есть самолет?

— Нет. — От своей «безлошадности» Клей испытал чувство неполноценности. Какой же он после этого адвокат?

— Ничего, сынок, скоро будет. Без самолета не обойтись. Джулия, принеси-ка мне стаканчик водки. Это у меня уже четвертый — самолет, не стаканчик, — пошутил Френч. — Чтобы ими управлять, требуется двенадцать пилотов. И пять Джулий. А девочка ничего, правда?

— Очень даже.

— Куча накладных расходов, но и гонорары в результате полетов отличные. Вы слышали мое выступление в Новом Орлеане?

— Слышал. Получил большое удовольствие. — Клей лишь слегка покривил душой: как бы вызывающе ни выглядел Френч на трибуне, его речь действительно была занятной и познавательной.

— Я терпеть не могу подобным образом распространяться о деньгах, но вынужден был играть на публику. Большинство из тех парней, что находились в зале, в конце концов принесут мне какое-нибудь большое коллективное дело. Так что приходится, знаете ли, время от времени их взбадривать. Я создал самую успешную адвокатскую фирму по массовым деликтам в Америке, наша задача — держать в ежовых рукавицах финансовых шишек. Когда ведешь тяжбу с такими компаниями, как «Акерман», или любой из пятисот других, обладающих самыми крупными капиталами, нужно иметь соответствующую амуницию, пробивную силу, так сказать. У них денег немерено. И я просто пытаюсь выравнивать поле...

Джулия принесла хозяину водку, села в кресло и пристегнулась, приготовившись к взлету.

— Хотите перекусить? — спросил Френч. — Она может приготовить все, что угодно.

— Спасибо, я не голоден.

Френч сделал большой глоток, потом вдруг откинулся на спинку кресла, закрыл глаза и, пока самолет разбегался и взлетал, казалось, молился. Воспользовавшись передышкой, Клей продолжил рассматривать салон. Он был до неприличия шикарным и дорогим даже на вид. Сорок — сорок пять миллионов за частный самолет! А ведь, если верить сплетням, подслушанным Клеем в кружке барристеров, компания «Гольфстрим» не успевала удовлетворять спрос. Желающим приобрести такое чудо приходилось ждать по два года!

Прошло несколько минут, самолет взлетел, лег на курс, и Джулия исчезла в кухне. Френч очнулся от своей медитации и хлебнул еще.

— Все, что написано в «Джорнал», правда? — спросил он гораздо спокойнее. У Клея создалось впечатление, что настроение Френча могло меняться быстро и радикально.

— В общем, да.

— Я дважды был на первой полосе, ничего хорошего. Неудивительно, что нас, адвокатов по коллективным делам, так не любят. Никто не любит, вам это еще предстоит почувствовать. Запах денег ассоциируется с отрицательными персонажами. Но вы привыкнете к этому, как привыкли все мы. Я однажды встречался с вашим отцом. — Во время разговора Френч косил глазом и выстреливал каждую фразу так, словно постоянно обдумывал свои слова на три хода вперед.

— В самом деле? — Клею с трудом верилось, что этот человек и его отец действительно были знакомы.

— Лет двадцать назад я работал в министерстве юстиции. Мы судились за кое-какие индейские земли. Но индейцы привели в суд Джаррета Картера из округа Колумбия, и войне был положен конец. Он был блестящим адвокатом.

— Благодарю вас, — лопаясь от гордости, сказал Клей.

— Должен признать, Клей, ваша атака на дилофт — шедевр. И сработано весьма необычно. В большинстве случаев слухи об опасных препаратах расползаются медленно, по мере того как жалобы поступают от все большего числа пациентов. Врачи процесс не ускоряют: они имеют свой куш от фармацевтических компаний, поэтому вовсе не спешат поднимать красный флажок. К тому же по законодательствам большинства штатов юридическую ответственность за назначение вредных препаратов в первую очередь несут именно они. Постепенно в дело начинают втягиваться юристы. У какого-нибудь дядюшки Люка из захолустного Подунка в далекой Луизиане вдруг ни с того ни с сего появляется кровь в моче, он целый месяц недоумевает по этому поводу, пока не сообразит пойти к врачу. А врач, пораскинув мозгами, просто отменяет ему тот чудодейственный препарат, который сам же и назначил. Неизвестно еще, додумается ли дядюшка Люк обратиться к семейному адвокату. Но даже если додумается, в этих заштатных городишках адвокаты обычно — серые мышки, которые имеют дело лишь с завещаниями и разводами, так что, попадись им приличный повод для коллективного иска, они его и распознать-то не сумеют. Чтобы вывести вредный препарат на чистую воду, нужно время. А то, что сделали вы, просто уникально...

Клею было приятно слушать. Френчу — говорить. Это обнадеживало.

— ...Из чего я делаю вывод, что вы располагали информацией изнутри, — добавил Френч и сделал паузу, давая возможность Клею подтвердить его предположение. Но тот хранил непроницаемый вид. — У меня обширные связи в среде адвокатов от побережья до побережья, но ни один из них до последнего времени ничего не знал о дилофте. В моей фирме работают два юриста, чьей единственной задачей является отслеживание информации об имеющихся на рынке препаратах, однако мы и близко не подошли к возбуждению дела. И вдруг я вижу на первой полосе «Уолл-стрит джорнал» информацию о вашем наступлении и вашу улыбающуюся физиономию. Мне известны правила игры, Клей, и я не сомневаюсь, что вы получили информацию изнутри.

— Да, но я никогда и никому не открою источника.

— Правильно. Вы меня успокоили. Я видел вашу рекламу. Мы отслеживаем подобные вещи по всей стране. Неплохо. Доказано, что пятнадцатисекундный метод блиц-рекламы, который вы избрали, наиболее эффективен. Вы это знали?

— Нет.

— Молниеносный удар поздно вечером и рано утром. Краткое послание, призванное напугать, и номер телефона, где готовы оказать помощь. Я сам проделывал такое тысячи раз. Сколько дел вы собрали?

— Трудно сказать. Обратившимся к нам еще делают предварительные анализы. Но телефоны звонят не переставая.

— Я запускаю свою рекламу завтра. У меня шесть человек, которые занимаются только рекламой, можете поверить? Шесть штатных рекламщиков. А их услуги недешево стоят.

Появилась Джулия с двумя блюдами — на одном возвышалась гора креветок, на другом было разложено мясное ассорти — копченая ветчина, салями, что-то еще, названия чему Клей даже не знал, — и разные сорта сыра.

— Бутылку чилийского белого, — распорядился Френч. — Вино должно было уже охладиться. Вы любите вина? — спросил он, обращаясь к Клею.

— Некоторые. Но вообще-то я не знаток.

— А я обожаю вина. У меня здесь, в самолете, не меньше ста бутылок. — Френч проглотил креветку. — По нашим подсчетам, по дилофту должно быть от пятидесяти до ста тысяч истцов. Мы не ошиблись?

— Сто тысяч — это, судя по всему, максимум, — осторожно подтвердил Клей.

— Меня немного беспокоят «Лаборатории Акермана». Известно ли вам, что я дважды вел против них тяжбы?

— Нет, я этого не знал.

— Десять лет назад, тогда у них была прорва наличности. Но в совете их директоров оказалась пара идиотов, которые сделали ряд неудачных приобретений. Сейчас у них долгов на десять миллиардов. Глупая история. Типичная для девяностых. Банки бездумно выдавали деньги идиотам, а те пытались скупить весь мир. Так или иначе, «Акерман» отнюдь не на грани банкротства. К тому же они застрахованы. — Френч подкидывал наживку, и Клей решил сделать вид, что заглотил ее.

— Да, они застрахованы по меньшей мере на триста миллионов. И еще у них есть около полумиллиарда, которые они могут потратить на сделку.

Френч расплылся в блаженной улыбке и только что не замурлыкал при этом сообщении. Он не мог, да и не пытался скрыть свой восторг.

— Отличная сумма, сынок, великолепная! У вас надежные источники в корпорации?

— Превосходные. Есть люди, которые владеют конфиденциальной информацией, и мы располагаем выводами лабораторных исследований, которыми располагать не должны. «Акерман» со своим дилофтом на пушечный выстрел не подойдет к жюри присяжных.

— Восхитительно! — Френч даже закрыл глаза, наслаждаясь услышанным. Нищий адвокат, получивший возможность купить первую в своей жизни приличную машину, не мог бы выглядеть более счастливым.

Джулия принесла вино и разлила по бесценным хрустальным бокалам. Френч с видом знатока понюхал, оценил и наконец пригубил. Почмокав губами, он утвердительно кивнул и вернулся к беседе:

— В том, чтобы поймать большую, богатую, заносчивую корпорацию на грязных делишках, есть такой кайф, который нельзя сравнить даже с сексом, Клей. Это самое большое из известных мне удовольствий. Ты загоняешь в угол алчных мерзавцев, причиняющих своими препаратами вред невинным людям, и ты, адвокат, получаешь шанс наказать их. Конечно, деньги тоже имеют значение, но деньги — второе, главное — победа. И я никогда не перестану это делать, независимо от того, какой доход это мне будет приносить. Люди думают, я жадный, поскольку продолжаю работать, несмотря на то что на деньги, которые уже заработал, мог бы жить припеваючи где-нибудь на берегу океана до конца жизни. Но ведь это скучно! Я предпочитаю работать по семь дней в неделю, чтобы отлавливать крупных жуликов. В этом моя жизнь.

Его одержимость в этот момент казалась почти заразной. Лицо светилось фанатизмом. Помолчав, Френч спросил:

— Нравится вино?

— Нет, отдает керосином, — признался Клей.

— Вы правы! Джулия! Вылей это в унитаз! Принеси нам бутылку мерсо, того, что вчера куплено.

Однако для начала она подала ему телефон:

— Это Мюриел.

Френч схватил трубку:

— Привет.

Склонившись к уху Клея, Джулия шепотом пояснила:

— Мюриел — наша старшая секретарша, мать-начальница. Она находит его даже тогда, когда его жены бессильны это сделать.

Захлопнув крышку мобильника, Френч сказал:

— Клей, позвольте мне предложить вам сценарий. Обещаю, он принесет вам больше денег в более короткий срок. Гораздо больше.

— Слушаю вас.

— Я соберу столько же истцов по дилофту, сколько вы. Теперь, когда вы открыли дверь, в нее хлынут сотни адвокатов, охотников за такими делами. Мы с вами сможем контролировать процесс, если перенесем официальную регистрацию из округа Колумбия в мою вотчину, в Миссисипи. Это напугает «Акермана» до смерти. Они и сейчас, когда вы прижали их в округе Колумбия, дрожат от страха, но все еще думают: «Ну, он новичок, никогда прежде этим не занимался, никогда не вел коллективных дел, это его первый опыт» и так далее. Но если мы объединимся, соберем все иски и перенесем тяжбу в Миссисипи, «Лаборатории Акермана» хватит один общий корпоративный обширный инфаркт.

У Клея голова шла кругом от сомнений и вопросов.

— Слушаю, — только и смог выдавить он.

— Вы сохраняете своих клиентов, я — своих. Мы их накапливаем, а когда к нам присоединятся другие адвокаты со своими клиентами, я иду к судье и прошу назначить руководящий комитет истцов. Я всегда так поступаю. Председателем буду я. Вы, разумеется, войдете в комитет, поскольку являетесь инициатором дела. Мы будем проводить мониторинг всех исков по дилофту и постараемся все держать под своим контролем, хотя одному Богу известно, как это трудно, когда имеешь дело с кучей самонадеянных адвокатов. Я проходил это десятки раз. Тем не менее комитет позволит нам сосредоточить в своих руках все нити. Довольно скоро мы начнем переговоры с «Акерманом». Я знаю их адвокатов. Если ваши информаторы так хороши, как вы говорите, надавим посильней и скоро добьемся соглашения.

— Как скоро?

— Это зависит от нескольких факторов. Сколько реальных случаев у нас будет. Как быстро нам удастся подвигнуть людей к предъявлению исков. Сколько адвокатов ввяжется в драку. И, что очень важно, насколько велик урон, нанесенный нашим клиентам.

— Пока подавляющее большинство опухолей доброкачественные.

Френч слегка нахмурился, осмысляя информацию, но быстро нашел в ней положительную сторону.

— Это даже лучше, — сказал он. — Такие опухоли удаляются методом цистоскопической хирургии.

— Совершенно верно. Это амбулаторная процедура, которая стоит около тысячи долларов.

— А каков долгосрочный прогноз?

— Без осложнений. Если держаться подальше от дилофта, жизнь вернется в привычное русло, хотя для страдающих артритом это означает и возвращение болей.

Френч понюхал вино, поболтал его в бокале и сделал глоток.

— Это намного лучше, вам не кажется?

— Да, — согласился Клей.

— В прошлом году я совершил дегустационный тур по Бургундии. Целую неделю только и делал, что нюхал и пробовал. Замечательное времяпрепровождение. — Отпив еще, Френч погрузился в размышления, стараясь четче сформулировать мысли. — Так даже лучше, — повторил он. — Очевидно, это лучше для наших клиентов, поскольку их болезнь окажется не такой серьезной, какой могла бы оказаться. Лучше для нас, поскольку соглашения можно будет достичь быстрее. Главное здесь — собрать как можно больше дел, а чем больше их будет, тем надежнее мы сможем контролировать весь процесс. Ну и... больше дел — больше гонорар.

— Я понял.

— Сколько вы платите за рекламу?

— Пару миллионов.

— Неплохо, совсем неплохо. — Френчу явно хотелось спросить, откуда у новичка два миллиона на рекламу, но он сдержался.

По изменившемуся звуку двигателей и едва заметному наклону можно было догадаться, что самолет снизил скорость и пошел на посадку.

— Сколько он летит до Нью-Йорка? — поинтересовался Клей.

— Минут сорок. Эта птичка делает шестьсот миль в час.

— В какой аэропорт мы прибудем?

— Тетерборо, это в Нью-Джерси. Там садятся только частные самолеты.

— Вот почему я о нем никогда не слышал.

— Ваш самолет на подходе, Клей, входите в курс дела. Я бы отдал все свои игрушки за самолет. Вам обязательно нужно купить собственный.

— Какой посоветуете?

— Начните с «лира». Его можно приобрести в любой момент миллиона за два. Вам понадобятся два пилота, по семьдесят пять «косых» на каждого. Это лишь часть накладных расходов, но они неизбежны. Скоро вы это поймете.

Впервые в жизни Клею давали советы насчет эксплуатации личного самолета.

Джулия убрала посуду и сообщила, что они приземлятся через пять минут. Клея заворожил вид Манхэттена, открывшийся в восточном секторе горизонта. Френч задремал.

«Гольфстрим» сел, тягач протащил его мимо выстроившихся в ряд частных терминалов, возле которых стояли красавцы самолеты. Клей и Френч наблюдали через иллюминаторы, как персонал суетился вокруг некоторых из них.

— Здесь можно увидеть больше частных лайнеров, чем где бы то ни было в мире, — объяснил Френч. — Все крупные манхэттенские шишки держат свои «птички» на этом аэродроме. Отсюда до города сорок пять минут на машине. А если вы особенно не любите терять время, можно обзавестись и собственным вертолетом. Тогда дорога займет всего десять минут.

— А у вас есть вертолет? — поинтересовался Клей.

— Нет. Если бы я жил здесь, купил бы.

Лимузин ждал их в нескольких шагах от трапа самолета. Пилоты и Джулия остались внутри, чтобы сделать уборку и, разумеется, охладить вино для обратного полета.

— В «Пенинсулу», — распорядился Френч.

— Слушаюсь, сэр, — отчеканил шофер.

«Интересно, это арендованный лимузин или он принадлежит Френчу? — подумал Клей. — Нет, величайший специалист по массовым искам, разумеется, не опустится до езды на такси. Впрочем, какое это имеет значение...»

— Меня интересует ваша реклама, — сказал Френч, пока они медленно преодолевали нью-джерсийскую пробку. — Когда вы ее запустили?

— В воскресенье вечером, начали с восточного и закончили западным побережьем. Девяносто секторов рынка.

— И каков результат?

— У меня на телефонах сидят девять человек — семь параюристов и два адвоката. В понедельник мы приняли две тысячи звонков, вчера — три. Наш дилофт-сайт ежедневно посещают восемь тысяч человек. Коэффициент таков, что это дает нам на сегодняшний день тысячу клиентов.

— А каков резерв?

— Согласно моему источнику, а он до сих пор давал точные сведения, от пятидесяти до семидесяти пяти тысяч.

— Я хотел бы познакомиться с вашим источником.

— И не думайте.

Френч хрустнул пальцами и заставил себя смириться с отказом.

— Нам нужно заполучить все эти дела, Клей. Я запускаю свою рекламу завтра. Что, если нам поделить страну? Вы возьмете себе север и восток, я — юг и запад. Так будет легче целенаправленно действовать на ограниченных рынках и работать с клиентами. В Майами есть парень, который в ближайшие дни появится на экране. И еще один в Калифорнии, он, можете не сомневаться, уже в эти минуты копирует вашу рекламу. Да, мы акулы, стервятники. Начались гонки. Финиш — суд. Мы отлично стартовали, с отрывом, но вот-вот хлынет поток преследователей.

— Я делаю все, что могу.

— Каков ваш бюджет? — спросил Френч так, словно они были давними партнерами.

«Какого черта?!» — мысленно возмутился Клей. Хотя, сидя рядышком на заднем сиденье лимузина, они, конечно, выглядели как партнеры.

— Два миллиона на рекламу, еще парочка на анализы.

— Вот что мы сделаем, — без всякой паузы заявил Френч. — Вы пустите все свои деньги на рекламу. Я свои — все — направлю на анализы. А когда прижмем «Акермана», заставим его возместить наши убытки. Это нормальное условие каждого соглашения — компания покрывает все расходы на медицинское обследование.

— Каждый анализ стоит триста долларов.

— Вас надули. Я привлеку своих специалистов, и они сделают все гораздо дешевле. — Это напомнило Френчу историю с делом о «Тощем Бене». Он превратил тогда четыре бывших автобуса компании «Грейхаунд» в клиники на колесах, которые ездили по стране, выискивая потенциальных клиентов. Когда они переезжали через мост Джорджа Вашингтона и Френч приступил к новой истории, интерес Клея стал падать.

Окна апартаментов Клея в «Пенинсуле» выходили на Пятую авеню. Оказавшись наконец один, без Пэттона Френча, он бросился к телефону и начал лихорадочно разыскивать Макса Пейса.

19

Он нашел его по третьему мобильному номеру в некоем неизвестном месте. В округе Колумбия этот не имеющий постоянного дома человек бывал в последние недели все реже. Несомненно, он и сейчас где-то гасил новый «пожар», спасая очередного клиента, преступившего закон, от опасного судебного преследования, хотя никогда в этом не признался бы. Да и необходимости не было. Клей уже достаточно хорошо его знал, чтобы понимать: услуги такого «пожарного» более чем востребованы. Недостатка в недоброкачественной продукции страна не испытывала.

Клея удивило, насколько успокаивающе подействовал на него голос Пейса. Клей объяснил, где находится, с кем и почему. Первая же реакция Пейса означала одобрение.

— Великолепно, — сказал тот. — Просто великолепно.

— Вы его знаете?

— Пэттона Френча знают все, кто занимается этим бизнесом, — ответил Пейс. — Я никогда не имел с ним дел, но о нем ходят легенды.

Клей пересказал условия, предложенные Френчем. Пейс схватывал на лету и одновременно просчитывал варианты.

— Если вы перерегистрируетесь в Билокси, это будет новый удар по акциям «Акермана», при том, что они и теперь уже испытывают чудовищное давление со стороны своих банков и акционеров. Отлично, Клей. Соглашайтесь! — посоветовал он.

— Понял.

— И не пропустите утренний выпуск «Нью-Йорк таймс». Там будет большая статья о дилофте. Первое официальное медицинское заключение. Сокрушительное.

— Здорово.

Клей достал из мини-бара банку пива — восемь долларов, но какое это имеет значение — и долго сидел у окна, наблюдая за суетой, царившей на Пятой авеню. Ему было немного не по себе, что приходится полагаться на советы Макса

Пейса, но больше ему просто не к кому было обратиться. Никому, даже отцу, никогда не доводилось оказываться перед таким выбором: «Давайте-ка соединим ваши пять тысяч клиентов с моими пятью, предъявим не два, а один коллективный иск, я выложу миллион-другой на медицинские обследования, вы удвоите свою рекламную смету, потом сорвем сорок процентов общей суммы в качестве гонораров плюс компенсация расходов и получим целое состояние. Ну, что скажете, Клей?»

За минувший месяц ему враз привалило больше денег, чем еще недавно он мог себе даже представить. Теперь же, когда ситуация выходила из-под контроля, Картер чувствовал: деньги утекают еще стремительнее, чем появились. «Не бойся, — беспрестанно повторял он себе, — тебе выпала редкая возможность. Не трусь, бей быстро, не упусти свой шанс, бросай кости смелее — и получишь свое грязное богатство». Однако другой внутренний голос предостерегал: «Притормози, не швыряйся деньгами, припрячь их — и не будешь знать горя».

Один миллион он перевел на оффшорный счет — не затем, чтобы спрятать, а для того, чтобы сохранить, — и решил не притрагиваться к этим деньгам ни при каких обстоятельствах. Если он сделает неверный шаг и все проиграет, останутся средства на тихую жизнь у моря. Тогда он улизнет из города, как его отец, и никогда сюда не вернется.

Миллион долларов на тайном счете был ценой его компромисса с самим собой.

Клей попытался дозвониться в собственный офис, но все линии были заняты — добрый знак. Удалось связаться только с Ионой по мобильному.

— Тут настоящее светопреставление, — отрапортовал тот устало.

— Отлично.

— Почему бы тебе не приехать и не помочь?

— Завтра.

В семь тридцать две Клей включил телевизор и увидел свою рекламу на кабельном канале. В Нью-Йорке она показалась еще более зловещей.

Ужинали они в «Монтраше» — не из-за меню, хотя еда оказалась превосходной, а из-за карты вин, которая была здесь обширнее, чем в любом другом ресторане Нью-Йорка. Френч желал продегустировать несколько сортов бургундского красного под телятину. Было принесено пять бутылок с отдельными бокалами для каждой. Хлебу с маслом места в желудке не осталось.

Обсуждение достоинств каждой бутылки между Пэттоном и сомелье велось на каком-то неведомом Клею языке, и процесс ему порядком наскучил. Он предпочел бы банку пива и гамбургер, хотя предвидел, что и его вкусы в ближайшее время начнут меняться.

Когда вино открыли и букет был оценен, Френч сказал:

— Я звонил в свой офис. Адвокат из Майами уже запустил рекламу. Он заключил договор с двумя клиниками и погоняет их, как стадо. Его зовут Карлос Эрнандес. Очень, очень ловкий.

— Мои люди не справляются со звонками, — пожаловался Клей.

— Так мы работаем вместе? — уточнил Френч.

— Что ж, давайте заключим соглашение.

Френч мгновенно достал сложенный вдвое документ.

— Вот проект. — Он протянул бумаги Клею через стол. — В нем изложено все, о чем мы пока договорились.

Клей внимательно прочел и расписался в конце. Френч, не отрываясь от бокала, тоже поставил свою подпись — партнерство обрело официальный статус.

— Давайте зарегистрируем коллективный иск в Билокси завтра же, — предложил Френч. — Я сделаю это немедленно по возвращении. Два моих юриста уже работают над текстом. Как только иск будет принят к производству, можете отзывать свой в округе Колумбия. Я знаю штатного акермановского советника. Думаю, удастся с ним поговорить. Если компания согласится вести переговоры с нами напрямую, минуя совет попечителей, это сэкономит ей кучу денег, которые перейдут к нам, и значительно ускорит дело. Если переговоры будут поручены приглашенным адвокатам, это будет стоить нам полугода потерянного времени.

— И около ста миллионов долларов, не так ли?

— Около того. А ведь это могли бы быть наши деньги. — В кармане Френча затренькал телефон, он выхватил его левой рукой, продолжая держать бокал в правой. — Извините, — сказал Пэттон Клею.

Звонил какой-то адвокат из Техаса, судя по всему, старый друг Френча. Разговор касался дилофта. Они обменивались добродушными шуточками, но осторожность Френча не укрылась от внимания Клея. Захлопнув крышку аппарата, Френч выругался:

— Черт его подери!

— Конкурент?

— И серьезный. Вик Бреннан, крупный деятель из Хьюстона, очень умный и агрессивный. Тоже интересуется дилофтом, желает знать, каков план действий.

— От вас он ничего не узнал?

— Он сам все знает. Завтра он запускает рекламу по радио, телевидению и в газетах. Он отберет у нас несколько тысяч дел... — Чтобы успокоиться, Френч отпил вина, и на лице его заиграла улыбка. — Гонки стартовали, Клей. Мы должны сами заполучить этих клиентов.

— Дело набирает сумасшедшие обороты, — заметил Клей.

Френч, который не мог говорить, поскольку во рту у него был большой глоток «Пино нуар», взглядом переспросил: «Что?»

— По моим сведениям, завтра утром в «Нью-Йорк таймс» появится большая статья — первый научный доклад о вредном воздействии дилофта.

Не стоило ему говорить этого во время ужина. Френч забыл о своей еще не принесенной телятине, о дорогих винах, коими был уставлен стол, хотя собирался посвятить их смакованию следующие часа три. Какой же специалист по массовым искам станет думать о еде, если через несколько часов «Нью-Йорк таймс» обнародует имя его жертвы и название опасного лекарства?

Телефон зазвонил, когда на улице было еще темно. С трудом сфокусировав зрение на часах, Клей увидел, что стрелки показывают без четверти шесть.

— Вставайте! — скомандовал Френч. — И откройте мне дверь.

Не успел Клей отодвинуть щеколду, как Френч ворвался в номер с пачкой газет и чашкой кофе в руках.

— Невероятно! — закричал он, швырнув «Таймс» Клею на кровать. — Сынок, нельзя дрыхнуть весь день. Прочтите это! — На нем были гостиничная пижама, махровый халат и белые банные шлепанцы.

— Еще и шести нет.

— Я уже тридцать лет встаю в пять. Слишком много дел варится вокруг.

На Клее были только трусы. Отпив кофе, Френч сквозь очки, торчавшие на кончике его плоского носа, еще раз перечитал статью. Ни следа похмелья. Клею накануне довольно быстро надоели вина, показавшиеся все на один вкус, и он в конце концов остановился на минеральной воде. Френч же пошел до конца, решительно настроившись выявить победителя среди пяти сортов бургундского, хотя дилофт настолько отвлекал его от поставленной цели, что шел он к ней без души.

«Атлантик джорнал оф медисин» сообщал, что дилофтамин, известный под названием дилофт, по наблюдениям, которые проводились в течение года, способствовал образованию опухолей мочевого пузыря в шести процентах случаев.

— Оказывается, даже больше пяти процентов, — заметил Клей по ходу чтения.

— Разве это не замечательно? — подхватил Френч.

— Конечно, если вы не попали в эти шесть процентов.

— Я — нет.

Некоторые врачи уже начали отменять назначение дилофта своим пациентам. «Лаборатории Акермана» довольно вяло отбрыкивались, пытаясь, как всегда, свалить вину на слишком жадных адвокатов, хотя было ясно, что компания начинает прогибаться. Никакого комментария со стороны фармкомитета не было. Какой-то врач из Чикаго в статье на полколонки распинался о том, какое это потрясающее средство и как оно облегчает жизнь его пациентам. Хорошая новость, если ее можно было так назвать, состояла в том, что выявленные до сих пор опухоли не оказались злокачественными. У Клея возникло ощущение, что Макс Пейс читал эту статью еще месяц назад.

Коллективному иску, зарегистрированному в понедельник в округе Колумбия, был посвящен всего абзац, имя молодого адвоката, представлявшего интересы пострадавших, не упоминалось.

Акции «Акермана» с сорока двух пятидесяти в понедельник утром упали к концу среды до тридцати двух пятидесяти.

— Надо было играть на понижение, — буркнул Френч.

Клей прикусил язык, чтобы не выдать секрет — один из немногих, которые ему удалось сохранить за минувшие сутки.

— Прочтем это еще раз в самолете, — распорядился Френч. — Поехали отсюда.

Когда Клей вошел в свой офис и поздоровался с вымотанными сотрудниками, акции стоили уже двадцать восемь долларов. Он немедленно открыл биржевой сайт и проверял его каждые пятнадцать минут, подсчитывая свою прибыль. Соря деньгами так, как приходилось ему, было приятно сознавать, что в другом месте хоть что-то накапливается.

Первым к нему зашел Иона.

— Мы вчера сидели тут до полуночи, — сказал он. — Это какое-то безумие.

— А будет еще хуже. Мы удваиваем рекламу.

— Да мы уже сейчас еле справляемся.

— Найми временных сотрудников.

— Нужны компьютерщики, по крайней мере двое, а то мы не успеваем заносить данные.

— Можешь их найти?

— Попробую. Я знаю одного-двоих, которые могли бы приходить сюда по ночам.

— Свяжись с ними.

Иона двинулся было к выходу, потом закрыл дверь и вернулся.

— Клей, послушай, строго между нами, ладно?

Клей обвел взглядом кабинет, как бы подчеркивая, что они наедине, и спросил:

— В чем дело?

— Понимаешь, ты, конечно, парень с головой и все такое, но ты точно знаешь, что делаешь? Я имею в виду, ты тратишь деньги быстрее, чем можно себе представить. А если что-то пойдет не так?

— Тебя это беспокоит?

— Да, нас всех это немного беспокоит. Фирма прекрасно стартовала. Мы хотим остаться, получать удовольствие от работы и зарабатывать деньги. Но если ты ошибся и окажешься лапками кверху? Согласись, это честный вопрос.

Клей встал из-за стола, обошел его и уселся на краешке.

— Я тоже буду с тобой абсолютно честен. Думаю, я знаю, что делаю, но, поскольку делаю это впервые, до конца уверенным быть не могу. Это игра по-крупному. Если я выиграю, мы все получим серьезные деньги. Если проиграю, продолжим дело. Просто мы не станем богачами.

— Когда подвернется случай, скажи это остальным, ладно?

— Скажу.

Во время десятиминутного перерыва сотрудники собрались в конференц-зале, чтобы проглотить по сандвичу. Иона доложил последнюю информацию: за первые три дня по горячей линии они приняли семь тысяч сто звонков, сайт каждый день посещает около восьми тысяч человек. Пакеты с информацией и контракты на адвокатские услуги рассылаются со всей возможной оперативностью, хотя есть отставание. Клей официально уполномочил Иону нанять двух компьютерщиков-почасовиков. Полетт он поручил найти трех-четырех параюристов для филиала в Манассасе. А мисс Глик — нанять столько временных секретарей, сколько потребуется для того, чтобы успевать обрабатывать почтовую корреспонденцию.

Клей описал им свою встречу с Пэттоном Френчем и объяснил новую стратегию. Раздал копии статьи в «Таймс» — наверняка они за делами не успели ее прочесть.

— Гонки в самом разгаре, ребята, — сказал он, стараясь насколько возможно взбодрить падающих с ног сотрудников. — Акулы охотятся за нашими клиентами.

— Мы сами акулы, — заметила Полетт.

Днем позвонил Френч и доложил, что коллективное дело дополнено истцами из Миссисипи и зарегистрировано в Билокси, в Верховном суде штата.

— Теперь оно находится в нужном месте, приятель, — сказал он.

— Я отзову здешний иск завтра, — пообещал Клей, надеясь, что он не жертвует своими клиентами.

— Вы не собираетесь подмазать прессу?

— Таких планов у меня не было, — ответил Клей.

— Я этим займусь.

Акции «Лабораторий Акермана» при закрытии торгов стоили двадцать шесть долларов двадцать пять центов. Если бы Клей выкупил свой мнимый пакет сегодня, прибыль составила бы миллион шестьсот двадцать пять тысяч. Он решил подождать. Новость о перерегистрации дела в Билокси станет известна утром и наверняка снова ударит по акциям.

В полночь он сидел за столом в своем домашнем кабинете и беседовал по телефону с неким джентльменом из Сиэтла, который принимал дилофт в течение года и теперь смертельно боялся, что у него образовалась опухоль. Клей посоветовал ему как можно скорее сдать анализ, сообщил адрес дилофт-сайта и пообещал завтра же с утра послать по почте полный пакет информации. Вешая трубку, бедняга едва не плакал.

20

Плохие новости преследовали чудодейственный дилофт. Было опубликовано еще два экспертных заключения, в одном из которых убедительно доказывалось, что «Лаборатории Акермана» скрыли кое-какие данные и подергали за все ниточки, чтобы получить сертификат на опасное лекарство. Фармкомитет наконец дал команду изъять его из продажи.

Эти плохие новости были, разумеется, хорошими для адвокатов. Обстановка накалялась все сильнее по мере того, как к иску присоединялись все новые и новые пострадавшие. Принимавшие дилофт пациенты получили от «Лабораторий Акермана» и своих врачей официальные зловещие предупреждения, за которыми обычно следовали пакеты с еще более устрашающей информацией от адвокатов. Адресная рассылка по почте оказалась наиболее эффективной. Газетная реклама охватывала все крупные секторы рынка. Телефоны горячих линий сообщались по всем телевизионным каналам. Казалось, что угроза образования опухолей заставила практически всех пользователей дилофта обратиться к адвокатам.

Даже Пэттон Френч не мог припомнить, чтобы массовый иск складывался настолько удачно. Поскольку они с Клеем первыми финишировали в суде Билокси, их групповой иск и зарегистрирован был первым. Все остальные истцы по дилофту, которые хотели присоединиться к коллективной тяжбе, автоматически становились их клиентами, при этом управляющему комитету истцов причитался дополнительный гонорар. Дружески расположенный к Френчу судья уже назначил такой комитет в составе: Френч, Клей, Карлос Эрнандес из Майами и еще два закадычных дружка Пэттона из Нового Орлеана. Теоретически комитет был призван готовить крупное и сложное судебное разбирательство против «Лабораторий Акермана». Практически вся пятерка собирала бумаги и вела административную работу, направленную на то, чтобы сохранять контроль над почти пятьюдесятью тысячами клиентов и их адвокатами.

Каждый истец по делу о дилофте имел право выйти из игры и предъявить «Лабораториям Акермана» индивидуальный иск. Поскольку в коалиции участвовали адвокаты со всех концов страны, неизбежно возникали конфликты. Кому-то не нравилось, что дело зарегистрировано в Билокси, они хотели подать собственный иск в своем городе. Кто-то не любил Пэттона Френча. Находились такие, которые желали довести дело до суда и выиграть крупный вердикт.

Но Френчу подобные баталии были не в новинку. Он не вылезал из своего «гольфстрима», мотался по стране от побережья к побережью, встречался с адвокатами, имевшими на руках всего по нескольку сотен дел, и непостижимым образом поддерживал целостность коалиции, обещая, что в Билокси сможет добиться более крупных и выгодных для всех компенсаций.

Он ежедневно вел переговоры со штатным юрисконсультом «Лабораторий Акермана», опытным, закаленным бойцом. Тот дважды пытался уйти из компании, но совет директоров его не отпустил. Послание Френча было простым и ясным: лучше договориться напрямую, без привлеченных адвокатов, поскольку вы прекрасно знаете, что выходить с таким препаратом на суд для вас смерти подобно. И у «Акермана» наконец начали прислушиваться к этому предложению.

В середине августа Френч назначил общий слет всех участников коалиции на своем обширном ранчо неподалеку от Кетчума, Айдахо. Он объяснил Клею, что его присутствие как члена комитета обязательно, к тому же, что не менее важно, союзникам не терпится познакомиться с восходящей звездой адвокатского корпуса, человеком, выпустившим из бутылки джинна по имени Дилофт.

— И вообще с этих ребят нельзя спускать глаз, а то они всадят тебе нож в спину, — сказал он.

— Приеду, — пообещал Клей.

— Я пошлю за вами самолет, — предложил Френч.

— Спасибо, не нужно, сам доберусь.

Клей арендовал «Лир-35», симпатичный маленький самолет, втрое уступающий размерами «Гольфстриму-5», но, поскольку путешествовал он один, этот малыш его вполне устраивал. В аэропорту Рейгана он оказался в толпе таких же важных шишек, как он сам, только постарше, и отчаянно старался вести себя так, словно ничего необычного для него не было в том, чтобы летать по делам на собственном самолете. Конечно, он всего-навсего арендовал его в чартерной компании, но на предстоящие три дня самолет безраздельно принадлежал ему. Пилоты ждали Картера возле частного терминала.

Пока самолет взлетал и брал курс на север, Клей смотрел на извивающийся внизу Потомак, на мемориал Линкольна и другие достопримечательности Вашингтона. Он увидел дом, в котором располагался его офис, а чуть подальше — здание Бюро государственных защитников. Что бы подумали Гленда, Жермен и остальные, кого он там оставил, если бы увидели его сейчас?

Что бы подумала Ребекка?

Ах, если бы у нее хватило терпения подождать еще чуть-чуть.

В последний месяц у него было слишком мало времени, чтобы подумать о ней.

Самолет вошел в облака, земля скрылась из виду. Вскоре Вашингтон остался далеко позади. Клей Картер летел на секретное совещание богатейших адвокатов Америки, специалистов по коллективным искам, тех, кому доставало ума и мускульной силы тягаться с самыми могущественными корпорациями.

И они хотели познакомиться с ним!

Его самолет оказался самым маленьким на стоянке аэропорта «Кетчум — Сан-Вэлли» во Фридмене, Айдахо. Пока его буксировали мимо «гольфстримов» и «челленджеров», Клея посетило неуютное ощущение ущербности: нужно было арендовать лайнер покрупнее. Однако, тут же опомнившись, он рассмеялся: сидит в обитом кожей салоне трехмиллионного «лира» и сокрушается, что не взял что-нибудь побольше! По крайней мере он не утратил еще способности к самоиронии. Что будет, когда эта способность его покинет?

Они припарковались возле знакомого самолета, на хвосте которого значился номер 000КИ — ноль, ноль, ноль Коллективный Иск, — второго, летающего, дома Пэттона Френча. Рядом с ним «лир» казался еще меньше, и несколько секунд Клей, задрав голову, с откровенной завистью смотрел на этот самый роскошный в мире частный самолет.

Микроавтобус с ряженым ковбоем за рулем ждал его у выхода. К счастью, водитель попался неразговорчивый, и Клей сорок пять минут молча наслаждался дорогой, пока они поднимались по серпантину, который становился все уже. Клея нисколько не удивило, что обширные владения Пэттона напоминали красивую новенькую открытку, — другого он и не ждал. Дом представлял собой многоэтажный особняк с большим количеством флигелей, так что мог дать приют целой адвокатской конторе средних размеров. Еще один ряженый принял у Клея багаж.

— Мистер Френч ожидает вас на задней террасе, — сказал он так, словно мистер Картер был здесь завсегдатаем.

Когда Клей вышел на террасу, разговор шел о Швейцарии, вернее, о горнолыжных курортах, которые предпочитали адвокаты. Четыре члена комитета вальяжно развалились в шезлонгах, созерцая горы, попыхивая темными сигарами и налегая на напитки. При появлении Клея все встали, как встает зал при появлении судьи. За первые же три минуты бурных приветствий его назвали «блестящим», «проницательным», «бесстрашным» и, что понравилось ему больше всего, «провидцем».

— Вы должны рассказать нам, как вышли на дилофт, — сказал Карлос Эрнандес.

— Он не расскажет, — заверил его Френч, готовя для Клея какую-то адскую смесь.

— Да будет вам, — не поверил Уэс Солсбери, новоиспеченный друг Клея. За несколько минут знакомства он успел поведать ему о том, что три года назад сорвал около полумиллиарда на сделке с некой табачной компанией.

— Я дал обет молчания, — подтвердил Клей.

Другим новоорлеанским адвокатом был Деймон Дидье, один из докладчиков на семинаре, который Клей посетил во время слета кружка барристеров. У Дидье были каменное лицо и стальные глаза. Клей вспомнил, что тогда еще удивился: как такой человек может входить в контакт с каким бы то ни было жюри присяжных? Вскоре Клею стало известно, что Дидье огреб кучу денег, когда речной пароход, на борту которого находилось целое студенческое землячество, затонул в озере Понтчартрейн. Какая мерзость.

Всем им не хватало лишь черных повязок на глазу и медалей на груди, как героям войны. Вот эту, мол, я получил за взрыв танкера, в результате которого погибло двадцать человек. А эту — за тех ребят, что сгорели на морской буровой вышке. А вот эту большую — за кампанию против «Тощего Бена». Эта — награда за боевые действия против табака. Эта — за битву с департаментом санитарно-эпидемиологического надзора.

Клей, у которого не было собственных «военных мемуаров», просто слушал. Конечно, можно было переплюнуть всех, рассказав историю с тарваном, но он ни за что не стал бы этого делать.

Дворецкий в рубашке под Роя Роджерса доложил мистеру Френчу, что ужин будет подан через час. Все спустились в комнату с бильярдными столами и большими экранами. Здесь около дюжины белых мужчин пили, болтали и орудовали киями.

— Конспиративное гнездо, — шепнул Клею Эрнандес.

Пэттон представил ему присутствующих. Имена, лица, названия городов — Сиэтл, Хьюстон, Топика, Бостон, какие-то другие, коих он даже не разобрал, и еще Эффингем, Иллинойс. Все джентльмены отдали должное «блестящему» молодому адвокату, который потряс их своим дерзким штурмом дилофта.

— Я увидел рекламу в первый же вечер, когда она была запущена, — сказал Берни-какой-то из Бостона. — До той поры я и названия-то такого — дилофт — не слышал. Поэтому позвонил на вашу горячую линию и поговорил с приятным молодым человеком. Я навешал ему лапши на уши, сказал, что принимаю это лекарство и все такое прочее. Потом зашел на ваш сайт. Он сработан превосходно. И я сказал себе: «Меня обставили». А три дня спустя уже открыл собственную горячую линию «Дилофт».

Все рассмеялись — вероятно, потому, что каждый мог рассказать о себе подобную историю. Клею до тех пор даже в голову не приходило, что другие адвокаты станут звонить в его офис и пользоваться его сайтом, чтобы красть у него клиентов. Но почему, собственно, это должно его удивлять?

Когда с восторгами было покончено, Френч сообщил, что до ужина, во время которого, кстати, им предложат сказочный выбор австралийских вин, необходимо кое-что обсудить. У Клея уже и так кружилась голова от крепкой кубинской сигары и первой двойной порции водки. Он был самым молодым среди присутствующих и во всех отношениях чувствовал себя новичком. Особенно это касалось выпивки. Здесь его окружали профессионалы по этой части.

Самый молодой адвокат. Самый маленький самолет. Самая слабая печень... Клей решил, что пора взрослеть.

Все сгрудились вокруг Френча. Ради таких вот минут он и жил.

— Как вам известно, я потратил кучу времени на переговоры с Уиксом, юрисконсультом «Лабораторий Акермана». В результате они согласились на сделку, причем быструю. Их атакуют со всех сторон, и они хотят уладить все как можно скорее. Акции упали настолько, что они опасаются за свой контрольный пакет. Хищники вроде нас готовы растерзать их. Если компания будет знать, во что обойдется им сделка по дилофту, они могли бы реструктурировать некоторые свои долги и удержаться. Чего они больше всего не хотят, так это затяжного судебного разбирательства на многих фронтах, которое может повлечь множество суровых вердиктов. Плюс к тому отстегивать десятки миллионов долларов на защиту.

— Бедняги, — притворно посочувствовал кто-то.

— «Бизнес уик» намекал на банкротство, — заметил кто-то другой. — Они не прибегали к этой угрозе?

— Пока нет. И думаю, не станут. У «Акермана» слишком много активов. Мы только что завершили финансовый анализ — утром он будет вам представлен, — так вот, наши эксперты считают, что компания может выделить на сделку по дилофту от двух до трех миллиардов.

— А какова сумма их страховки?

— Всего триста миллионов. В течение последнего года на рынке успешно действовала их дочерняя компания по производству косметики. Они просят за нее миллиард. Реальная цена — три четверти этой суммы. Но они могут скинуть ее за полмиллиарда и получить достаточно наличных, чтобы удовлетворить наших клиентов.

Клей заметил, что о клиентах здесь вспоминали редко.

Стервятники еще теснее обступили Френча, а тот продолжал:

— Нам нужно выяснить два вопроса. Первый: сколько клиентов мы можем получить в общей сложности? И второй: какую цену назначить каждому?

— Давайте подсчитаем то, что имеем пока, — прогудел какой-то техасец. — У меня тысяча.

— У меня восемьсот, — подхватил Френч. — Карлос?

— Две тысячи, — ответил Эрнандес и начал записывать.

— Уэс?

— Девятьсот.

У адвоката из Топики оказалось меньше всех — шестьсот. Пока потолок составлял две тысячи. Но главное Френч приберег напоследок.

— Клей? — спросил он, и все обратились в слух.

— Три тысячи двести, — ответил Картер, сумев сохранить непроницаемый вид игрока в покер. Его новообретенные собратья выразили восхищение. По крайней мере сделали вид, что восхищены.

— Вот это хватка! — воскликнул кто-то.

Клей подозревал, что под белозубыми улыбками и ободряющими восклицаниями коллег кроется черная зависть.

— Итого двадцать четыре тысячи, — закончил подсчеты Карлос.

— Думаю, мы смело можем удвоить эту цифру, что составит около пятидесяти тысяч. Примерно на столько «Акерман» и рассчитывает. Два миллиарда разделить на пятьдесят тысяч — получается по сорок тысяч на нос. Неплохая стартовая сумма.

Клей быстро произвел в уме собственные подсчеты: сорок тысяч умножить на три тысячи двести... это будет более ста двадцати миллионов. Треть от этой суммы составит... он ощутил слабость в коленках.

— А процент злокачественных опухолей?

— По подсчетам компании, такие случаи составляют около одного процента.

— То есть пять тысяч дел.

— Как минимум по миллиону каждому.

— Это еще полмиллиарда.

— Миллион — это несерьезно.

— В Сиэтле меньше чем на пять миллионов никто не согласится.

— Мы ведь говорим о противоправных случаях, повлекших за собой смерть.

У каждого адвоката было собственное мнение, и они наперебой принялись их высказывать. Восстановив порядок, Френч провозгласил:

— Джентльмены, ужин!

Ужин обернулся сплошным кошмаром. Обеденный стол представлял собой гигантский полированный брус, выточенный из целого дерева — великолепного красного клена, простоявшего несколько веков, пока он не понадобился богатой Америке. За этим столом могли усесться по меньшей мере сорок человек. В тот вечер гостей было всего восемнадцать, и они благоразумно рассредоточились по периметру стола, иначе дело могло дойти и до потасовки.

Среди всех этих бойких парней, каждый из которых мнил себя яркой личностью и лучшим адвокатом на свете, самым мерзким пустозвоном был громогласный и настырный техасец Виктор К. Бреннан из Хьюстона. После третьего или четвертого бокала, не успев разделаться с толстенным бифштексом, он начал сетовать на слишком малые суммы компенсаций. У него был некий сорокалетний клиент, делавший большие деньги, процветавший, а теперь вот заполучивший из-за дилофта злокачественную опухоль.

— Я мог бы от любого техасского жюри добиться для него десяти миллионов прямой компенсации и еще двадцати за моральный ущерб и упущенную выгоду, — вещал он.

Большинство присутствующих с этим согласились. Некоторые даже заявили, что могли бы на своей площадке достичь и большего. Френч твердо придерживался теории, что если несколько человек получат миллионы, то основной массе пострадавших останутся крохи. Бреннан на это не клюнул, но для возражений нужной аргументации не нашел. Просто у него было смутное подозрение, что «Лаборатории Акермана» располагают гораздо большей наличностью, чем хотят показать.

Сотрапезники разделились на две группы, но состав их менялся так быстро и принадлежность каждого к той или иной партии была настолько зыбкой, что о большинстве присутствующих Клей не мог бы даже сказать, какую, собственно, точку зрения кто защищает. Френч подловил Бреннана на утверждении, будто тот может выторговать столь высокий штраф, заметив, что доказать дело в суде будет не так-то просто.

— Но у вас же имеются какие-то документы, если я правильно понял? — не сдавался Бреннан.

— Клей достал кое-какие документы. «Акерман» пока этого не знает. Вы, ребята, их не видели и никогда не увидите, если отколетесь от нас.

Все семнадцать человек (исключая Клея) отложили ножи и вилки и одновременно загалдели. Официанты предусмотрительно удалились. Клей так и видел, как они попрятались под кухонные столы. Бреннану не терпелось с кем-нибудь сцепиться. Уэс Солсбери не собирался отступать. Посыпались нецензурные выражения. В разгар этой грызни Клей взглянул в дальний конец стола и увидел, что Пэттон Френч спокойно понюхал вино в бокале, отпил немного, закрыл глаза и предался смакованию нового сорта.

Сколько таких драк довелось ему вот так же невозмутимо пережить на своем веку? Сотни? Клей отрезал кусок бифштекса.

Когда гвалт утих, Берни из Бостона рассказал анекдот про католического священника, и все стервятники разразились дружным хохотом. Минут пять адвокаты наслаждались едой и винами, пока Алберт из Топики не предложил свой вариант: довести «Лаборатории Акермана» до банкротства. Он дважды проделывал такой трюк с другими компаниями и добивался неплохих результатов. В обоих случаях его жертвы использовали закон о банкротстве, чтобы выпотрошить свои банки и кредиторов и таким образом выплатить Алберту и тысячам его клиентов максимум наличными. Кое-кто выразил сомнение по поводу его стратегии, Алберт оскорбился, и вскоре в зале бушевала новая свара.

Они ссорились друг с другом весь вечер — снова возникал вопрос о документах, снова предлагалось идти в суд, вместо того чтобы добиваться быстрого соглашения, вновь и вновь поднималась тема «своей площадки», объединения дел и расходов, обсуждались гонорары. У Клея в желудке стоял ком, и он не произнес ни слова. Остальные же, казалось, получали от еды огромное удовольствие, не переставая при этом вести перепалку с двумя или тремя оппонентами одновременно.

Вот что значит опыт, сказал себе Картер.

По окончании этого самого долгого в жизни Клея ужина Френч повел всех обратно в бильярдную, где их ждали коньяк и сигары. Люди, в течение трех часов казавшиеся непримиримыми противниками, теперь пили и смеялись, как члены одного дружного землячества. При первой же возможности Клей улизнул и, затратив немало усилий, нашел наконец свою комнату.

Доклад Барри и Харри Шоу был назначен на десять утра в субботу — время, когда все отсыпались с похмелья или давились обильным завтраком. Френч организовал ловлю форели и стрельбу по тарелочкам, но ни один адвокат не принял участия в развлечениях.

Барри и Харри имели в Нью-Йорке собственную фирму, которая занималась исключительно тем, что анализировала состояние финансов компаний, предназначенных в жертву. У них были свои источники, обширные связи, шпионы, и они имели репутацию людей, способных влезть под кожу любой корпорации и выяснить истинное положение дел. Френч вызвал их для часового доклада.

— Это обошлось нам в двести «косых», — с гордостью шепнул он Клею на ухо. — Но мы заставим «Акермана» возместить и этот расход. Не сомневайтесь.

Тактика доклада была у них давно разработана: Барри чертил графики, Харри водил по ним указкой — точь-в-точь два профессора на лекции. Оба стояли лицом к публике в небольшом зале, расположенном под бильярдной. На сей раз адвокаты слушали молча.

Сумма страховки «Лабораторий Акермана» составляла минимум пятьсот миллионов — триста от страховщика ответственности и двести от вторичного страховщика. Анализ движения денежной наличности был особенно насыщенным, Харри и Барри говорили оба, дополняя друг друга. Они жонглировали цифрами и процентами до тех пор, пока всю честную компанию не начало клонить в сон.

Потом специалисты коснулись дочерней компании «Лабораторий Акермана» по производству косметики. При срочной продаже она могла принести корпорации шестьсот миллионов. В Мехико было также подразделение компании, производящее пластмассы, которое хозяева были готовы скинуть за двести миллионов. Чтобы объяснить структуру долгов «Лабораторий Акермана», потребовалось еще пятнадцать минут.

Барри и Харри сами были адвокатами и прекрасно знали, как определить предполагаемый размер денежной компенсации за причиненный ущерб, который могла себе позволить компания, стремящаяся избежать массового иска в связи с таким бедствием, каким оказался дилофт. Самым мудрым решением для «Акермана» было согласиться на быструю поэтапную досудебную сделку — «блинчатую» сделку, как назвал ее Харри.

Клей не сомневался, что он единственный в зале, кто не понимает смысла выражения «блинчатая сделка».

— Первый этап — выплата двух миллиардов всем истцам первой очереди, — продолжал Харри, расшифровывая, на радость Клею, составные такого соглашения.

— Мы полагаем, что они выразят готовность провести ее в течение трех месяцев, — дополнил Барри.

— Этап второй. Полмиллиарда истцам второй очереди, то есть тем, кто имеет злокачественные опухоли, но пока живы.

— Третий этап остается открытым в течение пяти лет. Это возмещение ущерба родственникам умерших.

— Мы считаем, что «Акерман» может выплатить около двух с половиной — трех миллиардов в будущем году и еще полмиллиарда в течение предстоящих пяти лет.

— Все, что не входит в поименованные случаи, изложено в пункте одиннадцатом.

— Но все остальное нецелесообразно для данной компании, поскольку слишком многие банки обладают преимущественным правом ареста имущества.

— А процедура банкротства серьезно уменьшит поток денег. К тому же, чтобы добиться удобоваримого соглашения на этих условиях, понадобится от трех до пяти лет.

Адвокаты, разумеется, захотели немного поспорить. Некий Винсент из Питсбурга был особенно настроен произвести впечатление на присутствующих своими познаниями в сфере финансов. Однако Барри и Харри живо поставили его на место и час спустя отправились на рыбалку.

Френч занял их место на кафедре. Все аргументы были изложены, споры прекратились, пора было принимать план действий.

В первую очередь следовало подобрать оставшиеся дела. Здесь каждый действовал сам за себя, без ограничений. Поскольку они предполагали, что до сих пор собрано лишь около половины клиентов, осталось еще немало. Их надо было найти. Следовало искать мелких адвокатов, имеющих на руках всего по двадцать — тридцать дел, и присоединять к групповому иску. Сделать это было необходимо всеми правдами и неправдами.

Второе. Не позже чем через два месяца провести совещание с юристами «Лабораторий Акермана». Управляющий комитет истцов должен был назначить встречу и разослать уведомления.

Третье. Необходимо было любыми способами сохранить целостность коалиции. Сила в цифрах. Тем, кто отколется и захочет вести отдельные дела в суде, будет перекрыт доступ ко всем документам. Вот так, без обиняков. Круто, но дело есть дело.

У каждого из присутствующих адвокатов нашлись мелкие возражения по поводу тех или иных деталей изложенного плана, но союз был сохранен. Создавалось впечатление, что по делу о дилофте можно будет достичь самого быстрого в истории коллективных тяжб соглашения. Адвокаты уже ощущали запах денег.

21

Новый этап реорганизации юной адвокатской конторы проходил в том же лихорадочном режиме, что и предыдущие, и по тем же причинам: слишком много новых клиентов, слишком много бумажной работы, недостаточно рабочих рук, нечеткая схема управления и очень неуверенное руководство, поскольку начальство фирмы, за исключением, может быть, мисс Глик, никогда прежде руководящей деятельностью не занималось. Через три дня после возвращения Клея из Кетчума Полетт и Иона явились в его кабинет с длинным списком неотложных проблем. На корабле назревал бунт. Нервы были накалены до предела, положение усугублялось крайней усталостью сотрудников.

По самым щадящим расчетам, у фирмы на тот момент было три тысячи триста двадцать реальных дел по дилофту, и, поскольку многие клиенты присоединились в самое последнее время, они требовали особого внимания. Если не считать Полетт, которая с большой неохотой согласилась исполнять обязанности главного менеджера, Ионы, который по десять часов в сутки не отходил от компьютеров, чтобы держать под контролем регистрацию нескончаемого потока клиентов, и, разумеется, Клея, который как руководитель был вынужден давать интервью и летать в Айдахо, в фирме теперь работали еще два новых адвоката и десять параюристов, чей профессиональный опыт исчислялся не более чем тремя месяцами, — разумеется, за исключением Родни.

— Я не могу пока сказать, кто из них годится, а кто нет, — жаловалась Полетт. — Слишком мало времени прошло.

На долю каждого параюриста приходилось от ста до двухсот дел.

— Клиенты напуганы, — говорила она. — Напуганы потому, что у них обнаружили опухоли. Напуганы тем, что вся пресса беспрестанно трубит о дилофте. Напуганы потому, что мы сами запугали их до чертиков.

— Они хотят, чтобы с ними общались, — подхватил Иона. — И не какой-нибудь заполошный служащий, сидящий на раскаленном многоканальном телефоне, а квалифицированный адвокат. Боюсь, скоро мы начнем терять клиентов.

— Мы не можем себе этого позволить, — встрепенулся Клей, представляя, как все те миленькие акулы, с которыми он познакомился в Айдахо, будут счастливы подобрать эти иски.

— Мы тонем в бумагах, — продолжила Полетт, поддерживая Иону и пропуская мимо ушей замечание Клея. — Каждое предварительное обследование необходимо проанализировать и повторить. Сейчас у нас около четырехсот человек, нуждающихся в дополнительном медицинском освидетельствовании. Эти люди могут оказаться серьезно больными, возможно, на грани смерти, Клей. Кто-то должен координировать их контакты с врачами. Пока же в этом плане ничего не делается, если я правильно понимаю?

— Я слушаю, слушаю, — быстро сказал Клей. — Сколько еще адвокатов нам требуется?

Полетт и Иона обменялись усталыми взглядами. У них не было ответа.

— Человек десять? — неуверенно предположила Полетт.

— Как минимум, — согласился Иона. — И это только на настоящий момент. В дальнейшем может понадобиться больше.

— Мы должны удвоить рекламу, — заметил Клей.

Повисла долгая тяжелая пауза, в течение которой Полетт и Иона осмысливали это сообщение. Потом Клей коротко, не вдаваясь в детали, ознакомил их с итогами своей поездки в Кетчум. Заверил, что скоро каждое дело принесет им большие барыши, но стратегией сделки предпочел не делиться. Болтливые языки — ненадежный процесс, афористически предупредил его Френч, а уж такой непроверенный штат сотрудников, каким располагал Клей, было безопаснее держать в неведении.

Одна из юридических контор, расположенная недалеко от их офиса, только что разослала тридцати пяти своим сотрудникам уведомления об увольнении. Экономика хромала, бухгалтерский сектор сворачивался, банковские объединения испытывали значительные трудности. Какова бы ни была истинная причина, пресса пестрела подобными необычными для округа Колумбия сообщениями, поскольку обычно рынок рабочей силы здесь был пуленепробиваемым. Увольнения! Среди юристов! И это в округе Колумбия?!

Полетт предложила нанять кое-кого из уволенных адвокатов на условиях годичного контракта без обещания продления. Клей вызвался завтра же утром сделать необходимые звонки, а также заняться поисками места для нового офиса и его оборудованием.

У Ионы возникла нетривиальная идея пригласить в штат на один год врача, который координировал бы медицинские обследования и обрабатывал результаты.

— Можно нанять выпускника медицинского факультета за сотню тысяч в год, — сказал он. — У такого, конечно, не много опыта, но в данном случае это не важно. Ему же не операции делать, а с бумажками возиться придется.

— Давай, — одобрил Клей.

Следующей в списке Ионы значилась проблема сайта в Интернете. Благодаря рекламе он стал чрезвычайно популярен, и требовались специальные люди, которые отвечали бы на вопросы посетителей. Кроме того, информацию необходимо было обновлять каждую неделю, чтобы своевременно отражать ход коллективной тяжбы и учитывать самые последние плохие новости о дилофте.

— Клиенты отчаянно жаждут информации, Клей, — сказал он.

Для тех, кто не пользуется услугами Интернета, — а, по прикидкам Полетт, такие составляли половину всех клиентов, — нужно было обязательно выпускать информационный бюллетень.

— Нам потребуется один сотрудник на полный рабочий день, который будет его издавать и рассылать по почте, — заявила она.

— Ты сможешь найти подходящую кандидатуру? — спросил Клей.

— Наверное.

— Тогда займись этим.

Полетт посмотрела на Иону так, словно то, что необходимо было еще сказать, должно было исходить именно от него. Иона бросил на стол блокнот и хрустнул костяшками пальцев.

— Клей, мы тратим прорву денег, — выдавил он наконец. — Ты по-прежнему уверен, что поступаешь правильно?

— Нет, но я все-таки надеюсь, что это так. Просто верьте мне, ладно? Мы на пороге больших денег. Но чтобы сделать их, нужно потратить некоторое количество наличных.

— А у тебя есть наличные? — поинтересовалась Полетт.

— Есть.

Пейс предложил вечером попозже встретиться и выпить в баре неподалеку от дома Клея в Джорджтауне. Он то уезжал, то снова объявлялся в городе, как всегда неопределенно намекая на то, где был и какие «пожары» гасил. Его гардероб посветлел — теперь он предпочитал коричневые тона: коричневые остроносые туфли из змеиной кожи, коричневый замшевый пиджак. Элемент маскировки, подумал Клей. Не успели они выпить по банке пива, как Пейс перешел к дилофту и стало очевидно, что, каким бы ни было его нынешнее дело, оно тоже имело отношение к «Лабораториям Акермана».

Клей, все еще чувствовавший себя неоперившимся птенцом среди орлов, адвокатов-«массовиков», в красках описал свою поездку в поместье Френча, банду грабителей, с которыми там познакомился, трехчасовой ужин, во время которого все напились и говорили разом, а также доклад Барри и Харри Шоу. Он не задумываясь выкладывал Пейсу все подробности, поскольку тот был осведомлен о деле как никто другой.

— Знаю я этих Барри и Харри. — Пейс произнес это так, словно те были известными персонажами преступного мира.

— Они, судя по всему, секут в своем деле. Еще бы, за сто тысяч-то!

Клей рассказал о Карлосе Эрнандесе, Уэсе Солсбери и Деймоне Дидье — своих новоиспеченных коллегах по комитету. О них Пейс тоже слышал.

За второй банкой пива он спросил:

— Вы ведь играете на акциях «Акермана»? — и воровато огляделся, но их никто не подслушивал. В этом студенческом баре поздними будними вечерами было тихо.

— Продал сто тысяч акций по сорок два пятьдесят, — гордо сообщил Клей.

— Сегодня они закрылись на отметке двадцать три.

— Знаю, проверяю каждый день.

— Пора выкупать. Завтра же с утра.

— Что-то происходит?

— Да. И раз уж вы в этом участвуете, покупайте сколько можете по двадцать три, после чего ждите начала гонки.

— И к какому результату она может привести?

— К двойному.

Шесть часов спустя, еще до рассвета, Клей уже сидел в своем кабинете, пытаясь подготовиться к новому безумному дню. И с нетерпением ожидал открытия торгов на бирже. Список дел, назначенных на сегодня, занимал две страницы. В первую очередь они касались труднейшей задачи как можно скорее нанять десять новых адвокатов и арендовать для них помещение. Задача казалась почти невыполнимой, но выбора не было. В половине восьмого Картер позвонил риелтору, выдернув того из-под душа. В половине девятого состоялась десятиминутная беседа с только что потерявшим работу молодым адвокатом Оскаром Малруни. Бедолага был звездой своего курса в Йеле, по окончании университета сразу же получил хорошее место и вот теперь оказался на улице из-за того, что фирма-гигант, в которой он трудился, взорвалась изнутри. Парень женился два месяца назад, и ему отчаянно была нужна работа. Клей нанял его за семьдесят пять тысяч в год. У Малруни было четверо друзей, все выпускники Йеля, которые тоже оказались не у дел и искали работу. Клей велел привести и их.

В десять он позвонил своему брокеру и попросил выкупить проданные акермановские акции, на чем заработал миллион девятьсот тысяч с мелочью, и сразу же купить еще двести тысяч акций по двадцать три доллара за счет маржи*,

* В срочных фондовых операциях — разница между курсом ценной бумаги на день заключения и день исполнения сделки или разница между ценой покупателя и продавца.

добавив недостающее из кредита по открытому счету. Все утро он следил за ходом торгов по Интернету. Ситуация не менялась.

Малруни появился в полдень с четырьмя друзьями, как юные бойскауты, горевшими нетерпением приступить к работе. Клей нанял всех, поручил взять напрокат мебель, подключить телефоны — словом, сделать все необходимое для того, чтобы начать новую для них карьеру младших адвокатов-«массовиков». Оскар получил задание подобрать еще пятерых, коим предписывалось самостоятельно найти для себя помещение и так далее.

Так родилось «Йельское отделение» фирмы.

В пять часов дня по восточному времени компания «Фило продактс» объявила, что начинает скупать обычные акции «Лабораторий Акермана» по пятьдесят долларов на общую сумму четырнадцать миллиардов. Клей наблюдал разворачивающуюся драму на большом экране в зале заседаний в одиночестве — все остальные висели на проклятых телефонах. Круглосуточные деловые каналы захлебывались новостью. Репортеры Си-эн-эн толпились у ворот нью-йоркской штаб-квартиры «Акермана», словно ожидая, что осажденная компания в полном составе вот-вот появится, чтобы выплакаться перед камерами.

Бесконечная череда экспертов и рыночных аналитиков высказывала свои ни на чем не основанные мнения. Тема дилофта всплыла сразу же и повторялась многократно. Хотя «Лаборатории Акермана» уже несколько лет управлялись бездарно, дилофт, безусловно, подкосил компанию окончательно.

Интересно, не являлся ли этот «Фило» производителем тарвана, клиентом Пейса? И не стал ли Клей одной из марионеток, способствовавших передаче контрольного пакета акций фармацевтической компании новому владельцу всего за четырнадцать миллиардов? И что самое тревожное:

как все это отразится на будущем компании и соответственно на деле о дилофте? Хотя было очень приятно подсчитывать новые барыши от акермановских акций, Клей не мог не задаваться вопросом, долго ли все это продлится.

Но суть состояла в том, что просчитать это было невозможно. Он стал лишь пешкой в гигантской деловой игре, которую вели две корпорации-колосса. У «Лабораторий Акермана» имеются активы, утешал он себя. Компания выпустила на рынок очень опасный продукт, который причинил вред многим людям. Прежде всего нужно думать о правосудии.

Пэттон Френч позвонил из самолета, он находился где-то между Флоридой и Техасом, и попросил Клея никуда не отлучаться в течение ближайшего часа. Управляющий комитет истцов должен провести срочное селекторное совещание. Секретарь Френча в настоящий момент его организовывает.

Через час Френч снова был на проводе, уже из Бомонта, где на следующий день встречался с адвокатами, которые вели дело о каком-то антилипидном препарате и нуждались в его помощи. Это дело тоже стоило кучу денег. К сожалению, ему не удалось найти других членов комитета. Он уже переговорил с Барри и Харри, их переход контрольного пакета акций к «Фило продактс» не пугал. «"Акерман" владеет двенадцатью миллионами собственных акций, которые в настоящий момент стоят минимум пятьдесят долларов за штуку и, вероятно, подорожают еще, прежде чем уляжется пыль, — считали эксперты. — Таким образом компания только что лишь на марже заработала шестьсот миллионов. Кроме того, правительство должно утвердить переход контрольного пакета, а оно, прежде чем дать согласие, обычно требовало уладить все юридические претензии. Плюс фирма «Фило продактс» прославилась именно своей склонностью обходить суды стороной. Они свои дела улаживают быстро и тихо».

Очень похоже на тарван, подумал Клей.

— В конечном итоге это хорошая новость, — заключил Френч. Клей слышал, как где-то рядом жужжит факс. Он живо представил, как Френч вышагивает по салону самолета в ожидании трапа. — Я буду держать вас в курсе. — И Френч дал отбой.

22

Рексу Гриттлу хотелось поворчать, почитать нотацию, пожурить, еще он хотел, чтобы его успокоили, но клиента, сидевшего напротив, казалось, совершенно не впечатляли приводимые Гриттлом цифры.

— Вашей фирме всего полгода, — говорил финансист, оторвавшись от лежавшей перед ним стопки платежных документов и глядя на Клея поверх очков. У него в руках были неоспоримые доказательства того, что мелкая юридическая фирма Клея Картера на самом деле управляется идиотами. — Ваши накладные расходы и так начинались с немалой суммы — семьдесят пять тысяч в месяц — три адвоката, один параюрист, секретарша, солидная рента, недурная обстановка, — но теперь они перевалили за полмиллиона и растут с каждым днем!

— Чтобы зарабатывать, надо тратить, — в который раз повторил Клей, потягивая кофе и радуясь тому, что Гриттл так волнуется. Если бухгалтер теряет сон и аппетит из-за расходов своего клиента больше, чем сам клиент, — значит, это хороший бухгалтер.

— Но вы-то не зарабатываете, — ехидно заметил Гриттл. — За последние три месяца у вас не было никаких доходов.

— Это был неплохой год.

— О да! Пятнадцать миллионов за год — великолепный результат. Проблема лишь в том, что деньги тают. Вы за последний месяц истратили четырнадцать тысяч долларов только на фрахт частных самолетов.

— Хорошо, что вы об этом упомянули. Я собираюсь купить самолет и хочу, чтобы вы прикинули сумму.

— Я как раз этим сейчас и занимаюсь. Вы не сможете оправдать такой расход.

— Вопрос не в этом. Вопрос в том, могу ли я позволить себе эту покупку.

— Нет, конечно, не можете!

— Потерпите, Рекс. Скоро положение значительно улучшится.

— Я так понимаю, вы имеете в виду дело о дилофте? Четыре миллиона долларов на рекламу. Три тысячи в месяц на сайт в Интернете. Теперь еще три тысячи на ежемесячный бюллетень. А все эти параюристы, которые сидят в Манассасе! А новые адвокаты!

— Думаю, ответа требует вопрос: арендовать ли мне самолет на пять лет или лучше купить?

— Что?

— «Гольфстрим».

— Что такое «гольфстрим»?

— Самый замечательный частный самолет в мире.

— Что вы собираетесь с ним делать?

— Летать на нем.

— Послушайте, неужели вы действительно считаете, что вам необходим самолет?

— Это любимый самолет всех крупных адвокатов-«массовиков».

— А-а, ну тогда конечно.

— Думаю, вам придется с этим смириться.

— И сколько может стоить такая игрушка?

— Сорок — сорок пять миллионов.

— Мне неприятно это вам сообщать, Клей, но у вас нет сорока миллионов.

— Вы правы. Придется арендовать.

Гриттл снял очки и начал тереть свой длинный тонкий нос так, словно у него начинался чудовищный приступ головной боли.

— Послушайте, Клей, я всего лишь ваш бухгалтер, но боюсь, что больше некому посоветовать вам придержать коней, так что вы уж потерпите. Вы сделали себе состояние. Наслаждайтесь им. Вам не нужна такая большая фирма со столькими адвокатами. Вам не нужен самолет. Что последует за ним? Яхта?

— Да.

— Вы серьезно?

— Да.

— Мне казалось, вы терпеть не можете кораблей.

— Не могу. Но это не для меня, а для моего отца. Можно как-нибудь удешевить покупку самолета?

— Нет.

— Уверен, что можно.

— Как?

— Буду сдавать его в аренду, когда он мне самому не будет нужен.

Закончив массаж носа, Гриттл снова водрузил на него очки и сказал:

— Ну что ж, в конце концов, это ваши деньги, приятель.

Они собрались в Нью-Йорке, на нейтральной территории, в ничем не примечательном танцзале старой гостиницы неподалеку от Центрального парка, последнем месте, где кто-либо ожидал увидеть сборище таких важных персон. По одну сторону стола сидели члены управляющего комитета истцов по делу о дилофте, пять человек, включая молодого Клея Картера, который явно чувствовал себя не в своей тарелке. У них за спинами сгрудились помощники, референты и мальчики на побегушках, которых набрал Пэттон Френч. Напротив восседала команда «Акермана» во главе с Кэлом Уиксом, уважаемым ветераном, окруженным не менее многочисленной группой поддержки.

За неделю до того правительство утвердило переход контрольного пакета их акций к «Фило продактс» при стоимости одной акции в пятьдесят три доллара, что для Клея означало дополнительный доход примерно миллионов в шесть, причем половину этой суммы он перевел на неприкосновенный оффшорный счет. Таким образом, почтенная фирма, основанная братьями Акерман столетие назад, должна была вот-вот оказаться поглощенной компанией «Фило продактс», имевшей вдвое меньший доход, чем корпорация «Акермана», зато куда меньше долгов и гораздо лучший менеджмент.

Усевшись на свое место, разложив бумаги и попытавшись убедить себя, что находится здесь, черт возьми, по праву, Клей заметил, как на противоположной стороне стола кое-кто нахмурился. Люди из «Лабораторий Акермана» впервые увидели в лицо молодого выскочку из округа Колумбия, который устроил им этот кошмар с дилофтом.

У Пэттона Френча было множество запасных вариантов, но он в них не нуждался. Он взял бразды правления в свои руки, и вскоре все слушали его молча, если не считать Уикса, но и тот вступал только в случае крайней необходимости. Все утро адвокаты потратили на обсуждение всех деталей дел, связанных с ущербом от дилофта. Групповой иск, предъявленный в Билокси, включал тридцать шесть тысяч семьсот истцов. Группа ренегатов из Джорджии располагала пятью тысячами двумястами дел и грозила предъявить еще один коллективный иск. Френч был уверен, что ему удастся их разубедить. Были адвокаты, отколовшиеся от группы и планировавшие сольные выступления на своих судебных площадках, но и они Френча не тревожили, поскольку не располагали весомыми экспертными заключениями и прочими документами и не имели шанса их заполучить.

Цифры отскакивали от зубов, и Клей начал скучать. Единственная цифра, которая была для него важна, — пять тысяч триста восемьдесят — количество его собственных клиентов. У него по-прежнему была самая многочисленная группа истцов, хотя Френч успешно догонял его и уже перевалил за пять тысяч.

После трех часов статистической информации решили сделать перерыв на обед. Управляющий комитет истцов отправился наверх, в снятые апартаменты, где для них были приготовлены сандвичи, а из напитков — только вода. Френч тут же припал к телефону, Уэс Солсбери изъявил желание подышать свежим воздухом и пригласил Клея прогуляться. Они пошли по противоположной парку стороне Пятой авеню. Стояла середина ноября, воздух был холодным и прозрачным, ветер гнал по асфальту опавшие листья. Лучшее время в Нью-Йорке.

— Обожаю приезжать сюда и обожаю уезжать, — сказал Солсбери. — В Новом Орлеане сейчас восемьдесят пять* и влажность по-прежнему не ниже девяноста процентов.

Клей слушал молча. Он был слишком озабочен важностью момента: сделка, до заключения которой остались считанные часы, баснословные гонорары, возможности, которые открывало положение молодого, абсолютно свободного и состоятельного мужчины...

— Сколько вам лет, Клей? — спросил Уэс.

— Тридцать один.

— Когда мне был тридцать один год, мы с партнером добились потрясающего соглашения по делу о взорвавшемся танкере. Жуткая история, там сгорело человек двенадцать. Мы разделили ровно пополам гонорар в двадцать восемь миллионов. Мой партнер взял свою долю и отошел от дел. Я свою инвестировал в себя самого. Создал адвокатскую фирму из преданных судейских бойцов, большинство из которых талантливые люди и действительно любят свою работу. Построил здание в центре Нового Орлеана, искал и привлекал лучших профессионалов. Теперь у меня почти девяносто юристов. За прошлый год мы огребли восемьсот миллионов долларов в гонорарах. А мой старый партнер? Печальная судьба. Нельзя уходить в отставку, когда тебе тридцать три, это неестественно. Большая часть денег пош-

* По Фаренгейту. Около тридцати градусов по Цельсию.

ла прахом. Три неудачных женитьбы. Пристрастие к азартным играм. Два года назад я взял его в фирму в качестве простого служащего на жалованье в шестьдесят тысяч, но он и этой суммы не стоит.

— Я не собираюсь отходить от дел, — сказал Клей. Соврал.

— И не надо. Вы можете заработать кучу денег, и вы их стоите. Наслаждайтесь. Купите самолет, симпатичную яхту, квартиру на морском побережье, поместье, всякие такие игрушки. Но обязательно засевайте серьезными деньгами свою профессиональную ниву. Послушайтесь совета умудренного опытом человека.

— Благодарю, я ценю ваш совет.

Они свернули на Семьдесят третью и двинулись на восток. Солсбери еще не закончил свои поучения:

— Вы разбираетесь в делах, связанных со свинцовыми красками?

— Не очень.

— Эти дела не такие шумные, как фармацевтические, но очень доходные. Я пристрастился к ним лет десять назад. Наши клиенты — школы, церкви, больницы, коммерческие здания. Все они выкрашены изнутри красками с высоким содержанием свинца. Очень опасными. Мы судились с их производителями, с некоторыми достигли соглашений. Пока на пару миллиардов. Копаясь в делах одной такой компании, я наткнулся на другое небольшое дельце, которое могло бы вас заинтересовать. В силу некоторых обстоятельств я сам не могу им заняться.

— Я весь внимание.

— Эта компания базируется в Ридсбурге, Пенсильвания, и производит раствор, которым каменщики скрепляют кладку при строительстве частных домов. Весьма примитивный продукт, но это золотая мина. Похоже, с этим раствором у них большие проблемы. Года через три он начинает крошиться, и тогда кирпичи выпадают. В Балтиморе домов, построенных с применением этого раствора, около двух тысяч. Только-только сейчас начинает становиться заметным, что они потихоньку рушатся.

— Какой может быть сумма возмещения ущерба?

— По грубым подсчетам, пятнадцать тысяч за дом.

Пятнадцать тысяч на две тысячи, гонорар по контракту — треть общей суммы, получается десять миллионов. Клей научился быстро считать.

— Доказать недоброкачественность продукта не составит труда, — продолжал Солсбери. — Компания знает, что ее продукт подвержен разрушению под воздействием погодных условий. Договориться о сделке — не проблема.

— Я хотел бы взглянуть на документы.

— Я вам их пришлю, но вы должны сохранить мое участие в тайне.

— Хотите войти в долю?

— Нет. Просто это моя благодарность за дилофт. Ну и, разумеется, если у вас когда-нибудь возникнет возможность отплатить мне любезностью за любезность, — буду признателен. Так мы и работаем, Клей. Братство адвокатов-«массовиков» изобилует эгоистами и теми, кто готов перерезать друг другу глотки, но есть небольшой круг людей, которые заботятся друг о друге.

К концу дня «Лаборатории Акермана» согласились на минимальную компенсацию в шестьдесят две тысячи долларов каждому из истцов первой очереди — тем, у кого обнаружены доброкачественные опухоли, подлежащие удалению с помощью простой хирургической процедуры, стоимость которой также была согласована с компанией. В эту группу входило около сорока тысяч истцов, деньги которым должны были быть выплачены немедленно. Настоящие торги начались, когда речь зашла о способах смягчения условий сделки. А главные баталии развернулись, естественно, когда на кон был поставлен вопрос об адвокатских гонорарах. Как большинство остальных адвокатов, Клей имел контракты, согласно которым ему причиталась треть от каждой компенсации, но при подобном соглашении процент обычно уменьшался. Была выработана чрезвычайно сложная формула, которую Френч отстаивал с излишней агрессивностью, но ведь речь, в конце концов, шла о его деньгах. В итоге «Лаборатории Акермана» пошли на двадцативосьмипроцентные гонорары по делам истцов первой очереди.

Во вторую группу входили те, у кого обнаружили злокачественные опухоли, и, поскольку лечение могло растянуться на месяцы, а то и годы, сделка оставалась открытой. Верхний предел суммы выплат не обозначили — по сведениям Харри и Барри, компания «Фило продактс» подпирала «Акермана» и была способна в случае необходимости снабдить его дополнительной наличностью. По делам второй очереди гонорар юристов составлял двадцать пять процентов от суммы компенсации, хотя Клей так и не понял почему. Френч жонглировал цифрами так быстро, что никто не мог за ним уследить.

Третью группу истцов составляла та часть второй группы, в которую входили пациенты, коим предстояло умереть по вине дилофта. Поскольку пока летальных исходов зафиксировано не было, эта часть соглашения тоже оставалась открытой. По этой группе гонорар адвокатам исчислялся двадцатью двумя процентами.

В семь вечера был объявлен перерыв. Закончить обсуждение деталей, касающихся второй и третьей групп, было решено на следующий день. Когда они спускались в лифте, Френч вручил Клею распечатку.

— Мы неплохо поработали сегодня, — сказал он с улыбкой. В распечатке было резюме по делам Клея и ожидаемому гонорару, который включал дополнительно семь процентов за участие в работе управляющего комитета.

Общий предполагаемый гонорар за дела первой очереди равнялся ста шести миллионам долларов.

Оставшись наконец один, Клей подошел к окну и долго наблюдал, как сумерки спускаются на Центральный парк. Выяснилось, что куш, принесенный тарваном, не подготовил его к нынешнему шоку от внезапно свалившегося богатства. Он был ошеломлен и не мог сформулировать мысли, мелькавшие в помутившемся мозгу. Даже двойная порция неразбавленного виски из мини-бара не помогла.

Не отходя от окна, он позвонил Полетт, которая схватила трубку на первом же гудке.

— Ну, говори! — закричала она.

— Первый раунд окончен, — сообщил Клей.

— Да не ходи же ты вокруг да около!

— Ты только что заработала десять миллионов, — проговорил он, не узнавая собственного голоса.

— Клей, не надо так шутить! — едва слышно пролепетала Полетт.

— Я не шучу. Это правда.

Последовала пауза, Клей услышал, как Полетт всхлипывает. Попятившись и присев на край кровати, он почувствовал, что и сам готов расплакаться.

— О Господи! — дважды произнесла Полетт.

— Я перезвоню тебе через несколько минут, — сказал Клей.

Иона еще был в офисе. Он проорал что-то нечленораздельное, потом, выронив трубку, побежал искать Родни. Клей слышал, как хлопнула дверь, как они на ходу переговаривались между собой. Потом трубку взял Родни.

— Слушаю, — сказал он.

— Твоя доля — десять миллионов, — в третий раз повторил свое сообщение Клей. Это было лучшее в его жизни исполнение роли Санта-Клауса.

— Боже милостивый, Боже милостивый, Боже милостивый! — запричитал Родни. Где-то рядом с ним визжал и вопил Иона.

— Да, в это трудно поверить, — сказал Клей. Он живо представил себе, как Родни в БГЗ сидит за своим обшарпанным столом, заваленным бумагами, с фотографиями жены и детей, прикнопленными к стене, — честнейший человек, работающий не покладая рук за нищенскую зарплату.

Интересно, что он скажет жене, когда позвонит ей минуту спустя?

Иона взял параллельную трубку, и они втроем немного поболтали о совещании: кто был, где оно происходило, как? Никому не хотелось заканчивать разговор, но Клей помнил, что обещал перезвонить Полетт.

Рассказав подробности и ей, он долго сидел на кровати, сожалея, что больше позвонить некому. Ему хотелось увидеть Ребекку, услышать ее голос, прикоснуться к ней. Они могли бы купить домик в любом месте, где она пожелала бы, жить тихо и счастливо с дюжиной детишек и без каких бы то ни было родственников — только няни, горничные, повара и, возможно, даже дворецкий. Дважды в год он разрешал бы ей слетать на их собственном самолете домой, чтобы всласть поругаться с родителями.

А может, и Ван Хорны стали бы вести себя поприличнее, появись в семье сотня-другая миллионов, которыми можно было бы хвастаться, хотя для них деньги и были бы недосягаемы?

Стиснув зубы, Клей набрал ее номер. Была среда, традиционный вечер в загородном клубе, так что Ребекка наверняка одна в квартире. Три гудка — и он услышал ее голос, от которого весь сразу обмяк.

— Привет, это Клей, — сказал он как можно более непринужденно. За полгода они не обменялись ни единым словом, но лед сразу же был сломан.

— Привет, незнакомец, — ответила она. Сердечно.

— Как поживаешь?

— Прекрасно, как всегда, дел по горло. А ты?

— Так же. Я в Нью-Йорке, улаживаю кое-какие дела.

— Я слышала, что дела у тебя идут неплохо. — С подтекстом.

— Да, неплохо. Грех жаловаться. Как твоя работа?

— Мне осталось шесть дней.

— Уходишь?

— Да. Я, знаешь ли, выхожу замуж.

— Слышал. И когда?

— Двадцатого декабря.

— Я не получил приглашения.

— А я его тебе не посылала. Не думала, что ты захочешь прийти.

— Может, и не захочу. А ты уверена, что хочешь выйти замуж?

— Давай поговорим о чем-нибудь другом.

— Не вижу других тем.

— Ты с кем-нибудь встречаешься?

— Женщины гоняются за мной по всему городу. Где ты познакомилась с этим парнем?

— А ты, говорят, купил дом в Джорджтауне?

— Уже давно. — Ему было приятно, что она спросила. Значит, его успехи ей не безразличны. — Этот твой парень — просто червяк, — ляпнул он.

— Перестань, Клей. Давай обойдемся без грубости.

— Он червяк, и ты сама это знаешь, Ребекка!

— Я повешу трубку.

— Ребекка, не выходи за него. Ходят слухи, что он голубой.

— Хорошо, он червяк и голубой. Что еще? Давай, Клей, выкладывай, тебе полегчает.

— Не делай этого, Ребекка. Твои родители сожрут его заживо. К тому же твои дети будут на него похожи. Клубок маленьких червячков.

Короткие гудки.

Клей вытянулся на кровати и уставился в потолок. Ее голос продолжал звучать у него в ушах. Его потрясло, насколько, оказывается, он по ней соскучился. Потом вдруг, напугав его, заверещал телефон. Это был Пэттон Френч, он звонил из вестибюля. Их ждал лимузин. Предстояли три часа ужина с дегустацией вин. Но кто-то же должен был заняться и этим.

23

Все участники сговора поклялись хранить тайну. Адвокаты подписали толстенный документ, подтвердив конфиденциальность всего, что касалось переговоров о дилофте и достигнутого соглашения. Перед отлетом из Нью-Йорка Пэттон Френч сообщил коллегам:

— Это будет в газетах через сорок восемь часов. «Фило» облизнется, акции поползут вверх.

На следующее утро «Уолл-стрит джорнал» разразился статьей; разумеется, всю вину валили на адвокатуру. «КОЛЛЕКТИВНЫХ ДЕЛ МАСТЕРА ВЫКОЛАЧИВАЮТ БЫСТРОЕ СОГЛАШЕНИЕ», — гласил заголовок. «Неназванным источникам» было что порассказать. В деталях они были точны: общая сумма в два с половиной миллиарда долларов будет выплачена на первом этапе сделки, еще полтора миллиарда — резервный фонд для более тяжелых случаев.

«Фило продактс» открылся на уровне восьмидесяти двух долларов за акцию и быстро подпрыгнул до отметки восемьдесят пять. Один из аналитиков утверждал, что инвесторов успокоило известие о достигнутом соглашении. Так компания сможет контролировать стоимость процесса. Никаких затяжных судов. Исчезает угроза суровых вердиктов. Адвокаты шли в одной упряжке, и, по словам источника, в «Фило» сделку называли победой.

Клей следил за новостями по телевизору у себя в кабинете. А также отвечал на звонки репортеров. В одиннадцать явился корреспондент «Джорнал» с фотографом. За время предварительного обсуждения Клей понял, что тот знает о сделке не меньше, чем он сам.

— Подобные вещи невозможно сохранить в тайне, — сказал корреспондент. — Нам было прекрасно известно, в какой гостинице вы прячетесь.

Сначала Клей отвечал на его вопросы без записи, потом — в микрофон — отказался комментировать условия сделки. Он предпочел рассказать кое-что о себе, о том, как всего за несколько месяцев скромный адвокат совершил восхождение из преисподней БГЗ и превратился в богача-«массовика», о том, какую великолепную юридическую контору создал, и так далее и тому подобное. Картер представлял себе, как его история обретает окончательную форму и какое она произведет впечатление.

На следующий день, еще до рассвета, он прочел статью в Интернете. На полосе красовалась его физиономия в виде шаржа, коими так славится «Джорнал», а над ней — заголовок «КОРОЛЬ СДЕЛКИ. ОТ $ 40 000 ДО $ 100 000 000 ЗА ШЕСТЬ МЕСЯЦЕВ». И подзаголовок: «Любите юстицию!»

Статья была длинная, подробная и целиком посвящена Клею Картеру-второму. Его происхождение, юность в округе Колумбия, отец, Джорджтаунский университет, обширные цитаты из отзывов Гленды и Жермена, комментарий профессора, которого Клей уже забыл, краткое изложение обстоятельств дела о дилофте. Лучшей частью статьи была беседа корреспондента с Пэттоном Френчем, в которой «знаменитый специалист по коллективным искам» характеризовал Клея как «яркую восходящую звезду», «бесстрашного профессионала», «новую мощную фигуру, с которой придется считаться». «Корпоративная Америка должна отныне трепетать при упоминании его имени, — напыщенно подводил он итог. — Без сомнения, Клей — новый Король сделки».

Дважды перечитав материал, Клей послал его Ребекке по электронной почте, приписав в конце: «Ребекка, прошу тебя, повремени. Клей». Он отправил послание и по домашнему, и по рабочему адресам, а потом, уже без приписки, — в офис Ван Хорна. До свадьбы оставался месяц.

Когда наконец Картер явился в контору, мисс Глик передала ему пачку сообщений — примерно половина была от его однокурсников, которые в шутку просили у него ссуды, другая половина — от журналистов всех мастей. В конторе царил хаос, еще больший, чем обычно. Полетт, Иона и Родни все еще витали в облаках и не могли сосредоточиться на работе. Все клиенты жаждали получить компенсацию немедленно.

К счастью, теперь имелось «Йельское отделение» под блестящим руководством Оскара Малруни. Молодые адвокаты приняли удар на себя и составили план выживания до окончания сделки. Клей перевел Малруни в один из кабинетов главного офиса, удвоил ему зарплату и поручил руководить неразберихой.

Самому Клею требовался перерыв.

Поскольку паспорт Джаррета Картера был неофициально конфискован департаментом юстиции США, его передвижения оказались ограниченными. Он даже не был уверен, что может вернуться на родину. Впрочем, в течение шести минувших лет и не пытался. Соглашение, по которому Картер-старший тихо покинул страну, избежав судебного преследования, было сугубо конфиденциальным, и многие концы остались необрубленными.

— Лучше нам встретиться на Багамах, — сказал отец Клею по телефону.

Из Абако они вылетели на «сессне», еще одной игрушке из набора, который Клей недавно открыл для себя. До Нассау, куда они направлялись, было полчаса лёта. Дождавшись, пока самолет окажется в воздухе, Джаррет сказал:

— Ну, валяй, выворачивай кишки наизнанку.

Он уже хлебал пиво. На нем по-прежнему были замусоленные шорты, сандалии и вылинявшая рыбацкая кепочка, в таком виде он казался настоящим бродягой, высланным с родины на острова.

Клей тоже открыл банку пива и повел рассказ, начиная с тарвана и кончая дилофтом. До Джаррета доходили слухи об успехах сына, но газет он не читал и старался пропускать мимо ушей любые новости с материка. Чтобы переварить мысль о том, что можно иметь пять тысяч клиентов разом, старику пришлось выпить еще банку пива.

Цифра «сто миллионов» заставила его закрыть глаза и побледнеть, во всяком случае, кожа его приобрела чуть более светлый бронзовый оттенок, задубевший лоб прорезали глубокие морщины. Помолчав, Джаррет тряхнул головой, отхлебнул пива и начал хохотать.

Не обращая внимания на его реакцию, Клей продолжил, решительно настроившись завершить свое повествование до того, как самолет приземлится.

— Что ты собираешься делать с деньгами? — спросил Джаррет, все еще не пришедший в себя.

— Тратить напропалую.

В аэропорту Нассау они взяли такси, желтый «кадиллак» 1974 года выпуска, водитель которого курил гашиш. Тем не менее он благополучно доставил их сначала в отель «Сансет», потом в казино на острове Парадиз в бухте Нассау.

Джаррет с пятью тысячами в кармане, выданными сыном, сразу направился к столам, за которыми играли в блэкджек. Клей, намазавшись кремом для загара, устроился возле бассейна в ожидании солнца и девочек в бикини.

Яхта представляла собой шестидесятитрехфутовый катамаран, построенный лучшим в Форт-Лодердейле мастером. Капитаном-продавцом был эксцентричный старый бритт по фамилии Молтби, матросом — его закадычный дружок, тощий багамец. Пока они не покинули бухту Нассау и не вышли в залив, Молтби все время ворчал и суетился. Они направлялись к южной оконечности пролива. Пробное плавание под искрящимся солнцем по тихой воде должно было занять полдня. Джаррет считал, что это судно может принести ему реальные деньги.

Когда выключили двигатель и подняли паруса, Клей спустился осмотреть каюту. Здесь, судя по всему, могло разместиться человек восемь, не считая двух членов команды. Неплохо, хотя койки напоминали кроватки для подростков. Душевая тоже особо не давала развернуться. Каюта капитана была не просторнее маленького шкафа в его джорджтаунском доме. Словом — «жизнь на яхте».

Если верить Джаррету, заработать деньги рыбной ловлей было невозможно. Ненадежный бизнес. Если вкалывать каждый день, конечно, можно кое-что получать, но слишком уж тяжела такая работа. Матросы долго не задерживались, чаевые были мизерными, большинство клиентов оказывались приличными людьми, но попадались такие, которые способны были вообще отбить охоту к этому занятию. Он пять лет проплавал капитаном чартерной яхты, и это нанесло тяжелый урон его здоровью.

Настоящие деньги водились у тех, кто организовывал чартерные рейсы для небольших групп состоятельных людей, желавших работать, а не надувать щеки. Эдаких полупрофессиональных моряков. Имей большую яхту — собственную яхту, желательно не обремененную залоговыми обязательствами — и катайся себе по месяцу между Карибами. У Джаррета во Фрипорте был друг, уже несколько лет владевший двумя такими судами, так вот он зарабатывал солидно. Клиенты определяли курс по карте, выбирали время, меню и напитки и отправлялись в путь с капитаном, который на ближайший месяц становился их ближайшим приятелем.

— Десять тысяч за неделю, — говорил Джаррет. — При этом идешь себе без определенной цели, наслаждаясь морем, солнцем и ветром. Это тебе не рыбалка, где нужно, кровь из носу, вытащить гигантского марлина, чтобы клиенты не бесились.

Когда Клей выглянул из каюты, Джаррет стоял у штурвала с таким видом, будто управлял классными яхтами всю жизнь. Клей поднялся на палубу и растянулся на солнышке.

Они поймали ветер в паруса и заскользили по гладкой воде на восток вдоль залива. Нассау постепенно таял вдали. Клей разделся, оставшись в одних шортах, намазался кремом. Он собрался было вздремнуть, когда за спиной у него неожиданно материализовался Молтби.

— Ваш отец сказал, что у вас водятся деньжата. — Глаза Молтби скрывали непроницаемые солнцезащитные очки.

— Ну, вообще-то он прав, — ответил Клей.

— Эта посудина стоит четыре миллиона, она практически новая, одна из лучших. Ее построили для какого-то придурковатого коммерсанта, который потерял свои деньги быстрее, чем заработал. Таких пруд пруди, если хотите знать. В общем, мы с ней подвисли. Этот рынок не такой уж большой. Мы снизим цену до трех миллионов. А чтобы вас не обвинили в воровстве, зарегистрируем яхту в Багамской чартерной компании, тогда можно будет проделать кучу всяких трюков с налогами. Я не могу вам все объяснить, но в Нассау у нас есть адвокат, который все устроит. Если вам удастся застать его трезвым, конечно.

— Я сам адвокат.

— Тогда почему вы трезвый?

Оба жизнерадостно рассмеялись.

— А как уменьшить расходы, связанные с покупкой?

— Трудно, очень трудно, но опять же это ваше, адвокатское, дело. Я всего лишь моряк. Кажется, вашему старику посудина нравится. Эта яхта способна совершить безостановочный переход от Бермудов до Южной Америки и приносить хорошие деньги.

Это были слова моряка, притом, видимо, не самого лучшего. Но Клей мечтал лишь об одном: если он купит отцу эту яхту, чтобы она оказалась хотя бы не убыточной и не превратилась в «черную дыру». Молтби исчез так же незаметно, как появился.

Через три дня Клей подписал контракт на покупку яхты за два миллиона девятьсот тысяч. Адвокат, который, надо сказать, был не совсем трезв оба раза, когда Клей с ним встречался, зарегистрировал ее в Багамской чартерной компании на имя Джаррета, Клей не упоминался вовсе. Это был сыновний подарок, авуар, спрятанный на островах, как и сам Джаррет.

В последний свой вечер в Нассау, когда отец и сын сидели в глубине захудалого салуна, набитого драгдилерами, неплательщиками налогов и алиментов сплошь американского происхождения, Клей, разламывая крабовый панцирь, задал наконец вопрос, который мучил его уже несколько недель:

— Может случиться, что ты вернешься в Штаты?

— Зачем?

— Чтобы заниматься юриспруденцией. Стать моим партнером. Опять охотиться за нарушителями закона и надирать им задницы.

Джаррет улыбнулся. Старая мечта: семейная контора. Клей хотел вернуть ему эту мечту, предоставить респектабельное занятие. Мальчик еще жил под сенью темного облака, которое для Джаррета давно рассеялось. Впрочем, учитывая недавний успех Клея, можно было сказать, что облако значительно скукожилось.

— Не думаю, Клей. Я сдал лицензию и пообещал держаться подальше.

— Но тебе хотелось бы вернуться?

— Может быть, чтобы защитить свое доброе имя, но не для того, чтобы снова заниматься юриспруденцией. Слишком тяжелый у меня багаж и слишком много врагов, которые продолжают шнырять вокруг. Мне пятьдесят пять. Поздновато начинать все сначала.

— А что с тобой будет через десять лет?

— Я так далеко не заглядываю. Не верю я в календари, расписания и списки запланированных дел. Намечать себе цели — дурацкая американская привычка. Это не для меня. Я стараюсь жить сегодняшним днем, ну, может быть, пару дел загадывать на завтра, не более того. Чертовски глупо планировать будущее.

— Прости, что спросил.

— Живи настоящим, Клей. Завтрашний день сам о себе позаботится. Сейчас у тебя, насколько я понимаю, карманы полны.

— С этими деньгами я буду занят по горло.

— Не профукай их, сынок. Знаю, это кажется невероятным, но ты удивишься: новые друзья будут вырастать вокруг тебя как грибы. И женщины станут падать с неба.

— Когда?

— Подожди немного. Я когда-то читал книгу — «Золото дурака» или что-то в этом роде. Сборник рассказов об идиотах, имевших огромные состояния и по глупости пустивших деньги на ветер. Занятное чтение. Поищи эту книгу.

— Думаю, я смогу устоять.

Джаррет закинул в рот креветку и сменил тему:

— Ты собираешься помогать матери?

— Наверное, нет. Она не нуждается в помощи. Если помнишь, у нее богатый муж.

— Когда ты говорил с ней в последний раз?

— Одиннадцать лет назад, папа. Почему это тебя волнует?

— Просто любопытно. Странно: женишься на женщине, живешь с ней двадцать пять лет... Иногда интересно узнать, что она теперь делает.

— Давай поговорим о чем-нибудь другом.

— О Ребекке?

— Проехали.

— Тогда пойдем сыграем в кости. У меня еще осталось четыре тысячи.

Получив толстый пакет из адвокатской конторы Дж. Клея Картера-второго, мистер Тед Уорли из Верхнего Мальборо, штат Мэриленд, немедленно вскрыл его и нашел большое количество документов, касавшихся соглашения по дилофту и сопровождавшихся письмом от адвоката. Он с почти религиозным рвением следил за ходом дела по Интернету в ожидании момента, когда можно будет получить деньги с «Лабораторий Акермана».

Письмо гласило:

Уважаемый мистер Уорли!

Примите наши поздравления: по коллективному иску к «Лабораториям Акермана» в окружном суде Южного округа Миссисипи достигнуто соглашение. Вам, как истцу первой очереди, причитается 62 000 долларов. В соответствии с контрактом, заключенным между Вами и нашей фирмой, оплата адвокатских услуг составляет 28 процентов этой суммы. Суд также утвердил сумму в 1400 долларов в качестве оплаты процессуальных издержек. За всеми вычетами, Вам полагается 43 240 долларов. Пожалуйста, подпишите приложенное соглашение, заполните анкеты и без промедления вышлите их обратно в прилагаемом конверте.

С наилучшими пожеланиями

Оскар Малруни, поверенный в делах.

— Каждый раз новый адвокат, — проворчал мистер Уорли, просматривая бумаги, среди которых были постановление суда о признании сделки действительной, извещение индивидуальному участнику коллективного иска и еще какие-то документы, читать которые у мистера Уорли вдруг пропала охота.

Сорок три тысячи двести сорок долларов! Максимальная сумма, которую он получит от этого жулика, фармацевтического гиганта, сознательно выбросившего на рынок лекарство, из-за которого в его мочевом пузыре вызрели четыре опухоли? Сорок три тысячи двести сорок долларов за месяцы страха, неимоверного напряжения и неизвестности между жизнью и смертью? Сорок три тысячи двести сорок долларов за мучения, которые он претерпел, когда ему через мочевые протоки вводили лазерный скальпель с микроскопом, чтобы вырезать эти четыре пакости и одну за другой вытащить обратно? Сорок три тысячи двести сорок долларов за три дня кровотечения и выделения слизи?

От этих воспоминаний его передернуло.

Он шесть раз оставлял сообщения и ждал шесть часов, прежде чем мистер Малруни ему перезвонил.

— Кто вы такой, черт вас побери? — начал мистер Уорли.

За минувшие несколько дней Оскар Малруни стал мастером отвечать на подобные звонки. Он объяснил, что является адвокатом, поверенным в деле мистера Уорли.

— Эта сделка — насмешка! — заявил Тед Уорли. — Сорок три тысячи долларов! Преступление!

— Согласно сделке, вам причитается шестьдесят две тысячи, мистер Уорли, — напомнил Оскар.

— Я получаю сорок три, сынок.

— Нет, шестьдесят две, но вы сами согласились выплатить треть суммы адвокату, без которого не имели бы вообще ничего. Согласно условиям сделки, гонорар был снижен до двадцати восьми процентов. Большинство адвокатов берут за свои услуги сорок пять и даже пятьдесят процентов.

— Ах, как мне повезло! Я не согласен.

На это Оскар ответил краткой, заранее заготовленной речью, в которой сообщалось, что это предельная сумма, которую могут выплатить «Лаборатории Акермана» без риска обанкротиться. Речь произвела на мистера Уорли еще меньше впечатления, если вообще произвела.

— Очень мило, — заключил он, — но я не принимаю условий соглашения.

— У вас нет выбора.

— Черта с два!

— Загляните в свой контракт, мистер Уорли. Страница одиннадцатая, параграф восьмой. «Заранее оговоренные полномочия адвоката». Прочтите — и увидите, что вы предоставили нашей фирме полномочия достичь соглашения на любую сумму, превышающую пятьдесят тысяч долларов.

— Это я помню, но мне объяснили, что это и будет причитающаяся мне сумма. Я ожидал гораздо большего!

— Ваша сделка утверждена судом, сэр. Такова процедура ведения коллективных тяжб. Если вы не подпишете согласие, причитающаяся вам сумма останется в резерве и в конце концов отойдет кому-нибудь другому.

— Вы — банда мошенников, ясно? Неизвестно еще, кто хуже — компания, которая выпустила лекарство, или мои собственные адвокаты, которые лишили меня справедливой компенсации!

— Мне жаль, если у вас создалось такое представление.

— Ни черта вам не жаль. В газете написано, что вы огребли сто миллионов. Воры!

Мистер Уорли в сердцах бросил трубку и расшвырял документы по всей кухне.

24

На обложке декабрьского номера «Кэпитол мэгазин» была помещена фотография Клея Картера. Загорелый, красивый, в костюме от Армани, он сидел на краю стола в собственном шикарно обставленном кабинете. Материалом о Клее в последний момент спешно заменили ранее запланированный репортаж под названием «Рождество на Потомаке» — сусальную историю о том, как престарелый сенатор и его очередная молодая жена устраивали «премьерный показ» своего нового вашингтонского дома. Рассказ о чете, роскошных интерьерах их особняка, их кошках и любимых блюдах был задвинут глубоко внутрь, потому что округ Колумбия всегда и прежде всего был средоточием денег и власти, а журналу не так часто выпадал шанс напечатать почти неправдоподобную историю о столь стремительном взлете на такую вершину.

Статью дополняли снимки: Клей в своем патио с собакой (которую он позаимствовал у Родни), Клей перед ложей присяжных в пустом зале суда, где он якобы добивался сурового вердикта, ведя дело против неких «плохих парней», и, разумеется, Клей, моющий свой новенький «порше». Герой материала признавался, что страстно любит парусный спорт и купил яхту, приписанную к Багамам. А что касается романтических увлечений, то в настоящее время он свободен, и автор статьи не преминул тут же окрестить его «одним из самых завидных женихов в городе».

В конце журнала публиковались свадебные объявления, сопровождаемые фотографиями будущих новобрачных. Каждая дебютантка, каждая школьница любой частной школы и все дочери членов престижных загородных клубов мечтали о том дне, когда и их снимки появятся в брачной рубрике «Кэпитол мэгазин». Чем важнее семья, тем крупнее снимок. Амбициозные мамаши скрупулезно сравнивали размеры фотографий своих дочерей и дочерей соперничающих семейств, после чего либо начинали безудержно хвастаться, либо на долгие годы затаивали обиду.

В этом номере была опубликована фотография восхитительной Ребекки Ван Хорн, сидящей на плетеной скамейке в каком-то саду, — прелестная фотография, если бы ее не портила физиономия жениха и будущего спутника жизни, достопочтенного Джейсона Шуберта Майерса-четвертого, который обнимал невесту за плечи и позировал с явным удовольствием. Известно, что свадьбы устраиваются для невест, а не для женихов. Зачем же и их сажать перед камерой?

Беннет и Барбара, видно, подергали за все ниточки: объявление о свадьбе Ребекки было вторым по величине занимаемой журнальной площади из приблизительно дюжины имевшихся. Пролистнув еще страниц шесть, Клей увидел рекламу корпорации БВХ на целую полосу. Взятка.

Клей веселился, представляя, как рвут сейчас на себе волосы в доме Ван Хорнов: успех прежнего кандидата в мужья затмил свадьбу Ребекки — колоссальное светское мероприятие, на которое Беннет и Барбара наверняка ухлопали кучу денег, чтобы пустить пыль в глаза всему миру.

Выпадет ли им еще шанс поместить свадебное объявление в «Кэпитол мэгазин»? Сколько усилий было затрачено, чтобы шикарно представить грядущее событие! И вот все коту под хвост из-за Клея.

А ведь его восхождение еще не закончено.

Иона предупредил, что, вероятно, уволится. Он провел десять дней в Антигуа не с одной, а с двумя девицами и, вернувшись в занесенный ранней декабрьской метелью Вашингтон, признался Клею, что ни интеллектуально, ни физически не готов продолжать юридическую карьеру. Получив все, на что мог — а если честно, даже не мог — рассчитывать, Иона желал покончить с юриспруденцией. Он нацелился на морскую жизнь. Нашел спутницу, которая обожала плавать на яхтах и которой, поскольку она находилась на грани развода, тоже не мешало провести длительный отрезок времени вдали от берега. Иона родился в Аннаполисе и в отличие от Клея ходил под парусом всю жизнь.

— Мне нужна куколка, предпочтительно блондинка, — сказал Клей, усаживаясь в кресло напротив стола Ионы. Дверь кабинета он предусмотрительно запер. Был вечер среды, начало седьмого, Иона открыл первую за день бутылку пива. Между ними существовала негласная договоренность: никакого алкоголя до шести часов. Иначе Иона начинал бы сразу после обеда.

— У самого завидного жениха в городе проблемы с цыпочками?

— Я ведь только что вырвался из петли. Собираюсь на свадьбу Ребекки, и мне нужна малышка, которая затмила бы невесту.

— О, отличная идея! — рассмеялся Иона и выдвинул ящик стола. Только Ионе могло прийти в голову собирать досье на женщин. Пролистав несколько страниц, он нашел то, что искал, и бросил Клею через стол газету, сложенную рекламой дамского белья вверх. Ниже пояса на великолепной молодой богине практически ничего не было, а роскошную грудь она прикрывала лишь скрещенными руками. Клей вспомнил, что обратил внимание на эту рекламу в первый же день, когда она была напечатана, — четыре месяца назад.

— Ты с ней знаком?

— Конечно, знаком. Думаешь, я храню рекламу дамского белья просто для того, чтобы пощекотать себе нервы?

— Меня бы это не удивило.

— Ее зовут Ридли. Во всяком случае, так она представляется.

— Она живет здесь? — спросил Клей, не отводя глаз от снимка, который держал в руках.

— Она из Джорджии.

— О, горячая южная девчонка?

— Да нет, она русская. У них там есть место, которое тоже называется Джорджия*. Приехала сюда по студенческому обмену и осталась.

— Ей на вид лет восемнадцать.

— Почти двадцать пять.

— А рост?

— Пять футов десять дюймов или около того.

— У нее одни ноги не меньше пяти футов.

— Ты недоволен?

Стараясь выглядеть безразличным, Клей бросил газету Ионе.

— Какие-нибудь недостатки?

— Да, ходят слухи, что она двустволка.

— Что?!

— Ей нравятся как мальчики, так и девочки.

— Елки зеленые!

— Это недостоверно, но многие манекенщицы бисексуалки. Впрочем, это, может быть, просто слухи.

— Ты с ней встречался?

* Джорджия (штат США) и Грузия по-английски обозначаются одинаково: Georgia.

— Не-а. Она подружка моей подружки. Но она в моем списке. Я только ждал подтверждения. Попробуй. Не понравится — найдем другую.

— Ты можешь ей позвонить?

— Конечно, никаких проблем. Теперь, когда ты — человек с обложки, самый завидный жених, Король сделки, затруднений не предвидится. Интересно, там, в их Джорджии, знают, что такое юридическое соглашение?

— Если они везучие, то нет. Давай звони.

Они встретились за ужином в самом модном ресторане месяца — японском заведении, посещаемом молодыми и процветающими. В жизни Ридли оказалась еще красивее, чем на фото. Когда метрдотель вел их через зал к самому лучшему столику, все как по команде поворачивались ей вслед и разговоры смолкали на полуслове. Официанты суетились только вокруг них. Ее английский был безупречен, а легкий экзотический акцент добавлял облику еще большую сексуальность, хотя ни в каких добавках нужды не было.

Готовое платье с «блошиного рынка» на Ридли сидело шикарно. Главной приманкой была прическа — никакая одежда не могла бы соперничать с копной белокурых волос, глазами цвета морской волны, высокими скулами и безупречными чертами идеально красивого лица.

Ее настоящее имя было Ридала Петанашвили. Девушке пришлось дважды произнести его по буквам, прежде чем Клей хоть что-то разобрал. К счастью, манекенщицам, как футболистам, фамилии не нужны, поэтому она стала просто Ридли. Алкоголя она не употребляла вовсе, поэтому потребовала клюквенный морс. Клей надеялся, что в качестве основного блюда красотка не закажет тарелку тертой морковки.

У нее была внешность, у него — деньги, а поскольку ни то ни другое не могло стать предметом обсуждения, они несколько минут бултыхались на мелководье, пытаясь нащупать почву для беседы. Она была грузинка, не русская, и не интересовалась ни политикой, ни терроризмом, ни футболом. Ах да, кино! Ридли смотрела все подряд, и ей все нравилось. Даже дрянь, которую никто не смотрел. Оказалось, она обожает кассовые боевики, и Клей уже начал сомневаться насчет перспектив их общения.

«В конце концов, это всего лишь куколка, — сказал он себе. — Сейчас поужинаем, потом сходим на свадьбу Ребекки — и все».

Ридли говорила на пяти языках, но, поскольку большинство из них были восточноевропейскими, здесь от них не было никакого толку. К его великому облегчению и удовольствию, она заказала первое блюдо, второе и десерт. Разговор складывался нелегко, но оба очень старались. У них было такое разное прошлое. Юрист, сидевший в Клее, требовал пристрастного допроса свидетеля: настоящее имя, возраст, группа крови, профессия отца, заработки, матримониальная история, романтические связи, правда ли, что свидетельница бисексуалка? Однако он сдержался и не стал совать нос куда не следует. Сделал несколько робких попыток — ничего не вышло, и пришлось вернуться к кино. Ридли знала всех, даже двадцатилетних актеров десятого ряда, знала, кто с кем в настоящий момент встречается, — тоска зеленая. Хотя, возможно, и не такая беспросветная, если сравнивать с разговорами адвокатов об их последних победах в суде или сделках по токсичной продукции.

Заложив за воротник, Клей расслабился. Он пил красное бургундское. Пэттон Френч мог бы гордиться достойным учеником. Если бы только приятели-«массовики» видели его сейчас, сидящим напротив этой куклы Барби...

Единственное, что его смущало, — дурные слухи. Да нет, не могла такая, как Ридли, интересоваться женщинами. Она слишком идеально сложена, слишком изысканна, слишком привлекательна. Ей просто суждено стать женой-трофеем! И все же было в ней нечто, что его насторожило. Когда шок, испытанный при первом взгляде на такую красоту, прошел, а это потребовало часа два времени и полной бутылки вина,

Клей стал понимать, что не может проникнуть под оболочку. Либо там просто ничего не было, либо эта девушка чрезвычайно скрытная.

За десертом — шоколадным муссом, который Ридли ковыряла ложкой, но не ела, — он пригласил ее на свадьбу, признавшись, что невеста — его бывшая подружка, но соврав, будто они остались друзьями. Ридли равнодушно пожала плечами, словно давая понять, что с большим удовольствием пошла бы в кино, но сказала:

— Почему бы нет?

Свернув на подъездную аллею, ведущую к клубу «Потомак», Клей почувствовал укол в сердце. Последний раз он был в этом ненавистном месте более семи месяцев назад, на том мучительном ужине с родителями Ребекки. Тогда он спрятал свою потрепанную «хонду» за теннисными кортами. Теперь — намеренно выставлял напоказ новенький «порше». Тогда он постарался избежать встречи с парковщиком, чтобы сэкономить деньги. Теперь дал парню более чем щедрые чаевые. Тогда он был один и страшился предстоящей встречи с Ван Хорнами. Теперь он вел под руку шикарную Ридли, которая умела закидывать ногу на ногу так, что фигуру было видно вплоть до талии. К тому же, о чем бы ни хлопотали сейчас родители Ребекки, к его жизни это не имело теперь никакого отношения. Потом Клей внезапно почувствовал себя паломником. Клуб «Потомак» хоть завтра примет его в свои ряды, выпиши он необходимый чек.

— На свадебный прием к Ван Хорнам, — бросил он охраннику, и тот почтительным жестом показал: проходите.

Они намеренно пришли с часовым опозданием — самое лучшее время, чтобы быть замеченными. Бальный зал был набит до отказа, в дальнем конце играл оркестр в стиле «ритм-энд-блюз».

— Не оставляй меня одну, — шепнула Ридли, когда они входили. — Я ведь здесь никого не знаю.

— Не беспокойся, — ответил Клей, не собиравшийся отходить от нее: как он ни старался принять непринужденный вид, в сущности, он тоже никого здесь не знал.

Головы начали поворачиваться в их сторону в тот же миг. У многих отвисли челюсти. Уже принявшие на грудь мужчины не стесняясь глазели на Ридли, пока та под руку с Клеем шла через зал.

— Эй, Клей! — крикнул кто-то. Картер обернулся и увидел Рэнди Спино, университетского однокашника, который работал в супермощной юридической фирме и при иных обстоятельствах даже не взглянул бы в его сторону. Если бы они случайно встретились на улице, Спино в лучшем случае, не останавливаясь, бросил бы на ходу: «Как поживаешь?» Но в обществе членов загородного клуба, тем более такого, где преобладают особо важные персоны, он бы сделал вид, что не заметил его.

И вот он шагал навстречу, протягивая руку Клею и демонстрируя Ридли все тридцать два своих голливудских зуба. За ним следовала небольшая толпа. Спино начал представлять своих добрых приятелей старому другу Клею Картеру и Ридли без фамилии. Та еще крепче вцепилась в локоть Клея. Все желали с ними поздороваться.

Чтобы оказаться поближе к Ридли, приходилось разговаривать с Клеем, поэтому уже секунды через две кто-то сказал:

— Клей, мои поздравления. Здорово вы прижали «Акермана».

Клей никогда прежде не видел этого человека, но не сомневался, что он адвокат, вероятно, из крупной фирмы, может быть, даже из такой, которая представляла интересы больших корпораций типа «Лабораторий Акермана», и еще до того, как незнакомец закончил фразу, понял, что неискреннее поздравление вызвано завистью. И желанием всласть поглазеть на Ридли.

— Спасибо, — ответил он небрежно, словно эпизод был вполне заурядным.

— Сто миллионов! Не слабо! — Это тоже заявил незнакомец, который, судя по всему, уже прилично надрался.

— Половина уйдет на налоги. — Клей слегка пожал плечами, подразумевая: а пятьюдесятью миллионами сегодня никого не удивишь.

Все расхохотались, будто Клей сказал самую смешную шутку, какую им доводилось слышать в жизни. Подходили все новые и новые гости, сплошь мужчины, всем хотелось поближе пробиться к потрясающей блондинке, смутно кого-то напоминавшей. Но в одежде они ее не узнавали.

Какой-то скучный, напыщенный тип произнес:

— Ну, теперь «Фило» — наш! Приятель, как хорошо, что этот кошмар с дилофтом завершился. — Речь шла о профессиональном заболевании, коим страдало большинство вашингтонских адвокатов. Практически все корпорации имели представительства в округе Колумбия, пусть даже номинальные, и поэтому любой спор и любая сделка имели для городских адвокатов серьезные последствия. Проваливался какой-нибудь дорогостоящий блокбастер — «нашим» становился «Дисней». Попадал в аварию с пятью жертвами спортивно-прогулочный автомобиль — наставала очередь «Форда». За этой игрой Клей наблюдал давно, и его от нее уже тошнило.

«А Ридли — моя, — хотелось ему заявить, — так что держите руки подальше».

Кто-то, поднявшись на сцену, сделал объявление, и зал притих. Предстоял танец молодоженов, потом — невесты с отцом, потом жениха с матерью и так далее. Гости освободили середину зала, чтобы посмотреть на представление. Оркестр заиграл «Это просто дым попал тебе в глаза».

— Она очень хорошенькая, — прошептала Ридли прямо ему в ухо. Ребекка и впрямь была хороша. Она танцевала с Джейсоном Майерсом. Он, хоть и был на два дюйма ниже ее ростом, казался единственным мужчиной, который сейчас существовал для нее. Пара медленно кружилась по залу, и она улыбалась ему сияющей улыбкой. Ей приходилось все брать на себя, потому что жених был словно замороженный.

Клею хотелось растолкать всех, наброситься на Майерса и врезать ему изо всех сил. Потом увести свою девушку, спрятать, а ее мамашу, если та их найдет, застрелить.

— Ты все еще любишь ее, правда? — снова шепнула Ридли.

— Нет, это в прошлом, — так же шепотом ответил он.

— Любишь. Я вижу.

— Нет.

Молодожены после приема должны были уехать — как бы для того, чтобы фактически скрепить свой брак. Хотя хорошо знавший Ребекку Клей мог предположить, что это у них уже позади. Возможно, она уже приступила к обучению своего червяка в постели. Счастливчик. То, чему научил ее Клей, она теперь передает другому. Так нечестно.

Было больно наблюдать за ними, и Клей спросил себя: зачем он здесь? Вероятно, чтобы попрощаться, что бы это ни значило. Но ему хотелось, чтобы Ребекка его заметила, увидела с Ридли, хотелось дать понять, что он по ней нисколько не скучает, что у него все в порядке.

Смотреть, как танцует Беннет-Бульдозер, было противно по другой причине. Тот придерживался танцевальной тактики, свойственной белым мужчинам: танцевать, не отрывая ног от пола, а когда он пытался трясти задницей, оркестранты не могли удержаться от смеха. Щеки у него уже сделались малиновыми от излишнего количества выпитого.

Потом Джейсон Майерс танцевал с Барбарой Ван Хорн. Новоиспеченная теща, насколько можно было разглядеть издали, провела еще одну, а то и две встречи со своим пластическим хирургом, дававшим ей как постоянной пациентке значительные скидки. Платье, хотя и милое само по себе, было на несколько размеров меньше, чем требовалось, и избыточная плоть выпирала в самых неподходящих местах, готовая, казалось, вырваться наружу и вызвать у присутствующих приступ тошноты. Она прилепила на физиономию самую фальшивую из своих улыбок — при этом благодаря умелому макияжу морщины были не видны, — а Майерс улыбался ей в ответ так, словно они дружили всю жизнь. Между тем она уже точила на него нож, хотя он по тупости этого еще не понимал. Впрочем, надо признать, возможно, она и сама этого пока не осознавала. Просто такова была ее звериная натура.

— Не хотите ли потанцевать? — спросил кто-то, приблизившись к Ридли.

— Отвали! — грубо ответил Клей и повел свою спутницу туда, где танцующие кружились под звуки старой доброй песни. Если Ридли, стоящая неподвижно, представляла собой произведение искусства, то Ридли танцующую можно было приравнять к национальному достоянию. Она двигалась с естественным чувством ритма и непринужденной грацией. Низкое декольте едва прикрывало то, что положено, а высокий разрез, расходясь, обнажал все, что можно было обнажить. Мужчины собирались кучками и глазели на нее, не в силах оторваться.

Ребекка тоже наблюдала за ними. Сделав перерыв в танцах, чтобы поболтать с гостями, она заметила какое-то оживленное движение в конце зала, подошла и увидела Клея в обнимку со сногсшибательной красоткой. Ее Ридли тоже потрясла, но по другой причине. Продолжая с кем-то беседовать, Ребекка вернулась в центр зала.

Между тем Клей, не пропуская ни одного танцевального па, лихорадочно пытался отыскать взглядом невесту. Песня окончилась, зазвучала какая-то медленная мелодия, и Ребекка подошла сама.

— Привет, Клей, — сказала она, игнорируя Ридли. — Потанцуем?

— Конечно, — ответил он. Ридли пожала плечами и отошла, но побыть в одиночестве ей не пришлось ни минуты: на нее тут же набросилась толпа мужчин. Она выбрала самого высокого, положила руки ему на плечи и начала раскачиваться.

— Не помню, чтобы я тебя приглашала, — сказала Ребекка.

— Хочешь, чтобы я ушел? — Он ближе притянул ее к себе, но жесткий корсаж свадебного платья не позволил ощутить то, к чему он стремился.

— Люди смотрят, — сказала она, улыбаясь напоказ. — Зачем ты здесь?

— Чтобы поздравить тебя с замужеством. И хорошенько рассмотреть твоего нового избранника.

— Не морочь голову, Клей. Ты просто ревнуешь.

— Больше чем ревную. Мне хочется сломать ему шею.

— Где ты взял эту куколку?

— Кто теперь ревнует?

— Я.

— Не волнуйся, Ребекка, она не претендует на то, чтобы стать твоей партнершей по постели, — сказал он и тут же подумал: а если?

— Джейсон не так уж плох.

— И слышать об этом не желаю. Просто постарайся не забеременеть, ладно?

— Это не твое дело.

— Очень даже мое.

Ридли с партнером проскользили мимо. Клей впервые внимательно взглянул на ее спину, которая была открыта полностью, поскольку платье начиналось лишь за несколько дюймов до ягодиц — идеальной, надо сказать, формы. От взгляда Ребекки это тоже не ускользнуло.

— Ты ей платишь? — спросила она.

— Пока нет.

— Она несовершеннолетняя?

— Нет, что ты. Она вполне взрослая. Скажи, что ты все еще меня любишь.

— Не люблю.

— Врешь.

— Наверное, будет лучше, если ты уйдешь прямо сейчас и прихватишь ее с собой.

— Как скажешь, это твой праздник. Я не хотел его испортить.

— Хотел, и это единственная причина, по которой ты сюда явился, Клей. — Ребекка чуть отстранилась, но продолжала танцевать.

— Подожди годик, ладно? — сказал он. — К тому времени я сколочу двести миллионов. Тогда мы запрыгнем в мой самолет, наплюем на всех и проведем остаток жизни на яхте. Твои родители никогда нас не найдут.

Она остановилась и сказала:

— Прощай, Клей.

— Я буду ждать, — ответил он. В этот момент Беннет как будто нечаянно толкнул его в бок, пробормотал: «Извините», — схватил дочь и уволок ее на другой конец танцевальной площадки.

Следующей была Барбара. Она взяла Клея за руку и одарила притворной улыбкой.

— Не надо устраивать сцен, — произнесла она, почти не шевеля губами. Они начали двигаться в ритм звучавшей музыке, однако танцем это едва ли кто-нибудь мог назвать.

— Как поживаете, миссис Ван Хорн? — сказал Клей, оцепеневший под взглядом ядовитой змеи.

— Все было прекрасно, пока я не увидела вас. Уверена, вас не приглашали на эту семейную вечеринку.

— Я как раз собирался уходить.

— Отлично. Мне бы очень не хотелось вызывать охрану.

— В этом не будет необходимости.

— Пожалуйста, не портите ей этот вечер.

— Я же сказал: ухожу.

Музыка смолкла, и Клей отшатнулся от миссис Ван Хорн. Вокруг Ридли опять образовалась небольшая толпа, но Клей выдернул из нее красавицу. Они ретировались в дальний конец зала, где был устроен бар, привлекавший больше поклонников, чем оркестр. Клей схватил банку пива и направился было к выходу, но их окружила группа мужчин, жаждавших общения. Оказавшиеся среди гостей адвокаты желали побеседовать о преимуществах коллективных тяжб, придвигаясь при этом как можно ближе к Ридли.

Проболтав несколько минут с людьми, которых презирал, Клей заметил, что рядом вырос человек во взятом напрокат смокинге. Человек прошептал:

— Я охранник. — Лицо у него при этом было приветливое, но очень профессиональное.

— Ухожу, — так же шепотом ответил Клей.

Его вышвырнули со свадебного торжества Ван Хорнов. Отвергли в клубе «Потомак». Сидя за рулем и утопая в объятиях Ридли, Клей Картер мысленно решил, что это один из самых прекрасных моментов в его жизни.

25

Свадебное объявление гласило, что медовый месяц новобрачные проведут в Мехико. Клей решил тоже взять отпуск. Если кто-то и нуждался в отдыхе где-нибудь на островах, так это он.

Его некогда великолепная команда совсем разболталась. Вероятно, виной тому было ослабление режима, а может, деньги. Как бы то ни было, Иона, Полетт и Родни все меньше времени проводили в конторе.

Да и сам Клей тоже. Там атмосфера была теперь постоянно накалена, и в воздухе витала угроза конфликтов. Клиенты, недовольные мизерным соглашением по дилофту, заваливали адвокатов возмущенными письмами. Увиливание от телефонных звонков превратилось в своего рода спорт. Время от времени кто-нибудь из клиентов, разузнав адрес конторы, лично представал перед мисс Глик, требуя свидания с мистером Картером, который всегда оказывался в этот момент на очередном судебном заседании. На самом деле он прятался за запертой дверью своего кабинета, пережидая бурю. После одного особенно неприятного дня Клей позвонил Пэттону Френчу, чтобы посоветоваться.

— Крепитесь, приятель, — сказал тот. — Это издержки производства. Коллективные тяжбы приносят богатство, но имеют и побочные эффекты. С нашей профессией нужно иметь толстую кожу.

Самая толстая кожа в фирме была у Оскара Малруни, который не переставал удивлять Клея своими организаторскими способностями и честолюбием. Малруни работал по пятнадцать часов в сутки, побуждая свое «Йельское отделение» поскорее покончить с выплатами по дилофту. Он с готовностью брался за самые неприятные поручения. Поскольку Иона не делал секрета из своих планов кругосветного путешествия, Полетт намекала, что не прочь годик провести в Африке, посвятив себя изучению искусства, а Родни смутно поговаривал о том, чтобы вообще отойти от дел, становилось очевидно, что в руководстве фирмы скоро появятся вакансии.

Так же очевидно было и то, что Оскар стремился сделаться партнером или по крайней мере войти в долю. Он скрупулезно изучал продолжающуюся коллективную тяжбу о «Тощем Бене» и был уверен, что, несмотря на четыре года беспрерывных публичных обсуждений, можно собрать еще как минимум десять тысяч дел.

В «Йельском отделении» теперь служили одиннадцать адвокатов, семь из которых действительно окончили Йель. «Лакомка» разрослась до двенадцати параюристов, каждый из которых был по самую макушку завален бумажной работой. Клей нисколько не опасался на несколько недель оставить контору на попечение Малруни. Он был уверен, что по возвращении найдет ее в большем порядке, чем теперь.

Рождество давно стало для Клея праздником, который он старался не замечать, как это ни трудно. Не имея семьи, проводить его было не с кем. Прежде Ребекка делала все от нее зависящее, чтобы включить его в состав приглашенных на мероприятия, проводимые Ван Хорнами, но он, ценя ее участие, предпочитал сидеть в сочельник дома в одиночестве, потягивать дешевое вино и смотреть по телевизору старые фильмы, а не участвовать в церемонии обмена подарками с этими людьми. Что бы он ни преподнес им, подарок все равно оказывался недостаточно хорошим.

Семья Ридли по-прежнему жила в Грузии и, судя по всему, не собиралась оттуда уезжать. Поначалу Ридли не была уверена, что ей удастся изменить свое рабочее расписание и уехать из города на несколько недель. Но ее страстное желание добиться этого тронуло Клея. Девушка действительно мечтала улететь на острова и отдохнуть с ним на побережье. Наконец она послала к черту одного своего работодателя, и тот ее уволил. Ей было наплевать.

Она впервые летела на частном самолете. Клею очень хотелось произвести впечатление. Беспосадочный перелет из Вашингтона в Санта-Лусию. Четыре часа — и они словно оказались в другом мире. В Вашингтоне было холодно и серо, а когда они вышли из самолета, их встретили яркое солнце и жара. Через таможню их пропустили, едва взглянув, во всяком случае, на Клея. Ридли, разумеется, ни один мужчина не обделил восхищенным взглядом. Странно, но Клей начинал к этому привыкать. Ей же, судя по всему, было безразлично. Она давно научилась игнорировать окружающих, что бесило тех, кто на нее пялился. Такое изысканное создание, совершенное с головы до пят, и такое равнодушное, невозмутимое.

Самолет местной авиалинии за пятнадцать минут доставил их на Мастик, недоступный для простых смертных островов, где располагались владения людей богатых и знаменитых и где было все, кроме взлетной полосы, способной принимать частные самолеты. Рок-звезды, артисты и миллиардеры имели здесь собственные особняки, поместья. Дом, в котором Клею и Ридли предстояло провести следующую неделю, был построен для принца, который продал его некоему преуспевающему дельцу, а тот сдавал его внаем, когда не жил в нем сам.

Остров представлял собой гору, окруженную водами Карибского моря. Покрытый буйной растительностью, с высоты трех тысяч футов он выглядел как яркая открытка. Завидев крохотную посадочную полосу, Ридли от страха схватила Клея за руку. Однако местный пилот в соломенной шляпе мог посадить здесь свою букашку даже с завязанными глазами.

Маршалл, исполнявший обязанности шофера и дворецкого, встречал парочку у трапа с широкой улыбкой и открытым джипом. Забросив в кузов свой скромный багаж, они поехали вверх по извилистой дороге. Никаких отелей, никаких кооперативных домов, никаких туристов, никакого движения на дороге. За десять минут пути им навстречу не попалось ни одной машины. Дом располагался на склоне горы, как называл ее Маршалл, хотя на самом деле это был лишь невысокий холм. Вид отсюда открывался захватывающий: на десятки миль вокруг — только безбрежный океан. Сколько видел глаз — ни другого острова, ни единой лодки, ни людей.

Обходя спальни, Клей сбился со счета — то ли четыре, то ли пять. Все они были рассредоточены по периметру дома и соединены между собой вымощенными плиткой переходами. На обед им предложили заказать что душе угодно, ибо в особняке имелся штатный шеф-повар. А также садовник, две экономки и дворецкий. Все пятеро, включая Маршалла, жили во флигелях. Не успели слуги распаковать вещи, как Ридли, сняв с себя практически все, уже плавала в бассейне. Если не считать тоненьких, едва заметных полосочек ткани ниже пояса, она была обнажена. Как раз в тот момент, когда Клею показалось, что он привык к облику Ридли, выяснилось, что в таком виде девушка вызывает у него головокружение.

К обеду Ридли оделась. Прежде всего были, разумеется, поданы свежайшие морепродукты — устрицы и жареные креветки. После двух банок пива Клей проковылял к гамаку и погрузился в долгую сиесту. Был канун Рождества, но он и в ус не дул. Ребекка где-то в набитом туристами отеле обжималась со своим крохой Джейсоном.

А ему было безразлично.

Через два дня после Рождества прилетел Макс Пейс со спутницей по имени Валерия — сухопарой широкоплечей женщиной с грубой, обветренной кожей и очень неприветливой улыбкой — у нее был вид заядлой туристки. Сам Макс был очень хорош собой, но вот его подруга привлекательностью не блистала. Оставалось надеяться, что Валерия не станет догола раздеваться в бассейне. Обмениваясь с ней рукопожатием, Клей ощутил мозоли. Что ж, по крайней мере никакого соблазна для Ридли.

Пейс быстро переоделся в шорты и направился к бассейну. Валерия достала из рюкзака альпинистские ботинки и поинтересовалась местными маршрутами. Пришлось обратиться за консультацией к Маршаллу, но тот понятия не имел о подобных маршрутах, что вызвало недовольство Валерии. Она на свой страх и риск отправилась искать скалы, на которые можно было бы влезть. Ридли уединилась в гостиной главного дома с внушительной стопкой видеокассет.

Поскольку Клей ничего не знал о Максе, говорить было не о чем. По крайней мере вначале. Однако вскоре выяснилось, что Максу есть что сообщить.

— Поговорим о деле, — предложил он, немного погревшись на солнышке.

Они перешли в бар, Маршалл принес напитки.

— На горизонте брезжит новое дело о вредном препарате, — начал Пейс. Клей тут же представил деньги. — Причем весьма крупное.

— Значит, опять за работу?

— Но на сей раз план будет несколько иным. Я тоже хочу участвовать в деле.

— На кого вы работаете?

— На себя. И на вас. Я претендую на двадцать пять процентов общего адвокатского гонорара.

— Каков потолок?

— Вероятно, выше, чем у дилофта.

— Двадцать пять процентов ваши. Если хотите — даже больше.

Они уже переворошили вместе столько грязного белья, как Клей мог отказать?

— Двадцать пять — честная доля, — ответил Макс.

Мужчины скрепили сделку рукопожатием.

— Ну, так что там?

— Существует гормональный препарат для женщин, который называется «Максатил». Им пользуются минимум четыре миллиона дам климактерического и постклимактерического возраста — от сорока пяти до семидесяти пяти лет. Средство появилось пять лет назад. Еще одно чудо: избавляет от приливов и прочих климактерических симптомов. Очень эффективно. Изготовитель утверждает, будто препарат способствует укреплению костей, снижает давление и уменьшает риск сердечных заболеваний. Производит его компания «Гофман».

— «Гофман»? Бритвенные лезвия и зубные эликсиры?

— Точно. Двадцать один миллиард от продаж в прошлом году. Самые высокие дивиденды по акциям. Очень мало долгов и отличный менеджмент. Американская традиция в действии. Но с максатилом они поторопились. Обычная история: доходы представлялись баснословными, лекарство казалось безвредным, так что они нажали на Комитет по фармакологии, и первые несколько лет все были счастливы. Врачи обожали препарат. Женщины его боготворили, поскольку он прекрасно действовал.

— Но?

— Возникли проблемы. Серьезные проблемы. В соответствии с правительственной программой были обследованы двадцать тысяч женщин, принимавших лекарство в течение нескольких лет. Исследования закончены только что, итоговый доклад будет через несколько недель. И он их раздавит. Оказалось, для значительной части пациенток препарат увеличивает риск образования рака груди, приводит к инфарктам и инсультам.

— Насколько велика группа риска?

— Около восьми процентов.

— Кто знает о докладе?

— Всего несколько человек. Но у меня есть копия.

— Кто бы сомневался! — Клей разлил остатки вина из бутылки и оглянулся, нет ли поблизости Маршалла. У него заколотилось сердце. Остров Мастик вмиг показался очень скучным местом.

— Несколько адвокатов уже отслеживают ситуацию, но доклада у них нет, — продолжал Пейс. — Было возбуждено одно дело, в Аризоне, но это не коллективный иск.

— А что?

— Старомодный судебный процесс. Единичный выстрел.

— Как скучно.

— Отнюдь. Адвокат, который готовит процесс, — некий Дейл Мунихэм из Туксона. Он берется за индивидуальные дела и никогда не проигрывает. Сейчас он взял след, чтобы нанести первый удар по «Гофману». Это может задать тон всей сделке. Задача состоит в том, чтобы первыми организовать массовый иск. Думаю, Пэттон Френч вас уже неплохо обучил.

— Это можно, — сказал Клей так, будто всю жизнь только этим и занимался.

— Причем вы должны сработать самостоятельно, без Френча и его своры. Зарегистрируйте дело в округе Колумбия и запускайте блиц-рекламу. Это будет нечто!

— Как дилофт?

— За исключением того, что здесь вы будете главным. Я останусь в тени — дергать за ниточки и выполнять грязную работу. У меня большие связи с нужными теневыми фигурами. Это станет сугубо нашим делом, и ваше имя заставит «Гофмана» искать выход.

— Быстрое мировое соглашение?

— Возможно, не такое быстрое, как по дилофту, но все-таки быстрое. Вы должны выполнить домашнее задание: собрать свидетельства, нанять экспертов, возбудить дела против врачей, увлекающихся лекарством, и сделать вид, что намерены отстаивать интересы своих клиентов в суде. Вам необходимо будет убедить «Гофмана», что вы не заинтересованы в соглашении и хотите довести дело до суда — зрелищного публичного представления, которое пройдет на вашей площадке.

— А каковы подводные рифы? — спросил Клей, стараясь показать, что проявляет осмотрительность.

— Особых сложностей я не вижу. Разве что реклама и подготовка к судебному разбирательству обойдутся вам в миллионы.

— Нет проблем.

— Похоже, вы вошли во вкус и готовы рисковать деньгами.

— Я пока лишь поскреб немного с поверхности.

— Я хотел бы получить миллион в качестве аванса — в счет будущего гонорара. — Пейс отпил из бокала. — Нужно кое-что подчистить по старым делам.

Тот факт, что Пейс требовал аванса, немного насторожил Клея. Однако, поскольку ставки были высоки и поскольку их связывала тайна тарвана, спор казался неуместным.

— Заметано, — кивнул Клей.

Когда вернулась Валерия, пропотевшая насквозь, но, судя по всему, довольная, оба нежились в гамаках. Валерия сбросила одежду и нырнула в бассейн.

— Калифорнийская девушка, — тихо пояснил Пейс.

— Что-то серьезное? — осторожно поинтересовался Клей.

— Мы уже много лет то сходимся, то расходимся, — ответил Пейс, давая понять, что тема закрыта.

Калифорнийская девушка потребовала обед, исключающий мясо, рыбу, кур, яйца и сыр. Не употребляла она и алкоголь. Для остальных Клей заказал рыбу-меч на гриле.

С едой покончили быстро: Ридли не терпелось уединиться у себя в комнате с видеомагнитофоном, Клею — поскорее расстаться с Валерией.

Пейс с подругой провели у них два дня, и по меньшей мере один показался хозяевам лишним. Цель визита была сугубо деловой, так что, сделав дело, Пейс задерживаться не собирался. Клей сверху наблюдал, как Маршалл с несвойственной ему поспешностью везет их к самолету.

— Ожидаются еще гости? — устало спросила Ридли.

— Слава Богу, нет, — ответил Клей.

— Ну и отлично.

26

К концу года освободился целый этаж над конторой Клея на Коннектикут-авеню, и он снял половину, чтобы сосредоточить все операции в одном месте, перевел сюда дюжину параюристов, пять секретарей из «Лакомки» и так называемое Йельское отделение. Место здесь было куда более престижным, чем то, где они сидели раньше, так что ребята почувствовали себя увереннее. Клей хотел собрать всю контору под одной крышей, чтобы в любой момент сотрудники были под рукой, потому что в ближайшее время намеревался завалить их работой по горло.

Расписание на начало года было чрезвычайно напряженным. Предполагалось, что все будут находиться в конторе с раннего утра до шести, завтракать, обедать, а порой и ужинать — за рабочими столами. Сам Клей обычно не уходил раньше восьми-девяти часов вечера и ожидал, что остальные последуют его примеру.

Иона не последовал. Он собирался уволиться в середине января, его рабочий стол был уже девственно чистым и свободным, а прощание оказалось кратким: не трудитесь звонить, просто переведите деньги на мой счет в Арубе.

Оскар Малруни уже нацеливался на кабинет Ионы, который был просторнее, из его окна открывался более привлекательный вид, хотя последнее обстоятельство ничего для него не значило. Но помещение располагалось в непосредственной близости от кабинета Клея, и это было важно. Малруни чуял деньги — солидные гонорары. Дилофт прошел мимо него, но больше он ничего упускать не собирался. И он, и его мальчики затаили обиду на корпоративную юриспруденцию, коей их учили поклоняться в университете, и теперь нацелились взять реванш. А что могло отвечать этой задаче лучше, чем прямые досудебные соглашения и судебные преследования в медицинской сфере? Ничего более опасного для чванливых ничтожеств из корпораций голубых кровей не существовало. Коллективные иски такого рода не являлись составной частью процессуальной практики. Они были предпринимательством, не лишенным налета жульничества.

Стареющий греческий плейбой, некогда женившийся на Полетт Таллос и затем покинувший ее, каким-то образом пронюхал о нынешнем финансовом процветании супруги, объявился в округе Колумбия, нашел телефон ее щегольской кооперативной квартиры, которую сам же когда-то купил, и оставил послание на автоответчике. Услышав родной голос, Полетт рванула в Лондон, где провела рождественские каникулы и намеревалась продолжать прятаться. Еще на Мастике Клей получил от нее несколько электронных писем, в которых миссис Таллос рассказывала о своем нынешнем затруднительном положении и инструктировала, что он должен сделать по возвращении, чтобы добиться развода для нее. Клей собрал нужные документы, но разыскать грека не сумел. Как и сама Полетт. Она то ли собиралась вернуться через несколько месяцев, то ли нет.

— Прости, Клей, — сказала она по телефону. — Но я действительно больше не хочу работать.

Так Малруни стал конфидентом и негласным, весьма амбициозным партнером Клея. Он со своей командой тщательно отслеживал малейшие движения на карте коллективных исков. Они самым добросовестным образом изучали правовую базу и соответствующие процедуры. Читали как статьи академиков, так и донесения действующих адвокатов с полей сражений. В Интернете существовали десятки сайтов. Одни строго регистрировали все коллективные дела, ведущиеся в Соединенных Штатах. Другие растолковывали потенциальным истцам, как присоединиться к массовой тяжбе и получить компенсации. Третьи специализировались на делах, касающихся ущерба, нанесенного женскому здоровью. Четвертые — мужскому. Отдельный сайт был посвящен «Тощему Бену», несколько — искам против табачных корпораций. Никогда еще столько блестящих умов, подкрепленных такими деньгами, не было нацелено против производителей недоброкачественной продукции.

У Малруни созрел план. Поскольку огромное количество тяжб было уже на мази, он считал целесообразным, чтобы фирма направила значительные ресурсы на отлов еще не задействованных клиентов. Раз Клей располагал деньгами на рекламу и маркетинг, они могли рассчитывать и на наиболее прибыльные дела и начать отсчет неучтенных пока истцов с нуля. Как в случае с дилофтом, почти все возбужденные иски являлись открытыми, и новые участники были вольны подбирать столько не охваченных пока клиентов, сколько смогут. Фирме Клея надо было просто плыть в кильватере других «массовиков», подхватывать лакомые куски и получать огромные гонорары. Оскар приводил в пример иск по «Тощему Бену». По самым скромным подсчетам, уже сейчас можно было дополнительно набрать около трехсот тысяч истцов, и еще сотня тысяч оставалась пока невыявленной и, стало быть, не прибранной к рукам. Соглашение по этому делу уже было достигнуто, компания отваливала на него миллиарды долларов. Претенденту оставалось всего-навсего зарегистрироваться у администратора, представить необходимые медицинские справки и получить деньги.

Подобно генералу, расставляющему войска по позициям, Клей отрядил двух адвокатов и параюриста на фронт «Тощего Бена». Это было меньше, чем просил Малруни, но Клей имел собственные, еще более грандиозные планы. Он развязывал войну против максатила — войну, где командовать войсками предстояло ему самому. Правительственный доклад, еще не обнародованный и, вероятнее всего, украденный Максом Пейсом, состоял из ста сорока страниц и изобиловал убийственными данными. Клей прочел его дважды, прежде чем передать Малруни.

В конце января под завывание метели они за полночь засиделись над обсуждением ситуации и составлением подробного плана действий. На этот фронт Клей бросил Малруни, еще двух адвокатов, двух параюристов и трех секретарей.

В два часа ночи Малруни сказал, что у него есть к Клею неприятный разговор.

— Нам нужны деньги.

— Сколько? — спросил Клей.

— Нас теперь тринадцать человек — все пришли из крупных фирм, где неплохо зарабатывали. Десять из нас женаты, у большинства есть дети. Мы пережили тяжелое унижение. Вы не можете себе представить, что значит окончить Йель или другой престижный университет, получить хорошую работу, жениться, а потом оказаться на улице без гроша в кармане. Это, знаете ли, очень больно бьет по самолюбию.

— Понимаю.

— Вы удвоили мне жалованье, и я ценю это больше, чем вы думаете. Со мной все в порядке. Но другие недовольны. А они весьма честолюбивые люди.

— Сколько?

— Мне бы не хотелось потерять кого-либо из них. Вся команда — блестящие юристы. И работают не за страх, а за совесть.

— Давайте поступим вот как, Оскар. Я сейчас очень щедр и заключу со всеми вами новые контракты на год с окладом в двести тысяч. Но взамен я хочу получить все ваше время. Мы на пороге нового дела, еще более серьезного, чем в прошлом году. Ребята обеспечивают успех, а я гарантирую дополнительное вознаграждение. Существенное вознаграждение. По понятной причине я сам очень люблю вознаграждения, Оскар. Идет?

— Вы все поняли, шеф.

Метель разыгралась не на шутку, вести машину возможным не представлялось, поэтому они продолжили рабочий марафон. Клей располагал предварительными сведениями о компании, производящей недоброкачественный строительный раствор. Уэс Солсбери передал ему секретное досье, о котором упоминал в Нью-Йорке. Раствор, разумеется, не предполагал такого волнующего шоу, как опухоли мочевого пузыря, тромбы сосудов или ослабление сердечных клапанов, но деньги сулил такие же зеленые. Они решили выделить на подготовку документов и поиск пострадавших двух адвокатов и одного параюриста.

Просидев в комнате для совещаний десять часов кряду, выпив весь кофе и съев все зачерствевшие булочки, коллеги составили примерный план работы на год. Встреча, начавшаяся как обмен идеями, быстро переросла в нечто более важное. Молодая юридическая фирма начинала обретать ясные очертания и осознавать, к чему она стремится и как этого достичь.

Он понадобился президенту! Хотя до выборов оставалось два года, враги уже грузили деньги на свой агитационный поезд. Еще с тех пор, когда нынешний президент был начинающим сенатором, он привык опираться на действующих юристов — он и сам когда-то выступал в суде маленького городка, чем до сих пор гордился. И теперь ему понадобилась помощь Клея Картера, чтобы противостоять натиску эгоистических интересов большого бизнеса. Орган, коим он решил воспользоваться, чтобы лично познакомиться с Клеем, назывался чуть ли не президентским наблюдательным советом и объединял наиболее влиятельных юристов и профсоюзных деятелей, которые могли выписывать солидные чеки и часами рассуждать о важных проблемах.

Враги готовили массированное наступление под лозунгом «немедленной реформы коллективного судопроизводства», намереваясь установить возмутительно низкий потолок как для прямых, так и для штрафных санкций по возмещению ущерба пострадавшим гражданам. Они жаждали демонтировать систему досудебных сделок, которая так славно кормила адвокатов-«массовиков», и отбить у них охоту гоняться за медиками.

Президент, как всегда, был тверд, но ему нужна была поддержка. Клей получил трехстраничное письмо на красивом, с золотым тиснением, бланке, заканчивающееся просьбой о вспомоществовании, причем немалом. Он позвонил Пэттону Френчу, который, к его удивлению, оказался на месте, в своем офисе в Билокси, и был, как всегда, краток:

— Да выпишите вы им этот проклятый чек.

Состоялся обмен телефонными звонками между Клеем и главой президентского наблюдательного совета. Впоследствии Клей даже не смог вспомнить, какую сумму собирался пожертвовать, но точно знал, что она даже не приближалась к двумстам пятидесяти тысячам, на которые он в конце концов выписал чек. Прибывший из Белого дома курьер благополучно доставил чек по месту назначения. А спустя четыре часа явился другой курьер из того же Белого дома с маленьким конвертом. На личном президентском бланке для писем значилось:

«Уважаемый Клей,

сижу на заседании кабинета (стараясь не уснуть), иначе позвонил бы сам. Благодарю за поддержку. Давайте поужинаем вместе и познакомимся ближе», — и личная подпись президента.

Очень мило. Впрочем, за четверть миллиона долларов меньшего Клей и не ожидал. На следующий день очередной курьер доставил из Белого дома приглашение на толстой мелованной бумаге. На обратной стороне стоял штамп: «ПРОСЬБА ПОДТВЕРДИТЬ СОГЛАСИЕ НЕМЕДЛЕННО». Клея в числе других гостей приглашали на официальный ужин по случаю государственного визита президента Аргентины. Разумеется, черный галстук был обязателен. Требование немедленно подтвердить свое участие обусловливалось тем, что до приема оставалось лишь четыре дня. Удивительно, сколько всего можно купить в Вашингтоне за двести пятьдесят тысяч.

Ридли, разумеется, потребовался соответствующий туалет, а поскольку платить за него предстояло Клею, он отправился с ней по магазинам. Причем с удовольствием: он хотел участвовать в выборе наряда. Предоставленная самой себе, она могла шокировать аргентинцев и остальных гостей прозрачными тканями и разрезами до талии. Нет уж, Клей желал видеть то, что покупает.

Однако Ридли оказалась на удивление скромна как в том, что касалось вкуса, так и в том, что касалось цен. На ней любой наряд выглядел превосходно; в конце концов, она ведь была манекенщицей, хотя в последнее время все реже и реже появлялась на подиуме. Она выбрала чрезвычайно элегантное, хотя и очень простое красное платье, которое открывало взорам гораздо меньше ее плоти, чем обычно. За три тысячи долларов это было очень удачное приобретение. Туфли, нитка мелкого жемчуга, золотой браслет с бриллиантами — Клей уложился меньше чем в пятнадцать тысяч.

Сидя в лимузине перед Белым домом в ожидании, пока охранники производили досмотр гостей, стоявших в очереди перед ними, Ридли сказала:

— Не могу поверить, что я здесь. Я, бедная грузинская девчонка, — в Белом доме!

Она держала Клея под руку, которая покоилась на ее бедре. Акцент стал более заметен — так случалось всегда, когда Ридли нервничала.

— Да, поверить трудно, — согласился Клей, и сам сильно взволнованный.

Когда они, покинув лимузин, вошли под навес Восточного крыла, морской пехотинец в парадной форме взял Ридли под руку и повел в Восточный зал, где официанты обносили напитками прибывающих гостей. Клей шел на шаг сзади, наблюдая Ридли со спины и получая от этого огромное удовольствие. Морской пехотинец нехотя передал Ридли Клею и отправился исполнять свои обязанности дальше. Их сфотографировали.

Подойдя к первой группе гостей, они познакомились с людьми, которых наверняка больше никогда в жизни не увидят. Всех пригласили к столу, гости проследовали в зал приемов, где пятнадцать столов, каждый на десять персон, были сервированы большим количеством фарфора, серебра и хрусталя, чем кто-либо когда-либо видел разом. Все места были расписаны, никто не оказался рядом со своим спутником или спутницей. Клей проводил Ридли до предназначенного ей места, отодвинул стул, помог сесть, чмокнул в щеку и сказал:

— Желаю удачи.

Она ответила ему профессиональной улыбкой манекенщицы — сияющей и искренней, но Клей понимал, что в этот момент она чувствовала себя всего лишь испуганной маленькой грузинской девочкой. Не успел он отойти и на десять футов, как двое мужчин уже склонили головы, желая представиться и поцеловать ей руку.

Так начался вечер, оказавшийся для Клея очень долгим. Справа от него сидела светская львица с Манхэттена, сморщенная старуха с лиловым, как чернослив, лицом, которая, видимо, так долго морила себя голодом, что стала похожа на мумию. Будучи глухой, она орала во все горло. Соседкой слева оказалась дочь торгового магната со Среднего Запада, с которым президент когда-то учился в колледже. Клей обратил внимание на нее и минут пять изо всех сил старался завязать беседу, пока не понял, что девушка глупа как пробка.

Время остановилось.

Он сидел к Ридли спиной и не видел, как справляется она.

Президент сказал несколько слов, после чего подали ужин. Оперный певец, сидевший напротив Клея, быстро опьянел и стал сыпать скабрезными шутками. Будучи, видимо, жителем гор, говорил он громко и не был стеснен никакими условностями относительно того, что можно, а чего нельзя себе позволить в смешанном обществе, тем более в Белом доме.

Через три часа после начала ужина Клей встал и вежливо попрощался со своими новыми знакомыми. В конце Восточного зала уже собрался оркестр. Клей схватил Ридли под руку и увлек туда, где играла музыка. Незадолго до полуночи, когда на площадке оставалось всего несколько десятков пар, президент и первая леди на один или два танца присоединились к этим самым выносливым танцорам. Президент, казалось, был искренне рад лично познакомиться с мистером Клеем Картером.

— Слежу за вашими успехами по прессе. Отличная работа, — сказал он.

— Благодарю вас, господин президент.

— А кто эта очаровашка?

— Подруга, — ответил Клей, отметив про себя: интересно, что сказали бы феминистки, если бы узнали, что президент позволил себе подобное словцо?

— Можно мне с ней потанцевать?

— Разумеется, господин президент.

И Ридала Петанашвили, бывшая студентка, приехавшая из Грузии по университетскому обмену, попала в тесные, крепкие и жаркие объятия самого президента Соединенных Штатов.

27

Поставка нового «Гольфстрима-5» могла состояться не раньше чем через двадцать два месяца, может, и позже, но не временная отсрочка представляла собой наибольшую преграду. Цена самолета — разумеется, полностью укомплектованного, со всеми наисовременнейшими электронными устройствами и игрушками — составляла сорок четыре миллиона долларов. Это было слишком дорого, хотя Клей испытывал непреодолимое искушение. Брокер объяснил, что по большей части новые «Г-5» закупают крупные корпорации, располагающие миллиардными доходами. Они приобретают сразу две-три машины, которые постоянно находятся в воздухе. Для Клея же, как индивидуального владельца, по словам брокера, было выгоднее арендовать чуть менее новую модель на, скажем, полгода, чтобы иметь возможность убедиться, что это — то, что ему нужно. По истечении этого срока он сможет выкупить самолет, причем девяносто процентов арендных выплат будут учтены в сумме сделки.

У брокера как раз был на примете такой самолет — «Г-4 СЗ (специальный заказ)» 1998 года выпуска, который компания «Форчун-500» только что обменяла на новый «Г-5». Когда Клей увидел эту великолепную машину на стоянке аэропорта Рейгана, его сердце дрогнуло. Это был белоснежный лайнер с элегантной продольной полосой цвета морской волны. До Парижа он долетал за шесть часов. До Лондона — за пять.

Они с брокером поднялись на борт. Если самолет и был на несколько дюймов короче, чем «Г-5» Пэттона Френча, Клей этого не заметил. Кожа, красное дерево и медь повсюду. Кухня, бар и комната отдыха в глубине; новейшее навигационное оборудование на приборной доске в кабине пилотов. Один из диванов раскладывался в двуспальную кровать, и Клей тут же представил себе их с Ридли под одеялом на высоте сорока тысяч футов. Современнейшие стерео-, видео- и телекоммуникации. Факс, персональный компьютер с постоянным доступом в Интернет.

Самолет выглядел так, словно только что сошел со стапеля. Брокер объяснил, что его действительно только что пригнали с завода, где заново покрасили и обновили интерьер. Уступая настойчивым вопросам Клея, он наконец назвал сумму:

— Тридцать миллионов — и самолет ваш.

Усевшись за маленький столик, они начали обговаривать условия. Идея предварительной аренды незаметно улетучилась. При своих доходах Клей мог без труда заключить выгодную финансовую сделку. Ежемесячные выплаты по кредиту — триста тысяч долларов, что лишь немногим больше, чем была бы арендная плата. И в любой момент он мог отказаться от покупки, брокер выразил готовность забрать самолет обратно по самой высокой рыночной цене, предложив взамен все, что Клей пожелает.

Два пилота обойдутся в двести тысяч в год, включая страховку, переподготовку и все прочее. Клею предлагалось также подумать о том, чтобы поставить самолет на учет в чартерной компании для корпоративных клиентов.

— В зависимости от того, насколько интенсивно вы будете пользоваться самолетом сами, можно получать от сдачи его внаем до миллиона долларов в год, — сказал брокер, продолжая загонять добычу в ловушку. — Это покроет все ваши расходы на содержание пилотов, аренду ангара и техническое обслуживание.

— Вы имеете представление о том, сколько я могу налетать за год сам? — спросил Клей. У него голова шла кругом от открывающихся перспектив.

— Мне часто доводится продавать самолеты адвокатам, — ответил брокер, стараясь вычислить нужный ответ. — Триста часов в год — максимум. Вы можете сдавать его на время, вдвое превышающее эту цифру.

«Вот это да! — подумал Клей. — Эта штуковина, оказывается, может приносить еще и неплохой доход».

Голос разума подсказывал проявить осмотрительность, но к чему было ждать? И с кем, скажите на милость, он мог посоветоваться? Единственными известными ему людьми, имеющими опыт в подобных делах, были его приятели-«массовики», но любой из них сказал бы: «Как, у тебя еще нет собственного самолета? Покупай скорей!»

И он купил.

* * *

Прибыль компании «Гофман» за четвертый квартал превысила прибыль за соответствующий период предыдущего года, был поставлен рекорд по продажам. Акции шли по шестьдесят пять долларов — самый высокий показатель за последние двадцать четыре месяца. В первую неделю нового года корпорация начала необычную рекламную кампанию — рекламировали не какой-то отдельный из множества выпускаемых ею продуктов, а самое фирму. «“Гофман” всегда был и остается с вами», — гласил слоган, ставший основой телевизионных роликов, представлявших собой монтаж клипов, рекламирующих хорошо известную и широко используемую продукцию компании, призванную защищать и ублажать Америку. Мать, заклеивающая ранку маленькому сыну бактерицидным пластырем; красивый молодой человек с плоским, как положено, животом, бреющийся и получающий от бритья явное удовольствие; седовласая пожилая чета на берегу моря, счастливая тем, что избавилась от геморроя; бегун, скорчившийся от боли и протягивающий руку к обезболивающим таблеткам, и так далее и тому подобное. Список заслужившей доверие покупателей продукции фирмы «Гофман» был обширен.

Малруни наблюдал за компанией пристальнее, чем любой биржевой аналитик, и не сомневался, что рекламная акция есть не что иное, как уловка, предпринятая для того, чтобы привлечь инвесторов и потребителей к акциям производителя максатила. По его данным, это было беспрецедентное в маркетинговой истории компании «послание потребителю с пожеланием здоровья». Компания была одним из пяти крупнейших в стране рекламодателей, но прежде всегда вкладывала деньги только в рекламу очередного отдельного продукта и, надо признать, добивалась выдающихся результатов.

Разделял мнение Оскара и Макс Пейс, в данный момент обосновавшийся в отеле «Хей-Адамс». Клей приехал к нему на поздний ужин, который подали в номер. Пейс нервничал, ему не терпелось метнуть бомбу в «Гофман». Он прочел последний вариант текста коллективного иска, который предстояло зарегистрировать в округе Колумбия, как всегда, делая пометки на полях.

— Каков план? — спросил он, не обращая внимания на еду и вино.

Клей, напротив, отдал должное тому и другому.

— Реклама будет запущена в восемь утра, — сообщил он, набив рот телятиной. — Блиц по восьмидесяти секторам рынка от побережья до побережья. Горячая линия готова. Веб-сайт тоже. Моя маленькая фирма — на стартовой позиции. Я пойду в суд к десяти часам и лично зарегистрирую дело.

— Звучит неплохо.

— Мы ведь все это уже проходили. Адвокатская контора Дж. Клея Картера-второго — машина для производства массовых тяжб, спасибо вам.

— Ваши новые друзья в курсе?

— Разумеется, нет. С какой стати? По дилофту мы работали вместе, но Френч и все те парни — мои конкуренты. Я ударю неожиданно, ждать нет времени.

— Только помните: это вам не дилофт. Там вам повезло, потому что вы накрыли слабеющую компанию в самый неблагоприятный для нее момент. «Гофман» — орешек покрепче.

Пейс наконец бросил на секретер папку с текстом и принялся за еду.

— Но ведь они выпустили вредный препарат, — напомнил Клей. — А идти в суд с вредным препаратом нельзя.

— Это справедливо в том случае, если речь не идет о коллективной тяжбе. Мои источники сообщают, что «Гофман» готов предстать перед судом во Флагстафе, поскольку там предъявлен индивидуальный иск.

— Это дело, которое ведет Мунихэм?

— Совершенно верно. Если они проиграют, то станут более покладистыми при заключении соглашения. Если победят, борьба может оказаться затяжной.

— Вы говорили, что Мунихэм никогда не проигрывает.

— Так оно и было на протяжении последних лет двадцати. Присяжные обожают его в этих его ковбойских шляпах, замшевых куртках и сапогах. Воспоминание о тех временах, когда адвокаты действительно отстаивали интересы клиентов в суде. Мастерская работа. Вам неплохо бы с ним познакомиться, для этого стоит к нему съездить.

— Я включу это в список дел. — «Гольфстрим», казалось его хозяину, бил копытом в ангаре, горя желанием отправиться в путь.

Зазвонил телефон, Пейс минут пять, отойдя в дальний конец комнаты, тихо с кем-то беседовал.

— Это Валерия, — пояснил он, вернувшись к столу. Клей мгновенно представил бесполое существо, жующее морковку. Бедный Макс. Он заслуживал лучшего.

Клей окончательно поселился в конторе, отгородив небольшую комнатку и ванную от конференц-зала. Он часто засиживался за полночь, спал всего по нескольку часов, потом принимал душ и к шести утра уже снова был за столом. О его трудолюбии ходили легенды не только в собственной конторе, но и по всему городу. Он был героем абсолютного большинства сплетен, передаваемых в юридических кругах, во всяком случае, в данный момент. Картер работал по шестнадцать, а то и по восемнадцать часов, а если предстояла какая-то встреча в баре или коктейль, день растягивался на все двадцать.

И почему, собственно, было не работать целыми сутками? Ему было всего тридцать два, он был свободен и не имел никаких существенных обязательств, на которые стоило бы тратить время. Благодаря удаче и малой толике способностей ему выпала уникальная возможность преуспеть так, как редко кому удается. Почему бы на несколько лет не отдать себя со всеми потрохами фирме, чтобы потом наплевать на все это и до конца своих дней жить припеваючи?

Малруни появился в самом начале седьмого, с четырьмя чашками кофе в животе и кучей идей в голове.

— День «Д»*? — провозгласил он, вваливаясь в кабинет Клея.

— День «Д», — подтвердил Клей.

— Ох и надерем же мы кое-кому задницы!

К семи помещение уже кишело референтами и параюристами, все поглядывали на часы в ожидании начала атаки. Секретарши сновали из кабинета в кабинет, разнося кофе и булочки. В восемь все собрались в конференц-зале и уставились в широкоформатный телеэкран. Первым рекламу показал канал ABC по сетке вещания на столичный регион.

Миловидная женщина лет шестидесяти с небольшим, коротко стриженная, седеющая, элегантно одетая, сидит за маленьким кухонным столом, печально глядя в окно. Голос за кадром (весьма зловещий): «Если вы принимали женский гормональный препарат максатил, вы находитесь в группе повышенного риска получить рак груди, заболевание сердца или инсульт». Наезд на руки дамы, крупный план: флакон с таблетками, на котором крупными устрашающими буквами написано «Максатил» (даже если бы там был изображен череп с перекрещенными костями, страшнее быть не могло). Опять голос за кадром: «Пожалуйста, немедленно обратитесь к врачу. Максатил может представлять серьезную угрозу вашему здоровью». Наезд на лицо женщины, ставшее еще более печальным, на глазах у нее слезы. Голос: «Более подробная информация — на горячей телефонной линии "Максатил"». В нижней части экрана появляется бесплатный телефонный номер. Последний кадр: женщина снимает очки и стирает со щеки слезу.

Все захлопали и радостно закричали, словно им объявили, что курьер сегодня же вечером доставит деньги. Клей велел разойтись по местам, не отходить от телефонов и начинать собирать клиентов. Первые звонки раздались уже

---

* В американской военной терминологии D-day — день начала операций. Так назвали и день высадки союзных войск в Европе 6 июня 1944 г.

через несколько минут. Ровно в девять, согласно расписанию, копии иска были разосланы по факсу в газеты и на деловые кабельные телеканалы. Клей позвонил своему старому приятелю в «Уолл-стрит джорнал» и, якобы нечаянно проболтавшись, на просьбу дать интервью сказал, что подумает, — через день-два, не исключено.

Акции «Гофмана», стоившие при открытии торгов шестьдесят пять долларов с четвертью, начали быстро падать, как только просочилась новость о предъявлении компании иска в округе Колумбия. В момент регистрации иска в суде Клей позволил себя сфотографировать какому-то внештатному корреспонденту.

К полудню акции «Гофмана» упали до шестидесяти одного доллара. Корпорация немедленно выступила с заявлением для прессы, в котором категорически отрицала, что максатил может быть причиной всех тех ужасов, которые перечислены в иске, и утверждала, что будет бескомпромиссно защищаться в суде.

Пэттон Френч позвонил в обеденный перерыв. Клей жевал сандвич, стоя у стола и наблюдая, как из факса выползает длинная полоса бумаги.

— Надеюсь, вы отдаете себе отчет в том, что делаете, — с сомнением сказал Френч.

— Я тоже на это надеюсь, Пэттон. Как поживаете?

— Ну, тогда молодец. Мы очень внимательно приглядывались к максатилу примерно полгода назад и решили не трогать его. Очень трудно доказать этиологию осложнений.

Клей бросил сандвич на стол и попытался сделать глубокий вдох. Пэттон Френч отказался от массовой тяжбы? Не воспользовался случаем предъявить коллективный иск одной из самых богатых корпораций в стране? Клей не знал, что сказать. Повисла долгая пауза.

— Что ж, Пэттон, мы представляем себе ситуацию несколько иначе, — вымолвил он наконец, шаря за спиной в поисках стула, на который он в конце концов рухнул.

— Должен сказать, от этого дела отказались все, кроме вас: Солсбери, Дидье, Карлос. У одного парня из Чикаго было несколько клиентов, но он не стал регистрировать иск. Не знаю, может, правы вы, а мы ошиблись.

Френч пытался выудить информацию.

— У нас на них кое-что есть, — осторожно произнес Клей. «Правительственный доклад! Вот что! У нас он есть, а у Френча его не было». Сумев наконец перевести дыхание, Клей почувствовал, как сердце забилось немного ровнее.

— Тем не менее будьте осторожны, Клей. Это ушлые ребята. По сравнению с ними «Акерман» — скаут-молокосос.

— Похоже, вы их боитесь, Пэттон. Я поражен.

— Я абсолютно их не боюсь. Но если в вашей теории доказательств есть хоть ничтожная нестыковка, они сожрут вас заживо. А уж о быстрой сделке можете вообще забыть.

— Вы со мной?

— Нет. Мне это дело не понравилось полгода назад, не нравится и сейчас. К тому же у меня в печи подходит слишком много других пирогов. Желаю удачи.

Клей закрыл дверь кабинета и запер ее. Подойдя к окну, он не меньше пяти минут стоял и смотрел на улицу, пока не почувствовал, что у него взмокла спина и рубашка прилипла к ней. Потом потер лоб, который тоже был мокрым.

28

Заголовок в «Дейли профит» гласил: «ВШИВЫХ СТА МИЛЛИОНОВ СЛИШКОМ МАЛО». Дальше было еще хуже. Статья начиналась с короткого абзаца, в котором сообщалось, что «легкомысленный» иск предъявлен вчера в округе Колумбия компании «Гофман» — одному из лучших производителей товаров массового потребления в Америке. Ее чудодейственный препарат максатил помог бесчисленному количеству женщин легко пережить кошмар менопаузы, но теперь препарат подвергся нападению со стороны тех же акул, которые уже обанкротили корпорации А.Х. Робинса, Джона Мэнвилла, «Оуэнс-Иллинойс» и практически всю асбестовую индустрию страны.

Кульминационным пассажем был тот, в котором автор обрушивался на главную акулу — неразборчивого молодого выскочку из округа Колумбия Клея Картера, ни разу в жизни, согласно источникам автора, не отстаивавшего гражданских дел в суде присяжных. Тем не менее, сообщалось дальше, он выиграл в прошлом году свыше ста миллионов долларов в лотерею, коей являются коллективные сделки. Судя по всему, автор имел надежные источники. Первым из них был ответственный сотрудник коммерческой палаты США, который ненавидел и всегда поносил массовые тяжбы в целом и адвокатов-«массовиков» в частности. «Такие вот Клеи Картеры по всему миру только тем и занимаются, что заставляют людей возбуждать безосновательные дела. В нашей стране миллион адвокатов. Если никому не известный человек вроде мистера Картера способен так стремительно разбогатеть, значит, ни одна честная компания не может чувствовать себя в безопасности». Профессор-юрист из университета, о существовании которого Клей никогда не слышал, заявлял: «Эти парни не ведают сострадания. Их алчность не знает границ, и именно поэтому они в конце концов сворачивают голову курице, несущей золотые яйца». Болтливый конгрессмен из Коннектикута пользовался случаем, чтобы еще раз воззвать к необходимости немедленного проведения реформы коллективного судопроизводства. Он уже внес законопроект на рассмотрение. Предполагались слушания в комитете, и мистеру Картеру, вполне вероятно, придется давать показания в конгрессе, утверждал он.

Неназванный источник из недр корпорации «Гофман» утверждал, что компания намерена защищаться, что она никогда не поддастся на шантаж, не пойдет ни на какие сделки и что в положенное время сама потребует возмещения судебных издержек, денег, потраченных ею на своих адвокатов, а также прибыли, упущенной из-за чудовищных и необоснованных обвинений, ей предъявленных.

Акции компании упали на одиннадцать процентов, утрата потенциальных инвестиций оценивалась в два миллиарда — и все из-за этих «надуманных обвинений». «Почему бы акционерам компании «Гофман» самим не возбудить дело против мистера Картера?» — вопрошал тот самый профессор из неизвестного Клею университета.

Читать все это было нелегко, но Клей, разумеется, не мог игнорировать прессу. Редакционная статья «Инвестмент таймс» призывала конгресс со всей серьезностью отнестись к необходимости судебной реформы. Она тоже делала акцент на том, что молодой мистер Картер менее чем за год сумел сколотить состояние, и называла его «бандитом, чье неправедно добытое богатство лишь побуждает других уличных грабителей подавать в суд на всех и каждого».

Прозвище Бандит на несколько дней стало популярным в конторе, временно вытеснив прозвище Король. Клей улыбался и делал вид, что почитает это за честь.

— Год назад, — хвастался он, — обо мне никто знать не знал, а теперь мое имя у всех на устах.

Но, оставаясь в кабинете один, он чувствовал себя неуютно и терзался сомнениями: правильно ли он поступил, столь поспешно затеяв дело против гигантской корпорации? Его очень смущал тот факт, что коллеги-«массовики» не попытались к нему присоединиться. Кампания, развязанная против него в прессе, удручала. Настораживало то, что пока никто за него не вступился. Пейс исчез. Это казалось необычным, однако Пейс не был тем человеком, в котором Клей сейчас нуждался.

Спустя шесть дней после регистрации дела Пейс позвонил из Калифорнии.

— Завтра — великий день, — заявил он.

— Хорошие новости мне не помешали бы, — ответил Клей. — Вы имеете в виду правительственный доклад?

— Я не могу вам этого сказать, — уклонился Пейс. — И больше никаких телефонных разговоров. Возможно, нас прослушивают. Объясню, когда вернусь. Позже.

Прослушка? Но кого прослушивают — его или Пейса? И кто, хотелось бы знать? Клей снова остался ночевать в офисе.

Предпринятое Всеамериканским советом по проблемам пожилых граждан исследование изначально имело целью обычное наблюдение за состоянием здоровья двадцати тысяч женщин в возрасте от сорока пяти до семидесяти пяти лет и старше. Контрольная группа была поделена пополам: на тех, кто ежедневно принимал максатил, и тех, кто ограничивался безвредными успокоительными средствами. Но четыре года спустя ученые отказались от первоначального плана, поскольку результаты получились ошеломительными. Они обнаружили, что риск сердечных заболеваний, рака груди и инсульта у значительной части потребителей максатила существенно возрос. Рака груди — до тридцати трех процентов, сердечных заболеваний — до двадцати одного, инсультов — до двадцати.

В докладе утверждалось, что из каждых ста тысяч женщин, принимавших максатил в течение четырех лет, четыреста человек рискуют заболеть раком груди, триста — теми или иными сердечными недугами, а еще триста являются кандидатами на получение инсультов разной степени тяжести.

Доклад был обнародован на следующее утро. Акции компании «Гофман» обрушились еще раз — теперь до отметки пятьдесят один доллар. Клей и Малруни всю первую половину дня следили за соответствующими сайтами в Интернете и передачами деловых кабельных каналов, отслеживая реакцию корпорации, но ее не было. Репортеры деловых изданий, поливавшие Клея грязью после того, как он завел дело на «Гофман», смолкли, никто не поинтересовался его мнением об опубликованном докладе. Они вообще упоминали о нем лишь вскользь. В «Пост» появилось краткое резюме доклада, о Клее и коллективном иске не было ни слова. Картер чувствовал себя отмщенным, однако обойденным вниманием. Ему было что сказать в ответ на критику, но никто не желал его выслушать.

Обиду компенсировал лишь нескончаемый поток звонков от потребительниц максатила.

Настал час «гольфстрима». Уже восемь дней самолет стоял в ангаре, и Клею не терпелось им воспользоваться. Прихватив Ридли, Клей отправился на Запад, сначала в Лас-Вегас, хотя никто в конторе не знал, что он собирается сделать там остановку. Это была деловая поездка, притом очень важная. Клей договорился о встрече с Дейлом Мунихэмом в Туксоне, чтобы поговорить о максатиле.

Он и Ридли провели две ночи в Вегасе, в отеле, при котором, разумеется, было и казино. Через все его залы была коридором натянута тонкая прочная сетка, за которой, пугая и восхищая посетителей, щекоча и без того взбудораженные нервы, разгуливали живые гепарды и пантеры. Клей проиграл тридцать тысяч в блэкджек, Ридли истратила двадцать пять на тряпки в модных бутиках, обрамлявших гостиничный атриум по периметру, после чего «гольфстрим» взял курс на Туксон.

Очаровательная «антикварная» контора «Мотт и Мунихэм» размещалась в здании старого вокзала в центре города. Приемная располагалась в бывшем зале ожидания — длинном сводчатом помещении, где сидели две секретарши, разведенные по дальним углам, словно для того, чтобы они не подрались. При ближайшем рассмотрении выяснилось, что подраться они никак не могли: обеим было за семьдесят, и каждая, казалось, погружена в собственный мир. В зале была развернута своего рода музейная экспозиция — выставка продукции, которую Дейл Мунихэм когда-либо демонстрировал присяжным в качестве улик. В высоком застекленном шкафу стоял газовый водонагреватель. На бронзовой табличке, прикрепленной над дверцей, значились название дела и сумма вердикта, вынесенного 3 октября 1998 года в округе Стоун, Арканзас, — четыре с половиной миллиона. Искореженный трехколесный мотоцикл с коляской обошелся компании «Хонда» в Калифорнии в три миллиона. Дешевая винтовка привела техасское жюри в такое бешенство, что истцу присудили одиннадцать миллионов. Здесь были десятки предметов — газонокосилка, обожженный остов «тойоты», сверлильный станок, бракованный спасательный жилет, сложившаяся гармошкой стремянка... А по стенам висели вырезки из газет и журналов с огромными фотографиями великого адвоката, вручающего миллионные чеки своим пострадавшим клиентам. Клей один — Ридли отправилась по магазинам — около часа бродил от экспоната к экспонату, восхищаясь победами Мунихэма и не имея понятия о том, что за ним все это время велось наблюдение.

Наконец пришел референт и повел гостя в огромный холл с множеством дверей, ведущих в просторные кабинеты. Здесь стены были украшены увеличенными и вставленными в рамки газетными статьями, где рассказывалось о блестящих победах, одержанных Мунихэмом в зале суда. Кем бы ни был его компаньон Мотт, он со всей очевидностью представлял собой незначительную фигуру. На «шапке» фирменного бланка значилось всего четыре фамилии адвокатов.

Дейл Мунихэм сидел за столом и лишь чуть приподнялся при появлении Клея, которого не представили и который почувствовал себя паломником, допущенным в святилище. Рукопожатие было холодным и сугубо официальным. Ему дали понять, что его сюда не звали, такой прием обескураживал. Мунихэму, коренастому человеку с грудью колесом и большим животом, было не меньше семидесяти. Синие джинсы, узорчатые красные сапоги, мятая ковбойская рубашка и, разумеется, никакого галстука. Мунихэму явно пора было в очередной раз подкрасить волосы — на висках у корней пробилась седина. Черная шевелюра была зачесана назад и щедро смазана бриллиантином. Припухшие веки на широком лице свидетельствовали о склонности к выпивке.

— У вас прекрасное помещение, уникальное в своем роде, — сказал Клей, стараясь разрядить обстановку.

— Куплено сорок лет назад, — ответил Мунихэм. — За пять тысяч долларов.

— Я видел большую коллекцию реликвий.

— Я хорошо выполнял свою работу, сынок. За двадцать один год не проиграл ни одного дела. Боюсь, пришло время испытать поражение, по крайней мере так говорят мои оппоненты.

Клей осмотрелся и, погрузившись в старинное кожаное кресло, попытался расслабиться. Кабинет был раз в пять больше его собственного, по стенам висели охотничьи трофеи — головы животных, наблюдавшие, казалось, за каждым движением чужака. Не слышалось никаких телефонных звонков, нигде не жужжал факс, не видно было и компьютера.

— Я приехал для того, чтобы поговорить о максатиле, — сказал Клей, чувствуя, что в любой момент его могут выставить за дверь.

Несколько секунд Мунихэм сидел неподвижно, разве что поправил очки на носу. Видимо, колебался. Потом сказал так, будто Клею это было неизвестно:

— Препарат вредный. Месяцев пять назад я возбудил иск во Флагстафе. Здесь, в Аризоне, дела не залеживаются, наш штат славится скорым судом, поэтому слушание должно начаться уже осенью. В отличие от вас я не регистрирую иск до тех пор, пока дело досконально не исследовано. Сейчас я готов к процессу. Если поступать именно так, противная сторона тебя никогда не собьет с толку. Я даже написал книгу о досудебной подготовке процесса. И постоянно в нее заглядываю. Вам тоже рекомендую.

«Может, мне прямо сейчас уйти?» — хотел задать вопрос Клей, но лишь спросил:

— Что у вас за клиент?

— Просто один клиент. Коллективные иски — мошенничество, по крайней мере в том виде, в каком ведете их вы и ваши друзья. Массовые тяжбы — жульничество, грабеж потребителей, лотерея, где правит алчность, в один прекрасный день она обернется против вас самих. Безудержная жадность раскачает маятник в другую сторону. Будут проведены реформы, и они окажутся суровыми. Вас, ребята, вышвырнут из бизнеса, но вам это безразлично, ведь вы уже нахапали денег. Кто пострадает, так это будущие истцы, все те маленькие люди, которые из-за того, что вы надругались над законом, потеряют возможность получить компенсацию за ущерб, нанесенный им недоброкачественной продукцией.

— Я спросил о вашем клиенте.

— Женщина шестидесяти шести лет, не курящая, четыре года принимала максатил. Я познакомился с ней год назад. Мы провели большую работу, прежде чем возбуждать дело.

Клей намеревался обсудить серьезные проблемы, например: сколько предположительно можно собрать клиентов, пострадавших от максатила, чего Мунихэм ожидает от корпорации, кого в качестве экспертов собирается вызвать в суд? Но теперь он думал лишь о том, как поскорее убраться.

— Вы полагаете, сделка будет невозможна? — спросил он, стараясь выказать заинтересованность.

— Я не иду на сделки. Моим клиентам это хорошо известно. Я соглашаюсь вести не более трех дел в год, причем тщательно их отбираю. Люблю, чтобы дела были разные, люблю опробовать новые теории, выступать в окружных судах, где прежде не выступал. У меня есть выбор, потому что с просьбами ко мне обращаются каждый день. И я всегда довожу дело до суда. Принимаясь за новую тяжбу, я заранее знаю, что не пойду на сговор. Это избавляет от искушения. Я прямо говорю своему клиенту: «Давайте не будем терять время даже на размышления о вероятной сделке, согласны?» — Старик наконец пошевелился, слегка перенес вбок тяжесть тела, как будто у него заныла спина. — Для вас это хорошая новость, приятель. Я сделаю первый выстрел, и, если жюри согласится со мной, оно вынесет приличный вердикт в пользу моей клиентки. А вы можете выстраиваться в очередь, запрыгивать на уже идущий поезд, распространять свою рекламу, собирать тысячи клиентов и по дешевке улаживать их дела, срывая жирный куш для себя. Я принесу вам огромные барыши.

— Мне бы хотелось довести дело до суда, — неискренне сказал Клей.

— Если то, что я читал, правда, вы не знаете даже, где этот суд находится.

— Ничего, как-нибудь найду.

Мунихэм пожал плечами:

— Возможно, и искать не придется. Когда я отправлю компанию «Гофман» в нокдаун, она будет шарахаться от любого жюри как черт от ладана.

— Я вовсе не приговорен к тому, чтобы идти на сделку.

— Однако пойдете. У вас будут тысячи дел. Никаких сил не хватит, чтобы отстаивать в суде каждое.

После этих слов Мунихэма Клей медленно поднялся, вяло протянул ему руку и сказал:

— Простите, у меня много работы, — после чего выскользнул из кабинета, быстро прошел через холл, через приемную-музей, а оттуда — на улицу, в немилосердную жару пустыни.

Невезение в Вегасе, фиаско в Туксоне. Однако впечатление от путешествия исправилось где-то над Оклахомой, на высоте сорока двух тысяч футов. Ридли спала на диване, укрывшись одеялом, глухая ко всему окружающему, когда зажужжал факс. Клей прошел в глубину салона и взял единственный листок. Информацию выудил из Интернета и переслал из конторы Оскар Малруни. Годовой рейтинг фирм и адвокатских гонораров, опубликованный в «Американ атторней». В списке двадцати самых высокооплачиваемых адвокатов под впечатляющим восьмым номером значился мистер Клей Картер, чьи доходы, по оценке журнала, составили за предыдущий год сто десять миллионов долларов. Имелась даже маленькая фотография Клея, под которой значилось: «Новичок года».

Неплохое определение, подумал Клей. К сожалению, тридцать миллионов от дилофта было выплачено Полетт, Ионе и Родни — такие вознаграждения тогда казались ему справедливо щедрыми, хотя по зрелом размышлении представлялись глупой тратой. Больше он такой ошибки не сделает. Милые ребята из «Американ атторней» впредь никогда не услышат о столь великодушных пожертвованиях с его стороны. И все же грех жаловаться: ни один другой адвокат из округа Колумбия в список не вошел.

Номером первым была легенда Амарилло по имени Джок Рэмси, которому удалось добиться соглашения по делу о токсичных отходах с несколькими нефтяными и химическими компаниями. Дело тянулось лет девять. Доход Рэмси оценивался в четыреста пятьдесят миллионов. Специалист по табачным делам из Палм-Бич заработал, как предполагалось, четыреста миллионов. Еще один, из Нью-Йорка — он шел третьим в списке, — триста двадцать пять. Пэттон Френч занимал только четвертую позицию, что, несомненно, его немало огорчило.

Сидя в уютном салоне персонального самолета и глядя на собственную фотографию в журнале, Клей в который раз повторил: это сон. В округе Колумбия семьдесят шесть тысяч адвокатов, и он — самый успешный среди них. Еще год назад он ничего не слышал ни о каком тарване, дилофте или максатиле и совершенно не разбирался в массовых тяжбах. Год назад его заветной мечтой было уйти из БГЗ, найти работу в респектабельной фирме, где ему платили бы достаточно, чтобы он смог обновить гардероб и купить машину получше. Его имя на фирменном бланке должно было произвести впечатление на Ребекку и утихомирить ее родителей. Приличный кабинет и клиенты классом повыше позволили бы ему перестать завидовать бывшим однокурсникам. Вот такие скромные мечты он тогда лелеял.

Клей решил не показывать статью Ридли. Эта женщина начинала входить во вкус и проявлять все больший интерес к драгоценностям и путешествиям. Ей не доводилось бывать в Италии, и она уже несколько раз намекала, что не прочь поехать в Рим и Флоренцию.

Теперь в Вашингтоне все заговорят о том, что он попал в верхнюю часть двадцатки самых преуспевающих адвокатов. Он думал о своих друзьях и соперниках, об однокашниках и коллегах по БГЗ. Но больше всего — о Ребекке.

29

Цементная компания «Хэнна Портленд» была основана в Ридсбурге, штат Пенсильвания, в 1946 году на гребне послевоенного строительного и делового бума и сразу же стала в своем маленьком городке крупнейшим работодателем. Братья Хэнна правили делом железной рукой, но с рабочими, которые были и их соседями, обходились по справедливости. Когда дела шли хорошо, те получали щедрую зарплату. Если случался спад, все туже затягивали пояса и не роптали. Увольнения, когда приходилось сворачивать производство, предпринимались лишь в самых крайних случаях. Рабочие были довольны и никогда не объединялись в профсоюзы.

Свои доходы братья Хэнна вкладывали в расширение и модернизацию производства, не забывая субсидировать и общественные нужды. Они построили городской административный центр, больницу, театр и лучший в округе школьный футбольный стадион. За все эти долгие годы раза два появлялось искушение продать компанию, но братья не были уверены, что при этом их завод в Ридсбурге сохранится. Поэтому продолжали тянуть лямку.

После пятидесяти лет умелого руководства компания предоставляла работу четырем из одиннадцати тысяч горожан. Сумма ежегодных продаж составляла шестьдесят миллионов долларов, хотя прибыль была нестабильной. Жесткая иностранная конкуренция и снижение масштабов индивидуального строительства сказывались на доходах. К тому же бизнес был цикличным. Младший из братьев Хэнна пытался исправить положение посредством производства сопутствующей продукции, тем не менее последний годовой баланс имел больший крен в сторону долгов, чем прежние.

В настоящий момент обязанности председателя совета директоров исполнял Маркус Хэнна, хотя он никогда так себя не называл. Он был просто боссом, главным начальником. Его отец являлся одним из основателей компании, и сам Маркус отдал ей всю жизнь. Не менее одиннадцати других представителей клана Хэнна состояли в руководстве, несколько младших отпрысков рода работали на заводе — мели полы и не гнушались никаким физическим трудом, как в свое время делали и их родители.

В тот день, когда судебный курьер принес иск, Маркус совещался с двоюродным братом Джоэлом, неофициальным юрисконсультом компании. Преодолев сопротивление регистратора и секретарей, курьер пробился в кабинет и с толстым конвертом предстал непосредственно перед Маркусом и Джоэлом.

— Вы Маркус Хэнна? — строго спросил он.

— Да. А вы кто?

— Судебный курьер. Вам депеша. — Он протянул конверт и удалился.

Иск был возбужден в округе Хауард, штат Мэриленд, от имени группы домовладельцев, потерпевших материальный урон из-за недоброкачественного строительного раствора, произведенного компанией «Хэнна Портленд». Джоэл медленно читал текст, переводя его для Маркуса на общедоступный язык, и, когда он закончил, оба принялись честить всех адвокатов на свете.

Быстро справившись с поручением, секретарша сделала впечатляющую подборку последних публикаций, посвященных адвокату, представлявшему истцов, — некоему Клею Картеру из округа Колумбия.

То, что в округе Хауард происходят неприятности, ни для кого сюрпризом не было. Несколько лет назад туда действительно каким-то образом попала партия бракованного раствора, которая была использована при строительстве индивидуальных домов несколькими фирмами. В последнее время стали поступать жалобы, и компания предпринимала усилия, чтобы решить проблемы пострадавшей группы потребителей. Выяснилось, что через три года раствор начинал крошиться и из кладки выпадали кирпичи. Маркус и Джоэл ездили в округ Хауард, встречались там со своими поставщиками и заказчиками. Обследовали несколько домов. По предварительным подсчетам, в данный момент насчитывалось около пятисот пострадавших, стоимость ремонтных работ по каждому дому оценивалась в двенадцать тысяч долларов. Вероятный ущерб от бракованной продукции был застрахован компанией на пять миллионов долларов.

Однако в иске говорилось о «минимум двух тысячах потенциальных истцов», каждый из которых претендовал на компенсацию прямых убытков в двадцать пять тысяч.

— Это же пятьдесят миллионов, — сказал Маркус.

— И сорок процентов от этой суммы положит себе в карман проклятый адвокат, — добавил Джоэл.

— Не может быть! — возмутился Маркус.

— Тем не менее они проделывают это каждый день.

Последовали новые проклятия в адрес адвокатов вообще и отдельно — в адрес мистера Картера. Джоэл забрал иск с собой. Он был обязан поставить в известность страховщика, который, в свою очередь, передаст дело юридической фирме, скорее всего в Филадельфии. Подобные ситуации случались по меньшей мере раз в год, но в таких масштабах — еще никогда. Поскольку истцы оценивали свои убытки в сумму, превышающую размер страховки, компании не оставалось ничего иного, как справляться своими силами: услуги адвокатов обошлись бы слишком дорого.

* * *

Реклама на целую полосу, опубликованная в «Ларкин газетт», взбудоражила маленький городок, затерянный в горах юго-восточной Виргинии. В Ларкине было три завода, чуть больше десяти тысяч жителей — обычная для окружного шахтерского города численность населения. Десять тысяч человек составляли минимальный порог, при котором, по оценке Оскара Малруни, было целесообразно давать рекламную полосу в местной печати. В данном случае речь шла о «Тощем Бене». Изучив факторы, определяющие эффективность рекламы, Малруни пришел к мнению, что имеет смысл еще раз тщательно поработать с мелкими секторами рынка. Его исследования также показали, что жительницы сел и маленьких городков, особенно вблизи Аппалачей, страдают избыточным весом чаще, чем горожанки, проживающие в мегаполисах. Стало быть, это территория «Тощего Бена».

В рекламе сообщалось, что на следующий день в мотеле к северу от города будет организовано обследование, которое — совершенно бесплатно — проведет опытный врач. Провериться рекомендовалось всем, кто принимал бенафоксидил, известный под названием «Тощий Бен». Гарантировалась полная конфиденциальность. Упоминалось о возможной компенсации вреда, нанесенного здоровью, за счет производителя препарата.

Внизу страницы мелким шрифтом были указаны фамилия, адрес и номер телефона адвокатской конторы Дж. Клея Картера-второго в округе Колумбия, хотя до этой строки мало кто дошел: часть читателей утратила интерес гораздо раньше, а часть была встревожена настолько, что думала лишь о предстоящем обследовании.

Нора Тэккет жила в трейлере в миле от Ларкина. Рекламы она не видела, потому что газет не читала. Она вообще ничего не читала. Только смотрела телевизор по шестнадцать часов в сутки и при этом постоянно что-то жевала. Нора жила с двумя детьми бывшего мужа, которых тот ей оставил, удрав два года назад. Это были его дети, не ее, и она до сих пор не могла взять в толк, почему содержит их. Но что оставалось делать: муж смылся, не сказав ни слова, и с тех пор ни разу не прислал не то что паршивого доллара — даже открытки, не позвонил, чтобы узнать, как поживают щенки, которых он впопыхах забыл прихватить с собой. Поэтому Нора ела.

Она стала клиенткой Дж. Клея Картера после того, как ее сестра прочла рекламу в «Ларкин газетт» и приехала за ней, чтобы отвезти на обследование. Нора пила «Тощего Бена» в течение года, пока врач не прекратил его выписывать, поскольку препарат был снят с производства. Если с помощью таблеток ей и удалось чуточку сбросить вес, то заметно это не было даже ей самой.

Сестра загрузила Нору в микроавтобус и сунула в руки газету, развернутую на рекламной полосе.

— Вот прочти, — велела Мэри-Бет. Сама она тоже начала было толстеть двадцать лет назад, но инсульт, настигший ее в двадцатишестилетнем возрасте, заставил образумиться и принять меры. С тех пор она вела с обжорством сестры затяжную борьбу, от которой, честно говоря, очень устала. По дороге в мотель женщины снова начали ссориться.

«Виллидж инн» был выбран секретаршей Оскара Малруни, поскольку показался ей самым новым мотелем в городе и, судя по сведениям, добытым в Интернете, единственным сколько-нибудь подходящим. Проведя в нем первую ночь и позавтракав в тамошнем грязном буфете, Оскар еще раз задался вопросом: как он за такой короткий срок умудрился пасть так низко? Он, третий по успеваемости студент своего курса в Йеле, на которого еще до окончания университета обратили внимание самые процветающие фирмы с Уолл-стрит и важные шишки из Вашингтона! Он, чей отец был известным врачом в Буффало, дядя служил в Верховном суде Вермонта, а брат стал партнером в одной из самых богатых юридических фирм на Манхэттене.

Жена Оскара была отнюдь не в восторге от того, что он снова уезжает в какую-то дыру охотиться за клиентами. Его и самого от этого коробило.

Работавший с ним в связке врач был боливийцем, который говорил по-английски, но с таким акцентом, что и «доброе утро» было трудно разобрать. В свои двадцать пять лет он выглядел на шестнадцать даже в зеленом медицинском костюме, на котором настоял Оскар, чтобы вызывать больше доверия у пациентов. Медицинскую школу доктор Лайван окончил на карибском острове Гренада. Оскар нашел его имя в разделе «Ищу работу» какого-то журнала и платил ему фиксированную сумму — две тысячи долларов в день.

Малруни действовал на передовой, Лайван — в тылу. В единственной на весь мотель гостиной имелась мятая ширма, которую им с трудом удалось расставить, чтобы разделить помещение надвое. Когда без четверти девять Нора вошла в передний отсек, Оскар взглянул на часы и как можно любезнее сказал:

— Доброе утро, мэм.

Она явилась на пятнадцать минут раньше срока, но, в конце концов, они все равно начинали работать еще до девяти.

«Мэм» была одной из тех женщин, которых он встречал во множестве, колеся по округу Колумбия. Она принадлежала другому миру, не тому, в котором вырос он сам.

Едва взглянув на пришедшую, Оскар определил: ничтожный счет в банке, минимум триста фунтов веса, а может, и ближе к четыремстам. Стыдно, что он научился с первого взгляда оценивать людей, как какой-нибудь ярмарочный торговец. Стыдно, что он вообще этим занимается.

— Вы адвокат? — спросила Мэри-Бет с большим подозрением. Оскар и к этому уже привык.

— Да, мэм. Врач — за перегородкой. Вы должны сначала заполнить кое-какие бумаги. — Он передал ей бланки анкеты, составленной так, чтобы было понятно любому дураку. — Если возникнут вопросы, я с удовольствием помогу.

Мэри-Бет и Нора уселись на складные стулья. Нора тяжело рухнула на свой, она уже начала потеть. Через несколько минут сестры окончательно запутались в вопросах анкеты, однако все было тихо, пока дверь не открылась снова и на пороге не появилась еще одна тучная женщина. Она моментально засекла Нору, а та, повернув голову, уставилась на нее как баран на новые ворота: две толстухи, застигнутые на месте «преступления».

— Входите, — сказал Оскар с приветливой улыбкой, напоминавшей улыбку торговца автомобилями. Уговорив новую клиентку подойти к столу, он сунул ей в руку анкеты и проводил в другой конец комнаты. Что-то между двумястами пятьюдесятью и двумястами семьюдесятью пятью, отметил он про себя.

Каждый тест стоил тысячу долларов. Клиенткой «Тощего Бена» становилась одна из примерно десяти посетительниц. В среднем сумма компенсации составляла от ста пятидесяти до двухсот тысяч долларов. Они скребли по сусекам, потому что восемьдесят процентов дел перехватили раньше другие адвокатские конторы по всей стране. Но и объедки кое-чего стоили. Не дилофт, конечно, однако тоже может принести миллионы.

Заполнив анкету, Нора с трудом встала. Оскар принял бумаги, проверил, переспросил, действительно ли она принимала именно это средство, потом расписался внизу.

— Сюда, мэм, вас ждет врач.

Нора с трудом протиснулась через широкий зазор за ширму. Мэри-Бет осталась поговорить с адвокатом.

Лайван представился Норе, но она не поняла ни слова. Он тоже ее не понимал, но, измерив давление, сокрушенно покачал головой: сто восемьдесят на сто сорок. И пульс убийственный — сто тридцать ударов в минуту. Он указал на промышленные весы, и она нехотя встала на них. Триста восемьдесят восемь фунтов. Сорок четыре года. При таких данных ей, можно считать, повезет, если удастся дожить до пятидесяти.

Открыв боковую дверцу, Лайван провел толстуху в пристыкованный к ней микроавтобус.

— Тест проводится здесь, — сказал он.

Внутри передвижной амбулатории ожидали два лаборанта в белых халатах — мужчина и женщина.

— Это что? — испуганно спросила Нора, указывая пальцем на ближайший аппарат.

— Эхокардиограф, — пояснил мужчина, выговор которого она, слава Богу, понимала.

— Мы сделаем эхокардиограмму груди и получим цифровое изображение вашего сердца и сосудов. Это займет всего десять минут, — добавила женщина.

— И совершенно безболезненно, — заверил мужчина.

Закрыв глаза, Нора стала молиться, чтобы не умереть.

Дело «Тощего Бена» было столь доходным потому, что не требовало сложных исследований. Со временем препарат, мало помогавший снижению веса, способствовал, причем неуклонно, истончению стенки аорты, что грозило аневризмой, или развитию недостаточности митрального клапана. Достаточно было обнаружить хотя бы двадцатипроцентное отклонение от нормы, и пациент автоматически получал право присоединиться к иску.

Доктор Лайван изучил эхограмму, пока Нора продолжала молиться с закрытыми глазами, взглянул на лаборантов, поднял вверх большой палец: двадцать два процента! — и вышел в переднюю часть помещения, где Оскар, шурша бумагами, обслуживал набившихся в комнату предполагаемых клиентов. Малруни вернулся с врачом в задний отсек, где уже сидела Нора, бледная и судорожно глотавшая апельсиновый сок, и чуть было не выпалил: «Поздравляю, мисс Тэккет, ваша аорта достаточно ослаблена», — но поздравлять в данном случае было уместно лишь адвокатов. Позвали Мэри-Бет, и Оскар объяснил сестрам юридическую процедуру, акцентируя лишь выигрышные моменты.

Эхокардиограмма будет изучена высококвалифицированным кардиологом, чье заключение передадут координатору-регистратору коллективного иска. Шкала компенсаций уже утверждена судьей.

— Сколько? — спросила Мэри-Бет, которую, похоже, деньги занимали куда больше, чем здоровье сестры. Нора снова молча молилась.

— Исходя из возраста Норы, где-то в районе ста тысяч долларов, — ответил Оскар, опуская пока тот факт, что тридцать процентов этой суммы отойдет адвокатской конторе Дж. Клея Картера-второго.

Нора, внезапно очнувшись, воскликнула:

— Сто тысяч?!

— Да, мэм. — Как хирург перед операцией, Оскар научился на всякий случай несколько занижать шансы на успех. Если клиенты будут ожидать меньшего, а получат больше, шок от суммы адвокатского гонорара окажется не таким страшным.

Нора уже думала о новом, вдвое более широком трейлере и новой спутниковой тарелке. Мэри-Бет — о полном багажнике суперэффективных таблеток для быстрого похудания.

— Когда мы получим деньги? — спросила она.

— Мы? — удивилась Нора.

— Не позже чем через два месяца, — заверил Оскар, выпроваживая сестер на улицу через боковую дверь.

К сожалению, расширение аорты у следующих семнадцати пациентов было недостаточным, и Оскару захотелось выпить. Но номер девятнадцатый оказался золотой прожилкой в массе руды — молодой человек, весивший пятьсот пятнадцать фунтов. Эхокардиограмма — пальчики оближешь: сорок процентов! Он принимал «Тощего Бена» два года. Поскольку ему было всего двадцать шесть лет и, по крайней мере согласно статистике, он способен был прожить еще тридцать один год с больным сердцем, его компенсация могла составить минимум пятьсот тысяч. Во второй половине дня произошел неприятный инцидент. Здоровенная молодая тетка взбесилась, когда доктор Лайван сообщил ей, что сердце у нее совершенно здоровое. Никаких отклонений от нормы. Тетка уже успела в городе — между прочим, в салоне красоты — услышать, что Норе Тэккет привалило сто тысяч. Хотя и весила меньше Норы, она тоже пила «Тощего Бена» и желала получить такую же компенсацию.

— Мне нужны деньги, — настаивала она.

— Простите, ничем не могу помочь, — твердил в ответ доктор Лайван.

Позвали адвоката. Молодая дама кричала все громче, ее манеры становились все вульгарнее, и, чтобы избавиться от нее, Оскар пообещал, что их кардиолог в виде исключения изучит и ее эхокардиограмму.

— Мы проведем повторное клиническое исследование и представим его на экспертизу вашингтонскому консилиуму, — сказал он так, словно понимал, что плетет. Это немного успокоило тетку и позволило выпроводить ее.

«Что я делаю?!» — не переставал спрашивать себя Оскар. Он сомневался, что кто-нибудь из жителей Ларкина когда-либо учился в Йеле, но все равно было не по себе. Если бы стало известно, чем он занимается, ему конец. «Деньги, думай только о деньгах», — убеждал он себя.

В Ларкине они обследовали сорок одного потребителя «Тощего Бена». Клиентами стали трое. Оскар оформил нужные бумаги и покинул город с приятной перспективой получить двести тысяч гонорара. Неплохая поездка. Он сел в свой «БМВ» и помчался прямо в округ Колумбия. Маршрут следующего тайного набега на глубинку пролегал по Западной Виргинии. А всего на следующий месяц их было запланировано двенадцать.

Просто делай деньги. Это рэкет. К профессии адвоката никакого отношения не имеет. Найти, завлечь, выколотить компенсации, схватить деньги — и бежать.

30

Первого мая Рекс Гриттл покинул бухгалтерскую фирму, где прослужил одиннадцать лет, и, поднявшись на один этаж, присоединился к адвокатской конторе Дж. Клея Картера-второго в качестве финансового директора. От перспективы более чем солидного увеличения жалованья и щедрых премий он, разумеется, не мог отказаться. Адвокатская контора работала очень успешно, но разрасталась так стремительно и хаотично, что порой казалось невозможным контролировать ее деятельность. Клей предоставил Гриттлу широкие полномочия и выделил кабинет напротив своего.

Радуясь собственному высокому окладу, Гриттл был недоволен окладами остальных. По его мнению, которое он до поры держал при себе, большинству служащих переплачивали. В фирме теперь насчитывалось четырнадцать адвокатов, каждый из которых получал не менее двухсот тысяч в год, двадцать один параюрист с жалованьем семьдесят пять тысяч долларов, двадцать шесть секретарей, имевших по пятьдесят тысяч (исключение составляла мисс Глик, ей положили шестьдесят), около дюжины разного рода референтов, зарабатывавших в среднем по двадцать тысяч, и четыре посыльных, получавших по пятнадцать тысяч. В общей сложности семьдесят семь человек, не считая Гриттла и самого Клея. Вместе с премиальными годичные выплаты сотрудникам равнялись восьми целым и четырем десятым миллиона и росли чуть ли не с каждой неделей.

Арендная плата составляла семьдесят две тысячи в месяц. Производственные расходы — обслуживание компьютеров, оплата телефонов, коммунальные услуги, список был весьма длинным — обходились каждый месяц примерно в сорок тысяч. Больше всего денег впустую выбрасывалось на «гольфстрим», но Клей без него жить не мог. Ежемесячные выплаты по кредиту сжирали триста тысяч, содержание пилотов, техническое обслуживание и аренда ангара — еще тридцать. Доходы от сдачи самолета внаем пока еще только ожидались, и одной из причин задержки было то, что Клею просто не хотелось пускать чужих в свой самолет.

Согласно подсчетам, которые Гриттл проводил ежедневно, около одного и трех десятых миллиона ежемесячно составляли накладные расходы. В год набегало пятнадцать и шесть десятых миллиона, как ни крути. Достаточно, чтобы привести в состояние паники любого бухгалтера, но после сделки по дилофту, принесшей баснословные гонорары, возражать было неуместно. Пока, во всяком случае. Теперь Гриттл встречался с Клеем минимум три раза в неделю и на все свои замечания по поводу тех или иных сомнительных расходов получал неизменное: «Чтобы зарабатывать, надо вкладывать».

И фирма вкладывала. Если от накладных расходов Гриттла перекашивало, то оплата рекламы и медицинских исследований грозила ему язвой желудка. Работая по делу о максатиле, контора в первые четыре месяца вышвырнула шесть и две десятых миллиона долларов на рекламу в газетах, по радио, телевидению и в Интернете. И с этим финансист никак не мог смириться. «Полный вперед! — возражал ему Клей. — Я хочу иметь двадцать пять тысяч клиентов!» Пока их насчитывалось восемнадцать тысяч, но точную цифру назвать было трудно — она менялась каждый час.

Согласно одному публиковавшемуся в Интернете информационному бюллетеню, куда Гриттл заглядывал каждый день, причиной того, что фирма Клея Картера набирала так много клиентов по делу о максатиле, было то, что другие адвокаты весьма агрессивно наступали ей на пятки. Но эту сплетню Гриттл предпочитал ни с кем не обсуждать.

— Максатил озолотит нас почище дилофта, — не уставал повторять своим сотрудникам Клей, чтобы поддерживать боевой дух. Казалось, он сам искренне в это верил.

«Тощий Бен» стоил фирме куда меньше, тем не менее пока накапливались лишь расходы, но не гонорары. На первое мая было истрачено шестьсот тысяч на рекламу и почти столько же на медицинские тесты. Количество клиентов составило сто пятьдесят человек, каждому, по подсчетам Оскара Малруни, в среднем причиталось по сто восемьдесят тысяч. Исходя из предполагаемых тридцати процентов, он планировал гонорарные поступления на сумму порядка девяти миллионов долларов в течение ближайших нескольких месяцев.

Тот факт, что лишь одно отделение фирмы вот-вот добьется такого результата, воодушевлял сотрудников, но ожидание их раздражало. Ни цента от «Тощего Бена» пока не поступило, а ведь считалось, что схема будет работать автоматически. Поскольку в дело были вовлечены сотни адвокатов, между ними, естественно, вспыхивало множество конфликтов. Гриттл ничего не понимал в юридической казуистике, хотя понемногу занимался самообразованием, зато в накладных расходах и задержках начислений разбирался прекрасно.

В тот день, когда Гриттл пришел в фирму, Родни уволился, впрочем, между этими двумя событиями никакой связи не было. Просто Родни обналичил свои фишки и теперь переезжал в пригород, где купил симпатичный домик на тихой улочке с церковью в одном конце, школой — в другом и парком, начинавшимся сразу за углом. Он собирался все время посвятить воспитанию своих четверых детей. Вероятно, когда-нибудь снова придется пойти работать, а может быть, и нет. О дипломе он и думать забыл. Имея на банковском счете десять миллионов, за вычетом налогов, он мог позволить себе не строить далекоидущих планов, а оставаться просто отцом, мужем и... экономным человеком. За несколько часов до того, как он в последний раз вышел из конторы, тепло попрощавшись с коллегами, они с Клеем незаметно улизнули, чтобы посидеть в ближайшей закусочной: как-никак шесть лет вместе — пять в БГЗ и год в новой фирме.

— Клей, не трать все деньги, — остерег друга Родни.

— Я бы не смог, даже если бы захотел: их слишком много.

— Смотри не наделай глупостей.

Правда состояла в том, что фирма больше не нуждалась в таком человеке, как Родни. Йельские мальчики и остальные адвокаты относились к нему уважительно только потому, что он дружил с Клеем, но все равно в их глазах он был всего лишь юристом-недоучкой. И Родни фирма больше не интересовала. Он хотел сохранить свои доллары, сберечь их.

Втайне его возмущало то, как сорит деньгами Клей. Он знал, что за расточительность всегда приходится расплачиваться.

Таким образом, поскольку Иона плавал под парусом, а Полетт все еще пряталась в Лондоне и, судя по всему, возвращаться не собиралась, старая команда распалась. Грустно, но у Клея было слишком много забот, чтобы предаваться ностальгии.

Пэттон Френч назначил заседание управляющего комитета. На то, чтобы собрать всех, понадобился целый месяц. Клей недоумевал, почему нельзя провести совещание по телефону, обменяться факсами, электронными сообщениями, но Френч сказал, что им необходимо провести день впятером в одном помещении. А поскольку дело зарегистрировано в Билокси, то и встретиться следует именно там.

Ридли была готова лететь в любой момент. Ее служба в модельном агентстве плавно сходила на нет, большую часть времени она теперь проводила в тренажерных залах и магазинах. Против гимнастики Клей не возражал, она «покрывала конфетку глазурью». А вот походы по магазинам его тревожили, хотя Ридли пока демонстрировала похвальную сдержанность. Она могла странствовать по бутикам часами, но умудрялась потратить при этом весьма скромную сумму.

Месяц назад, вернувшись после затянувшихся выходных из Нью-Йорка, они поехали прямо в его джорджтаунский дом, и она — не впервые и, очевидно, не в последний раз — осталась ночевать. Хотя они никогда не обсуждали вопрос о ее переезде, само собой получилось так, что она поселилась у него. Клей даже не смог бы вспомнить, когда именно в его ванной появились ее халат, зубная щетка, косметика. Он никогда не видел, чтобы Ридли приезжала с сумками, набитыми вещами, те просто незаметно материализовались в доме. Ридли ни к чему его не понуждала, ни о чем не просила. Обычно она жила у него несколько дней, делая все как надо и при этом не путаясь под ногами, потом говорила, что ей нужно съездить к себе. Дня два они даже не перезванивались, потом она объявлялась снова.

О женитьбе никто и не заикался, хотя он покупал ей столько драгоценностей, что хватило бы на целый гарем. Похоже, ни один из них не мечтал узаконить отношения. Просто им было хорошо вместе, однако ни он, ни она не стремились к постоянству. Ридли окружали тайны, коих Клей вовсе не хотел разгадывать. Она была великолепна на вид, мила в общении и хороша в постели, притом вовсе не производила впечатления охотницы за богатством. Но секреты у нее имелись.

Как и у Клея. Самым большим из них был тот, что, если бы Ребекка позвала его, он продал бы все, кроме самолета, и улетел бы с ней — на этом самом «гольфстриме» — хоть на Марс.

Но вместо этого он летел в Билокси с Ридли, которая надела в дорогу замшевую мини-юбку, едва прикрывавшую ее прелести. Правда, она и не стремилась их скрывать, поскольку, кроме них, в самолете никого не было. Где-то над Западной Виргинией Клея посетило желание раздвинуть диван и уложить на него Ридли, но он подавил его, отчасти из-за раздражения: почему инициатором их забав всегда должен выступать именно он? Она охотно предавалась любви, но никогда не начинала первой.

Кроме того, его кейс лопался от документов управляющего комитета, которые было необходимо просмотреть.

В аэропорту Билокси ждал лимузин, который доставил их в бухту, а быстроходный глиссер — на яхту, стоявшую милях в десяти от берега. Там Френч проводил большую часть времени. В настоящий момент он находился на пороге очередного развода и дрейфовал от настоящей жены к будущей. Настоящая желала получить половину его денег, а также содрать с него шкуру. Так что на лодочке, как он называл свою шикарную двухсотфутовую яхту, ему было спокойнее.

Френч встретил их босиком, в шортах. Уэс Солсбери и Деймон Дидье уже прибыли и тоже вышли на палубу со стаканами в руках. Карлоса Эрнандеса из Майами ожидали с минуты на минуту. Френч устроил беглую экскурсию по яхте, во время которой Клей насчитал восемь человек команды в идеально белой матросской форме, все стояли по стойке «смирно» в ожидании распоряжений. Яхта имела пять уровней, шесть кают, стоила двадцать миллионов и так далее и тому подобное. Нырнув в отведенную им каюту, Ридли тут же начала разоблачаться.

Приятели собрались на «крыльце», как именовал Френч маленькую кормовую площадку на верхней палубе. Через две недели ему предстояло выступать в суде, что само по себе было удивительно, поскольку обычно корпоративные ответчики предпочитали в страхе откупаться от него. Пэттон утверждал, что с нетерпением ждет начала процесса, и, пока все потягивали водку, нудно излагал подробности. И вдруг замер посреди фразы, заметив что-то внизу. Там появилась Ридли, без лифчика и на первый взгляд без всего остального. Присмотревшись, можно было заметить узенькое, как зубная нить, бикини, непостижимым образом прикрывавшее нужное место. Все трое, исключая Клея, вскочили, потрясенные.

— Она из Европы, — пояснил Клей. Его не удивило бы, если бы кого-нибудь из старших коллег сейчас хватил инфаркт. — Стоит ей приблизиться к воде, как одежда сама с нее спадает.

— Так купите ей яхту, черт возьми, — предложил Солсбери.

— А еще лучше — пусть она пользуется этой, — сказал Френч, стараясь взять себя в руки.

Ридли подняла голову, увидела, какой переполох произвело ее появление, и исчезла. Можно было не сомневаться, что каждый официант и каждый член команды провожал ее взглядом.

— Так о чем я говорил? — спросил Френч, когда у него восстановилось нормальное дыхание.

— О чем бы ты ни говорил, ты уже закончил, — резюмировал Дидье.

К яхте стремительно приближался еще один глиссер. Это был Эрнандес в сопровождении не одной, а двух дам. После того как они взошли на борт и Френч разместил их по каютам, Карлос присоединился к коллегам.

— Что за девочки? — поинтересовался Уэс.

— Мои параюристки, — ответил Карлос.

— Только не делай их партнершами, — посоветовал Френч.

Несколько минут сплетничали о женщинах. Все четверо, как оказалось, были женаты не раз. Может, поэтому они и трудились так усердно. Клей ничего не говорил — только слушал.

— Как дела с максатилом? — спросил наконец Карлос. — У меня тысяча клиентов, и я не совсем понимаю, что мне с ними делать.

— Вы у меня спрашиваете, что вам делать с вашими клиентами? — удивился Клей.

— А у вас их сколько? — задал вопрос Френч. Атмосфера на палубе заметно переменилась, теперь речь шла о серьезных вещах.

— Двадцать тысяч, — ответил Клей, лишь немного преувеличив. Сказать по правде, он и сам точно не знал, сколько дел лежало у него в конторе. Но кто из «массовиков» осудил бы его за небольшое преувеличение?

— А я не стал регистрировать своих, — заметил Карлос. — Чертовски трудно будет доказать, что осложнения вызваны именно максатилом.

Картер слышал это уже не раз и больше слушать не желал. Почти четыре месяца он ждал, чтобы в деле о максатиле появилось еще хотя бы одно громкое имя.

— Мне все это по-прежнему не нравится, — сказал Френч. — Вчера в Далласе я разговаривал со Скотти Гейнсом. У него две тысячи исков, и он тоже не знает, что с ними делать.

— Доказать, что заболевания вызваны препаратом, очень сложно, — согласился Дидье, обращаясь к Клею едва ли не менторским тоном. — Мне это дело тоже не по душе.

— Суть в том, что болезни, о которых идет речь, могут быть следствием множества других факторов, — подхватил Карлос. — Четыре моих эксперта занимаются максатилом. Они утверждают, что если у женщины, принимавшей препарат, обнаруживается рак груди, то невозможно сказать наверняка, вызван ли он употреблением лекарства.

— Что-нибудь слышно от «Гофмана»? — спросил Френч.

Клей, которому тут же захотелось прыгнуть за борт, влил в себя солидный глоток крепкого напитка и попытался сделать вид, будто держит корпорацию на мушке.

— Ничего, — ответил он. — Но все еще только начинается. Мы ждем выстрела Мунихэма.

— Я вчера с ним разговаривал, — признался Солсбери.

При всех своих сомнениях они, конечно же, пристально отслеживали ход событий. Клей приобрел уже достаточный опыт, чтобы понимать, что самым жутким для «массовика» кошмаром было упустить крупное дело. А дилофт научил его тому, что наибольшее, ни с чем не сравнимое удовольствие для человека его нынешней профессии — неожиданно для других начать наступление и наблюдать, как суетятся те, кто проспал.

Чему научит его максатил, Клей пока не ведал. Эти ребята лишь слегка выдвигали свои дозоры, наблюдали и ждали донесений с передовой. Но поскольку адвокаты «Гофмана» с самого начала были непоколебимо настроены на судебный процесс, Клею нечего было сообщить.

— Я хорошо знаком с Мунихэмом, — продолжал Солсбери. — Когда-то мы вместе вели кое-какие дела.

— Он болтун, — произнес Френч так, словно судейский адвокат должен быть молчуном, а любой краснобай является позором профессии.

— Болтун, — согласился Солсбери, — но очень умелый. Этот старик не проигрывал уже двадцать лет.

— Двадцать один, — уточнил Клей. — По крайней мере так он сам мне сказал.

— Не важно, — продолжил Солсбери, отметая несущественное замечание, поскольку имел сообщить нечто важное. — Вы правы, Клей, как бы то ни было, все сейчас пристально наблюдают за Мунихэмом. В том числе и «Гофман». Суд начнется в сентябре. Корпорация утверждает, что ждет не дождется открытого процесса. Если Мунихэму удастся свить веревочку и привязать ею максатил к известным осложнениям, то появится реальный шанс, что корпорация приступит к выработке общенационального плана компенсаций. Но если жюри примет сторону «Гофмана», компания вообще никому не заплатит ни цента. И тогда — война!

— Это Мунихэм так считает? — поинтересовался Френч.

— Да.

— Он болтун, — повторил Френч.

— Нет, я тоже это слышал, — подхватил Карлос. — У меня есть надежный источник, так он говорит точно то же, что Уэс.

— Никогда не слышал, чтобы ответчик настаивал на суде, — заметил Френч.

— «Гофман» — крепкий орешек, — возразил Дидье. — Пятнадцать лет назад я вел с ними тяжбу. Если ответственность производителя будет доказана, они расплатятся по справедливости. Но если нет, они вас в бараний рог согнут.

Клею снова захотелось смыться в буквальном смысле слова. К счастью, о максатиле временно забыли, потому что на нижней палубе появились две кубинки в весьма скудных купальных костюмах.

— Параюристочки, ты ж понимаешь! — воскликнул Френч, стараясь найти более удобную позицию для обзора.

— Которая из них твоя? — спросил Солсбери, перегибаясь через перила.

— Выбирайте любую, парни, — ответил Карлос. — Они профессионалки. Я привез их в качестве подарка. Пустим по кругу.

На этом пустобрехи с верхней палубы замолкли.

Шторм налетел перед самым рассветом, нарушив царившую на яхте тишину. Френч, лежавший рядом с обнаженной «параюристкой» и жестоко страдавший от похмелья, поднял с постели капитана и приказал идти к берегу. Завтрак перенесли на более поздний час, ни у кого не было аппетита. Ужин опять вылился в четырехчасовой марафон с обычными воспоминаниями о битвах в суде, сальными шутками и неизбежными ссорами, то и дело вспыхивавшими под воздействием больших доз алкоголя. Клей и Ридли удалились рано и замкнули дверь на две щеколды.

Управляющий комитет, запертый на убежавшей от шторма и вставшей в бухте на мертвый якорь яхте, умудрился, несмотря ни на что, изучить все необходимые документы и справки. Были выработаны распоряжения для администратора коллективного иска, заполнены дюжины форм. Под конец Клея страшно мутило, и он мечтал поскорее оказаться на твердой почве.

За бумажной работой не было упущено и распределение гонораров. Клей, точнее, его адвокатская контора должна была вскоре получить еще четыре миллиона. Приятная весть, однако Клей не был уверен, что заметит поступление денег. Они позволят залатать небольшую брешь, но лишь временно.

Во всяком случае, Рекс Гриттл хоть на несколько недель перестанет грызть его. Рекс ходил по кабинетам, как строгий глава семьи, вопрошая, когда же начнут поступать гонорары.

Ступив наконец на берег, Клей поклялся себе: больше никогда в жизни! Никогда в жизни он не позволит запереть себя на целую ночь в одном помещении с людьми, которые ему неприятны. Лимузин отвез их с Ридли в аэропорт. «Гольфстрим» перенес на карибский остров.

31

Виллу они сняли на неделю, хотя Клей сомневался, разумно ли так долго отсутствовать в конторе. Дом был как бы вмонтирован в склон холма — отсюда можно было наблюдать за городком, который кишел машинами и туристами, и бухтой Густавии с постоянно причаливающими и отчаливающими от пирсов яхтами. Ридли нашла виллу по каталогу эксклюзивных частных владений, сдаваемых внаем. Это был чудесный дом в традиционном карибском стиле, с красной черепичной крышей, опоясывающими террасами и галереями. Ванных и спален в нем было более чем достаточно, прилагались также шеф-повар, две горничные и садовник. Они быстро распаковали вещи, и Клей принялся листать любезно оставленный кем-то каталог недвижимости.

Нудистский пляж разочаровал Клея. Первой встреченной обнаженной женщиной оказалась сморщенная старуха, которой следовало бы прикрывать как можно больше, а демонстрировать как можно меньше своей дряблой плоти. Потом появился ее супруг, господин с огромным животом, обвисшим настолько, что прикрывал даже причинное место, и какой-то сыпью на ягодицах. Обнаженная натура превращалась в испытание. Ридли, разумеется, чувствовала себя в своей стихии: фланировала взад-вперед вдоль берега, а все, выкручивая шеи, наблюдали за ней. Провалявшись на песке часа два, они решили укрыться от жары и следующие два часа наслаждались обедом в сказочном французском ресторане. Все хорошие рестораны были здесь французскими, остров изобиловал ими.

В Густавии царила суета, несмотря на жару и то, что сезон еще не был открыт, — видимо, туристам об этом забыли сообщить. Отдыхающие заполонили все тротуары, они переходили из магазина в магазин, взятые напрокат джипы и малолитражки запрудили все улицы. Бухта тоже не знала покоя: вокруг шикарных яхт десятками сновали маленькие рыбацкие лодки.

Если Мастик был островом уединенным и мало кому доступным, то Сент-Барт — чрезвычайно людным и застроенным и тем не менее очаровательным. Клею нравились оба. Ридли, вдруг проявившая живой интерес к островной недвижимости, отдала предпочтение Сент-Барту из-за магазинов и вкусной еды. Она вообще любила шумные города и большие скопления людей. Должен же был кто-то пялиться на нее.

Через три дня Клей снял часы, а спать стал в гамаке, подвешенном на террасе. Ридли днями напролет читала и смотрела старые фильмы. Обоих уже начинала одолевать скука, когда в бухте Густавии пришвартовался Джаррет Картер на своем великолепном катамаране под названием «Экс-юрист». Сидя за стойкой портового бара и попивая содовую, Клей наблюдал за его прибытием.

Отцовская «команда» состояла из немки слегка за сорок, с ногами почти такими же длинными, как у Ридли, и плутоватого на вид старого шотландца по фамилии Маккензи — инструктора по мореходному делу. Женщину, Ирмгард, отец представил как свою компаньонку, что в данной ситуации выглядело весьма сомнительно. Клей посадил всех в свой джип и повез на виллу, где прибывшие бесконечно долго плескались в душе, а потом сидели на террасе и пили, пока солнце не погрузилось в море. Маккензи переусердствовал с бурбоном и вскоре уже храпел в гамаке.

Шкиперский бизнес набирал обороты неторопливо, как и самолетно-чартерный. «Экс-юриста» за полгода наняли всего четыре раза. Самым длинным был вояж с четой состоятельных британских пенсионеров из Нассау на Арубу и обратно, занявший три недели и принесший тридцать тысяч. Самым коротким — увеселительная прогулка на Ямайку, где яхта едва не затонула во время шторма. Всех спас оказавшийся, на счастье, трезвым Маккензи. В окрестностях Кубы они даже подверглись нападению пиратов. Историям не было конца.

Разумеется, Джаррет распускал хвост перед Ридли. Он гордился сыном. Ирмгард, казалось, была вполне довольна тем, что можно просто сидеть, пить, курить и смотреть на огни расстилавшейся внизу Густавии.

После ужина, когда женщины удалились в свои комнаты, Джаррет и Клей перешли на другую террасу, чтобы выпить еще.

— Где ты ее нашел? — спросил Джаррет.

Клей рассказал историю вкратце, добавив, что живут они практически вместе, но ни о чем более серьезном не помышляют. Ирмгард тоже оказалась временной подружкой.

По профессиональной части Джаррет имел к сыну куда больше вопросов. Его настораживало непомерное разрастание фирмы Клея, и очень хотелось дать несколько непрошеных советов. Клей терпеливо слушал. На катамаране имелся компьютер с доступом в Интернет, поэтому Джаррет был в курсе тяжбы по максатилу и развязанной против Клея в печати кампании. Когда Клей сообщил, что у него сейчас двадцать тысяч клиентов, отец заявил: это чересчур для любой конторы.

— Ты не разбираешься в коллективных тяжбах, — заметил Клей.

— Звучит как «коллективное раздевание», — парировал Джаррет. — Какова сумма твоей страховки?

— Десять миллионов.

— Мало.

— Это все, что смогла предоставить страховая компания. Расслабься, папа, я знаю, что делаю.

Спорить не приходилось: успех говорил сам за себя. Деньги, которые, можно сказать, печатал его сын, вернули Джаррета к дням его собственной профессиональной славы. В ушах звучала магическая формула, произносимая председателем жюри присяжных: «Ваша честь, мы, члены жюри присяжных, выносим вердикт в пользу истца и назначаем возмещение ущерба в размере десяти миллионов долларов».

После этого Джаррет Картер обнимал своего клиента, произносил несколько благодарственных слов в адрес представителей обвинения и триумфатором покидал этот зал суда, чтобы переместиться в следующий.

Отец и сын надолго замолчали. Обоим надо было выспаться. Джаррет встал и подошел к перилам.

— Ты когда-нибудь вспоминаешь того черного парнишку? — спросил он, глядя в темноту. — Того, который застрелил человека, сам не зная почему?

— Текилу?

— Да, ты рассказывал мне о нем в Нассау, когда мы покупали лодку.

— Да, иногда я о нем думаю.

— Это хорошо. Деньги — еще не все. — С этими словами Джаррет отправился спать.

Плавание вокруг острова заняло большую часть дня. Капитан, судя по всему, в принципе понимал, как работает судно и как на него воздействуют ветра, но, если бы не Маккензи, их могло унести в открытое море, и никто никогда их бы не нашел. Хотя Джаррет старался изо всех сил, его слишком отвлекала Ридли, которая почти все время загорала обнаженной на палубе. Джаррет был не в состоянии оторвать глаз от этого роскошного тела, как и Маккензи, но последний, к счастью, был способен вести судно даже во сне.

Обедали они в уединенной маленькой бухте в северной части острова. На подходе к Сен-Мартену Клей встал к штурвалу, а отец присел выпить пива. На протяжении всего плавания Клея слегка подташнивало, и роль капитана ничуть не облегчила его состояния. Жизнь на яхте явно была не для него. Романтика кругосветных морских путешествий его не увлекала: он заблевал бы все великие океаны. Нет, Клей предпочитал самолеты.

Два дня на берегу — и Джаррет был готов снова выйти в море. Отец и сын попрощались рано утром, и «Экс-юрист», выйдя из бухты Густавии, взял курс прямо от берега, без определенной цели. Клей, стоя у причала, слышал, как отец на ходу препирался с Маккензи.

Клей так и не понял, каким образом на террасе появилась дама-риелтор. Когда он вернулся из порта, очаровательная француженка просто сидела там, болтая с Ридли за чашкой кофе. Она сказала, что проезжала мимо и заглянула проверить дом, принадлежащий ее клиентам, некой шумно разводящейся сейчас канадской паре, и поинтересоваться, как живется постояльцам.

— Лучше некуда, — ответил Клей, присаживаясь. — Великолепный дом.

— Восхитительный, правда? — с готовностью подхватила француженка. — Это одно из наших лучших предложений. Я как раз говорила Ридли, что он построен всего четыре года назад этой самой канадской четой, которая приезжала сюда всего пару раз. Потом у него неважно пошли дела, она чем-то заболела — словом, там, в Оттаве, все стало очень плохо, и они выставили дом на продажу по очень разумной цене.

Ридли исподтишка взглянула на него, в воздухе повис невысказанный вопрос: «Сколько?»

— Всего три миллиона, — продолжила дама. — Сначала они хотели пять, но, честно признаться, в настоящий момент на рынке много предложений...

Когда дама-риелтор ушла, Ридли буквально набросилась на него в спальне. Утренний секс был чем-то неслыханным в их отношениях, но он с удовольствием ему предался. И после обеда тоже. Во время ужина в очередном чудесном ресторане она не отнимала от него рук. Вечерний сеанс начался в бассейне, продолжился в джакузи, продолжался почти всю ночь, а на следующий день к обеду снова объявилась дама-риелтор.

Клей чувствовал себя усталым и не был расположен к приобретению еще какой-либо собственности. Но Ридли желала получить этот дом больше, чем что бы то ни было на свете, и он купил его. Цена действительно была минимальной, и покупка представлялась удачной: цены на недвижимость неизбежно возрастут, всегда можно будет продать его с выгодой.

Когда приступили к оформлению документов, Ридли, отведя Клея в сторону, спросила, не будет ли разумнее оформить дом на ее имя, из-за налогов, как она выразилась. О французском и американском налоговых кодексах она знала столько же, сколько Клей о грузинском праве наследования, если таковое вообще существовало. Черта с два, сказал он мысленно, а ей заявил твердо:

— Нет, так не пойдет, именно «из-за налогов».

Она явно обиделась, но обида прошла сразу же, как только он вступил в права владения. В банк, переводить деньги, Клей отправился один. И на встречу с адвокатом по имущественным правам — тоже.

— Я хотела бы остаться здесь на некоторое время, — сказала Ридли, когда они вечером сидели на террасе. Клей собирался улетать на следующее утро и полагал, что она отправится с ним. — Нужно привести дом в порядок, — добавила она, — встретиться с декоратором и просто с недельку отдохнуть.

«Почему бы нет? — подумал Клей. — Раз уж это мой дом, нужно им пользоваться».

И он вернулся в округ Колумбия один. Впервые за много недель он наслаждался одиночеством в своем любимом джорджтаунском доме.

В течение нескольких дней Джоэл Хэнна подумывал о том, чтобы действовать в одиночку: он на одном конце стола лицом к лицу с небольшой армией адвокатов и их помощников — на другом. Он представит им разработанный компанией план выживания, и ему действительно не нужна помощь, поскольку этот план — его детище.

Однако Бэбкок, адвокат их страховой компании, настоял на своем присутствии. Речь шла о пяти миллионах долларов, принадлежавших его компании, поэтому возражать было бы неэтично.

Вдвоем они вошли в помещение адвокатской конторы Дж. Клея Картера-второго на Коннектикут-авеню, впечатлявшее своей роскошью. На стене, обшитой вишневым, а может, даже красным деревом, красовалась эмблема, хорошо известная теперь всему миру благодаря телевидению: вытянутые по вертикали бронзовые буквы «JCC»*. Приемная была обставлена полированной итальянской мебелью. Миловидная блондинка за столом из стекла и хрома приветствовала их профессиональной улыбкой и указала на дверь в дальнем конце коридора. На пороге уже ждал адвокат по фамилии Уайетт, он ввел посетителей в кабинет, представил их, потом представил им тех, кто сидел на противоположном конце стола. Пока Джоэл и Бэбкок вынимали из кейсов бумаги, из ниоткуда материализовалась другая фигуристая блондинка, любезно поинтересовавшаяся, какой кофе они предпочитают. Кофе она принесла в серебряном кофейнике все с той же эмблемой «JCC», выгравированной на боку, на чашках тончайшего фарфора эмблема была нанесена золотом. Когда все расселись и разложили необходимые принадлежности, Уайетт рявкнул помощнику:

— Скажи Клею, что мы готовы!

С минуту все в смущенном молчании ожидали появления мистера JCC. Наконец он стремительно вошел, без пиджака, на ходу через плечо отдавая распоряжения секретарю, — воплощение занятости. Направившись прямо к гостям, Клей Картер с улыбкой представился им, словно те явились сюда добровольно, чтобы обсудить взаимовыгодное дело, потом прошел в дальний конец стола и там, в восьми футах от пришельцев, занял свой королевский трон в окружении свиты.

Единственное, что вертелось в голове Джоэла Хэнны: «Этот парень заработал за прошлый год сто миллионов».

Бэбкок думал о том же, но еще о том, что, по слухам, мальчишка никогда не выступал в суде по гражданскому иску. Пять лет он защищал в уголовном суде всяких чокну-

* Инициалы героя: Jarrett Cley Carter.

тых, но ни разу в жизни не вытребовал у присяжных ни цента компенсации. Несмотря на устроенное для них пышное представление, от Бэбкока не ускользнули признаки нервозности.

— Вы сказали, что у вас есть некий план, — начал мистер JCC. — Мы готовы выслушать его.

План оказался чрезвычайно прост. Компания была готова признать в этом тесном кругу, что произвела партию бракованного строительного раствора, в результате чего множество домов в районе Балтимора требует замены кирпичной кладки. Сумма выплат должна быть такова, чтобы удовлетворить домовладельцев и при этом не задушить компанию насмерть. Изложение плана заняло у Джоэла полчаса.

Бэбкок говорил от имени страховой компании. Он признал, что страховое обеспечение «Хэнна Портленд» составляет пять миллионов, чего обычно никогда не делал на столь ранней стадии процесса. Страховщик и производитель внесут деньги в равных долях.

Джоэл объяснил, что его компания испытывает недостаток наличности, но готова влезть в большие долги, чтобы компенсировать убытки пострадавших.

— Это наша ошибка, и мы намерены ее исправить, — несколько раз повторил он.

— Вам известно точное количество пострадавших домов? — спросил JCC, и все его приспешники приготовились писать.

— Девятьсот двадцать два, — ответил Джоэл. — Мы переговорили с торговцами недвижимостью, подрядчиками и субподрядчиками-каменщиками. Полагаю, цифра достаточно точная, но следует сделать допуск на пять процентов в ту или иную сторону.

JCC что-то записывал, подсчитывал и наконец проговорил:

— Итак, если мы сойдемся на цифре двадцать пять тысяч долларов компенсации каждому клиенту, это составит более двадцати трех миллионов.

— Мы абсолютно уверены, что ремонт ни одного из этих домов не будет стоить и двадцати тысяч, — возразил Джоэл.

Помощник передал JCC какой-то документ.

— Мы располагаем заключением четырех субподрядчиков из округа Хауард, — сказал Клей. — Их представители проводили осмотр домов и оценку ущерба. Минимальная сумма, по их подсчетам, составляет восемнадцать тысяч, максимальная — двадцать одну с половиной. Средняя стоимость ремонта, по их оценке, равняется двадцати тысячам.

— Я хотел бы ознакомиться с этим заключением, — заявил Джоэл.

— Может быть, чуть позже. Однако домовладельцам нанесен и моральный ущерб. Они желают получить компенсацию за свои огорчения, неудобства, эмоциональные срывы и за то, что были лишены радости безмятежно жить в своих новых домах. Один из наших клиентов на почве переживаний страдает тяжелыми головными болями. У другого сорвалась выгодная продажа из-за того, что из стен дома стали выпадать кирпичи.

— Мы оцениваем средние затраты на ремонт в двенадцать тысяч долларов, — сказал Джоэл.

— Это неприемлемая для нас сумма, — ответил JCC, и вся его свора тут же закивала.

Сумма в пятнадцать тысяч представляла собой разумный компромисс и была достаточной, чтобы залатать дыры в любом доме. Но при этом каждый клиент получил бы всего девять тысяч после того, как JCC срезал бы с верхушки свои тридцать процентов. Десяти тысяч вполне достаточно, чтобы удалить старую кладку и поставить материалы для новой, но требовалось еще оплатить работу каменщиков и уборку строительного мусора, иначе все обернется еще хуже: дома останутся ободранными, палисадники завалены цементом, а подъездные аллеи — грудами кирпича.

Девятьсот двадцать два клиента по пять тысяч с каждого — это четыре миллиона шестьсот тысяч. JCC считал теперь быстро и не переставал удивляться тому, как ловко он научился справляться с нулями. Девяносто процентов этой суммы — его; придется поделиться с несколькими адвокатами, присоединившимися к иску на последнем этапе. Неплохой гонорар. Покроет расходы на новую виллу, где по-прежнему пребывала Ридли, не выказывая ни малейшего желания вернуться в Вашингтон. После уплаты налогов мало что останется.

При установленной компенсации в пятнадцать тысяч каждому клиенту компания «Хэнна Портленд» могла выжить. Пять миллионов от страховщика, два — собственных, имевшихся в наличии, плюс резервные фонды, предназначенные на приобретение оборудования и развитие производства. Всего — чтобы удовлетворить всех потенциальных истцов — требовалось пятнадцать миллионов. Недостающие восемь можно будет занять в Питсбургском банке. Но всю эту информацию Хэнна и Бэбкок держали при себе. При первой встрече было рано выкладывать все карты на стол.

Все будет зависеть от того, во сколько мистер JCC оценит свои труды. Если он будет добиваться справедливого соглашения и, возможно, сократит процент своего гонорара, он все равно заработает несколько миллионов, защитит своих клиентов, не позволит погибнуть уважаемой старой компании и с чистой совестью сможет назвать это своей победой.

Если же он упрется, хуже будет всем.

32

Раздавшийся в селекторе осипший голос мисс Глик звучал необычно тревожно.

— Здесь двое из ФБР, Клей, — почти шепотом сообщила она.

Новички в играх «массовиков» часто озираются по сторонам, словно делают нечто незаконное. Однако со временем привыкают, и шкура у них становится такой толстой, что им самим начинает казаться, будто они защищены тефлоновым покрытием. При упоминании ФБР Клей Картер чуть не подскочил от испуга, но тут же посмеялся над собственной трусостью. Он ведь не сделал ничего противозаконного.

Первое впечатление было таково, что этих двоих только что приняли на работу: молодые, аккуратно стриженные агенты, картинно демонстрирующие свои значки и старающиеся произвести впечатление на всех окружающих. Черного агента звали Спунер, белого — Луш, ему пришлось пояснить, как произносится его фамилия, поскольку написание решительно не соответствовало произношению. Одновременно расстегнув пиджаки, молодые люди так же синхронно опустились в кресла в самом освещенном углу кабинета.

— Известен ли вам человек по имени Мартин Грейс? — начал Спунер.

— Нет.

— А Майк Пэкер? — подхватил Луш.

— Нет.

— Нелсон Мартин?

— Нет.

— Макс Пейс?

— Да.

— Это все один и тот же человек, — объяснил Спунер. — Знаете ли вы, где он сейчас может быть?

— Нет.

— Когда вы видели его в последний раз?

Пытаясь выиграть время и привести мысли в порядок, Клей подошел к столу, полистал свой ежедневник, потом вернулся и сел. Он совершенно не был обязан отвечать на эти вопросы, мог предложить им немедленно удалиться и заявить, что будет разговаривать с ними только в присутствии своего адвоката. Если они упомянут тарван, он именно так и поступит.

— Точно не помню, — ответил он, продолжая листать страницы. — Несколько месяцев назад. Примерно в середине февраля.

Луш в этом дуэте выполнял обязанности стенографа, Спунер — дознавателя.

— Где вы встречались?

— В отеле, мы вместе ужинали.

— В каком отеле?

— Не помню. А почему вы интересуетесь Максом Пейсом?

Обменявшись быстрым взглядом с коллегой, Спунер счел возможным сообщить:

— В связи с секретным расследованием. Пейс неоднократно привлекался за кражу секретной финансовой информации и ее использование в целях мошенничества. Вы что-нибудь знаете о его прошлом?

— Почти ничего. Он не распространялся о себе.

— Как и почему вы с ним познакомились?

Клей бросил ежедневник на журнальный стол.

— Ну, скажем, это было деловое знакомство.

— Большинство его деловых партнеров уже сидят в тюрьме. Придумайте лучше что-нибудь другое.

— Пока сойдет и это. Какова цель вашего визита?

— Мы опрашиваем свидетелей. Нам известно, что некоторое время он провел в округе Колумбия, а также посетил вас на Мастике под Рождество. Мы знаем, что в январе, за день до того, как вы предъявили иск компании «Гофман», этот человек продал на время пакет ее акций по сорок два с четвертью доллара за штуку, а потом, выкупив его по двадцать девять долларов, незаконно присвоил несколько миллионов. По нашим сведениям, он заранее получил доступ к конфиденциальному правительственному докладу, касающемуся препарата компании «Гофман» под названием «Максатил», и использовал информацию в жульнических целях.

— Что-нибудь еще?

Луш прекратил писать и спросил:

— Вы продавали акции компании «Гофман», перед тем как подать иск против нее?

— Нет, не продавал.

— Вы когда-нибудь владели акциями компании «Гофман»?

— Нет.

— А члены вашей семьи, партнеры, дочерние фирмы и оффшорные фонды, контролируемые вами?

— Нет, нет, нет.

Луш сунул ручку в нагрудный карман. Как всякие хорошие следователи, на первый раз они предпочли ограничиться лишь краткой беседой. Пусть свидетель, он же подозреваемый, попотеет и, возможно, предпримет неверный шаг. Вторая встреча будет гораздо более долгой.

Агенты встали и направились к двери.

— Если Пейс с вами свяжется, мы хотели бы узнать об этом, — сказал Спунер.

— На это можете не рассчитывать, — ответил Клей. Он никогда не предал бы Пейса, слишком много тайн их связывало.

— О, мы все-таки надеемся на вас, мистер Картер. В следующий раз поговорим о «Лабораториях Акермана».

После двух лет, в течение которых Хелси Ливинг в общей сложности выплатила по сделкам гигантскую сумму — восемь миллиардов долларов, — компания выкинула полотенце на ринг, придя к выводу, что добросовестно сделала все, что могла, чтобы исправить кошмарное положение, сложившееся из-за ее диетических таблеток, известных как «Тощий Бен». Корпорация героически пыталась компенсировать ущерб полумиллиону пациентов, поверивших агрессивной рекламе и доверчиво принимавших препарат, находясь в неведении относительно его побочных эффектов, мужественно выдерживала атаку бешеных акул — адвокатов-«массовиков», озолотила их, но теперь возможности были исчерпаны.

Финансово истощенная, скукожившаяся, висящая на волоске, нового натиска пострадавших она выдержать не могла. Последней соломинкой, переломившей ей хребет, оказались два сумасбродных массовых иска, предъявленных сомнительными адвокатами, представлявшими интересы нескольких тысяч «пациентов», которые принимали «Тощего Бена» безо всяких пагубных последствий. Тем не менее эти люди требовали миллионных компенсаций просто за то, что пили таблетки, вынуждены были, таким образом, беспокоиться теперь за свое здоровье и это якобы оказывало вредное воздействие на их и без того нестабильное эмоциональное состояние.

Хелси Ливинг объявила о банкротстве и, согласно соответствующей статье закона, перестала быть ответчиком по массовому иску. Три подразделения компании уже прекратили свое существование, та же участь вскоре должна была постигнуть все остальные. Птичка выпорхнула из клетки, помахав на прощание крылышками всем адвокатам и их клиентам.

Новость явилась сюрпризом для финансового сообщества, но больнее всего ударила по корпорации адвокатов-«массовиков». Они зарезали-таки курицу, которая несла золотые яйца. Увидев сообщение на экране компьютера, Оскар Малруни заперся в своем кабинете. Доверившись его «прозорливому плану», контора истратила два миллиона двести тысяч долларов на рекламу и медицинские тесты, собрав двести пятнадцать официальных клиентов. При сделке, предусматривавшей средний уровень компенсаций в сто восемьдесят тысяч, эти дела должны были принести пятнадцать миллионов прибыли, что сулило лично ему еще и солидную премию в конце года.

Однако вот уже три месяца он не мог добиться реальных денег от координатора сделки. По слухам, между многочисленными заинтересованными в деле адвокатами и отдельными группами пострадавших потребителей произошел раскол, из-за чего новые очередники не могли получить свои компенсации, при том, что деньги, судя по всему, в наличии имелись.

Покрывшись испариной, Малруни не меньше часа провисел на телефоне, консультируясь с коллегами — товарищами по несчастью, пытаясь прорваться к главному координатору и к судье. Его худшие подозрения подтвердил адвокат из Нэшвилла, у которого на руках имелось несколько сотен исков, зарегистрированных раньше, чем дела Оскара.

— Делу конец, — сказал тот. — Обязательства Хелси Ливинг в четыре раза превышают ее авуары, а наличных у нее нет вовсе. Нам конец.

Оскар взял себя в руки, поправил галстук, опустил рукава, застегнул манжеты, надел пиджак и отправился к боссу.

Час спустя он подготовил письма всем двумстам пятнадцати клиентам. Он не давал им ложных надежд. Перспективы смутны. Контора, разумеется, будет внимательно следить за процедурой банкротства и сделает все возможное, чтобы добиться компенсаций.

Но оснований для оптимизма мало.

Через два дня такое письмо получила и Нора Тэккет. Хорошо знавший ее почтальон был в курсе того, что она сменила адрес. Теперь она жила в трейлере, который вдвое превышал размерами прежний и стоял ближе к городу. Нора, как всегда, сидела дома, смотрела какую-то «мыльную оперу» по телевизору — новому, с широким экраном — и пожирала низкокалорийное печенье, когда он сунул в ее почтовый ящик пакет из адвокатской конторы, три счета и несколько рекламных листков. Она получала огромное количество почты от вашингтонского адвоката, и всем в Ларкине было известно почему. Поначалу ходили слухи, что Нора получит от фирмы, сделавшей эти чертовы диетические пилюли, сто тысяч долларов, потом она обмолвилась кому-то в банке, будто сумма будет, вероятно, ближе к двумстам тысячам. В ходе передачи сплетни из уст в уста количество ожидаемых денег возросло еще больше.

Эрл Джетер, продавая толстухе новый трейлер, был уверен, что ей светит чуть ли не полмиллиона, причем в ближайшее время. Мэри-Бет подписала обязательство расплатиться не позднее чем через три месяца.

Почтальон с самого начала подозревал, что деньги принесут Норе множество неприятностей. Каждый Тэккет в округе при малейших финансовых затруднениях обращался теперь за помощью к ней. Ее детей, вернее, детей, которых она содержала, дразнили в школе из-за того, что их мать такая толстая и такая богатая. Их отец, человек, которого в здешних краях не видели уже два года, вернулся в город и рассказывал в парикмахерской, что Нора — самая замечательная женщина, на какой он когда-либо был женат. Отец Норы грозился убить его, и это было одной из причин, по которой она всегда держала дверь на замке.

Большинство ее счетов уже было просрочено. Не далее как в прошлую пятницу кто-то в банке заметил: что-то не видно никаких признаков того, что соглашение действует. Где же Норины деньги? Для всего Ларкина это стало вопросом вопросов. А может, они как раз и лежат там, в конверте?

Спустя приблизительно час, убедившись, что поблизости никого нет, Нора выбралась из трейлера, выгребла содержимое почтового ящика и поспешно вернулась в дом.

На ее просьбы перезвонить мистер Малруни не откликнулся. Его секретарша сказала, что адвоката нет в городе.

Совещание состоялось поздно вечером, когда Клей уже собирался уходить. Началось оно весьма неприятно, так же и продолжилось.

Гриттл вошел с перевернутым лицом и объявил:

— Страховая компания уведомила, что разрывает договор страхования нашей ответственности.

— Что?! — воскликнул Клей.

— Вы прекрасно слышали — что.

— Почему вы сказали мне это только сейчас? Я опаздываю на ужин.

— Я весь день пытался с ними договориться.

Клей снял пиджак, швырнул его на диван и подошел к окну. Они немного помолчали, потом Клей спросил:

— Но почему?

— Они проанализировали нашу работу и сочли, что состояние дел в конторе их не удовлетворяет. Их напугало наличие двадцати четырех тысяч клиентов по одному делу. Если что-то пойдет не так, риск окажется слишком велик, десять миллионов долларов будут каплей в море. Поэтому они умывают руки.

— А они имеют право это сделать?

— Конечно, имеют. Страховая компания может разорвать договор страхования ответственности в любой момент. Разумеется, им придется возвратить наш взнос, но это семечки. Клей, мы остались голыми и босыми. Наш риск больше никто не покрывает.

— Нам не понадобится покрытие.

— Это вы так говорите, а я очень обеспокоен.

— Помнится, когда мы вели дело о дилофте, вы тоже беспокоились.

— Тогда я ошибся.

— Послушайте, Рекс, старина, вы и сейчас ошибаетесь. Когда мистер Мунихэм разберется с «Гофманом» во Флагстафе, тот сам будет стремиться заключить сделку. Они уже сейчас отложили несколько миллиардов на удовлетворение претензий пострадавших от максатила. Попробуйте догадаться, сколько им будут стоить наши двадцать четыре тысячи клиентов?

— Ну, удивите меня.

— Почти миллиард долларов, Рекс. И у «Гофмана» есть эти деньги.

— И все же я беспокоюсь. Вдруг что-то пойдет не так?

— Вы маловер, приятель. Просто подобные вещи требуют терпения. Суд назначен на сентябрь. Когда он закончится, деньги снова потекут к нам рекой.

— Пока мы истратили восемь миллионов на рекламу и тесты. Нельзя ли по крайней мере притормозить? Почему вы не хотите остановиться на двадцати четырех тысячах?

— Потому что этого мало. — С этими словами Клей улыбнулся, надел пиджак, похлопал Гриттла по плечу и отправился на ужин.

Встреча со старым приятелем, соседом Клея по комнате в университетском общежитии, была назначена в гриль-баре «У старого Эббита» в половине девятого. Клей просидел за стойкой около часа, прежде чем зазвонил мобильник. Приятель вежливо извинился: он задерживался на каком-то совещании, конца которому пока не предвиделось.

Собравшись уходить, Клей окинул взглядом зал и заметил Ребекку в обществе двух дам. Он вернулся, снова уселся у стойки и заказал еще один эль. Их пути опять пересеклись, он отчаянно хотел поговорить с ней, но ни в коем случае не собирался вклиниваться в женскую компанию. Лучше всего пройти мимо, сделав вид, что он направляется в туалет.

Когда Клей поравнялся с их столиком, Ребекка подняла голову и сразу улыбнулась. Потом она представила Клея подругам, а тот объяснил, что ждет университетского приятеля, с которым собрался поужинать, и принес извинения за вторжение. Какая ерунда, они рады познакомиться, заверили дамы.

Минут через пятнадцать Ребекка появилась в переполненном баре и остановилась возле Клея. Очень близко.

— У меня есть свободная минутка, — сказала она. — Подруги подождут.

— Потрясающе выглядишь, — заметил Клей, которому не терпелось начать разговор.

— Ты тоже.

— А где Майерс?

Она пожала плечами, давая понять, что ей это безразлично.

— Работает. Он всегда работает.

— Как протекает семейная жизнь?

— Очень одиноко, — ответила Ребекка, глядя в сторону.

Клей выпил. Если бы они находились не в переполненном баре и если бы Ребекку не ожидали подруги, она с удовольствием вывернула бы перед ним душу наизнанку. Ей столько хотелось ему рассказать.

Семейная жизнь не задалась! Клей едва сдержал торжествующую улыбку и многозначительно произнес:

— Помни: я продолжаю ждать.

Она наклонилась, чтобы поцеловать его в щеку, и он увидел, что ее глаза увлажнились. Не сказав больше ни слова, она ушла.

33

После того как «Иволги» сделали шесть пробежек к базе самих «Дьявольских скатов» — а это вам не хухры-мухры, — мистер Тед Уорли очнулся от глубокого сна и подумал: пойти в туалет сейчас или дождаться седьмой подачи? Он проспал около часа, что было необычно: он всегда ложился вздремнуть около двух часов пополудни. Правда, «Иволги» играли сегодня так себе, но он все равно прежде не засыпал во время матча.

После пережитого кошмара старик старался не перегружать мочевой пузырь. Стал меньше пить, с пивом вообще завязал. И следил, чтобы пузырь не переполнялся: при первом же позыве опорожнял его. Не беда, если он пропустит несколько подач. Мистер Уорли прошел в маленький туалет для гостей, располагавшийся рядом со спальней, в которой миссис Уорли, сидя в кресле-качалке, что-то вязала. Вязание поглощало большую часть ее времени. Он закрыл дверь и расстегнул брюки. Ощутив легкое жжение, посмотрел вниз и чуть не лишился чувств.

Моча была ржавого цвета. Он ахнул и оперся рукой о стену. Закончив, мистер Уорли не стал смывать унитаз, а, закрыв его крышкой, присел и постарался взять себя в руки.

— Что ты там так долго делаешь? — крикнула жена.

— Не твоего ума дело, — огрызнулся он.

— Тед, с тобой все в порядке?

— Абсолютно.

Но это было вовсе не так. Подняв крышку, старик еще раз посмотрел на убийственное свидетельство болезни, потом нажал на спуск и вернулся в гостиную. «Дьявольские скаты» продвинулись к восьмой базе, но игра утратила для него всякий интерес. Спустя двадцать минут, выпив три стакана воды, он прошмыгнул в ванную, находившуюся в цокольном этаже, — чтобы оказаться как можно дальше от жены.

Кровь, убедился он. Значит, опухоль выросла опять, и, независимо от того, доброкачественная она или нет, теперь положение явно серьезнее, чем прежде.

Жене мистер Уорли сказал правду только на следующее утро за завтраком. Он предпочел бы держать ее в неведении как можно дольше, но печальные события последнего времени так сблизили их, что хранить секреты — особенно касающиеся здоровья — было очень трудно. Она немедленно начала действовать: позвонила урологу, поругалась с его секретаршей и добилась того, чтобы врач принял мужа в тот же день. Симптомы таковы, что врачебная консультация не терпит отлагательств — никаких «завтра».

Четыре дня спустя в почках мистера Уорли были диагностированы множественные злокачественные опухоли. В ходе пятичасовой операции врачи удалили те, которые смогли обнаружить.

Заведующий урологическим отделением взял состояние пациента под личный контроль. Его коллега из больницы в Канзас-Сити сообщил об аналогичном случае, имевшем место за месяц до того: возникновение почечных опухолей вследствие приема дилофта. Канзасский пациент проходил сейчас курс химиотерапии и угасал на глазах.

Мистера Уорли, судя по всему, ожидала та же участь, хотя онколог был осторожен в прогнозах во время первого послеоперационного осмотра. Не переставая вязать, миссис Уорли поносила плохое качество больничной еды: конечно, она не рассчитывала, что мужа будут кормить деликатесами, но почему пища не может быть хотя бы горячей? А цены?! Мистер Уорли лежал, укрытый простыней, и смотрел телевизор. Когда появился онколог, он приглушил звук, но был слишком подавлен, чтобы поддерживать беседу.

Его собирались выписать через неделю и обещали, как только он достаточно окрепнет после операции, начать интенсивный курс лечения. После ухода врача мистер Уорли расплакался.

Во время очередного разговора с коллегой из Канзас-Сити заведующий урологическим отделением узнал еще об одном аналогичном случае. Все три пациента оказались истцами первой очереди по делу о дилофте. Теперь они умирали. Прозвучало имя адвоката: интересы канзасского больного уже представляла небольшая нью-йоркская фирма.

Заветная, хоть и редко осуществимая мечта для врача: натравить одного адвоката на другого, и заведующий урологическим отделением не собирался отказывать себе в удовольствии. Он пришел в палату мистера Уорли, представился, поскольку до тех пор они не были знакомы, и сообщил, что лично контролирует курс лечения. Мистеру Уорли уже осточертели все врачи, и, если бы не бесчисленные трубки, оплетавшие его изуродованное тело, он давно бы сбежал из больницы. Вскоре разговор переметнулся на дилофт, на сделку, на то, какое золотое дно представляют подобные соглашения для адвокатов. В этом месте старик оживился: на бледном лице появился какой-никакой румянец, глаза заблестели.

Сделка на позорно скудную сумму была заключена вопреки его желанию. Какие-то несчастные сорок три тысячи — остальное досталось адвокату! Он вспомнил, как после многочисленных безответных звонков в контору напал наконец на какого-то молодого прощелыгу, и тот посоветовал повнимательнее перечитать пакет документов, которые мистер Уорли добровольно подписал. Там действительно имелся пункт, уполномочивающий адвоката заключать сделку на сумму, не меньшую, чем оговоренный минимум. Мистер Уорли направил тогда мистеру Картеру два язвительных письма, ни на одно из которых ответа не получил.

— Я был против сделки, — неоднократно повторил он.

— Но теперь, видимо, поздно об этом говорить, — поддакивала миссис Уорли.

— Может, и нет, — задумчиво произнес доктор и поведал о канзасском пациенте, чей случай был очень похож на случай мистера Уорли. — Он нанял адвоката, который будет судиться с его прежним адвокатом, — с огромным удовольствием сообщил он.

— Я сыт адвокатами по горло, — заявил мистер Уорли и хотел добавить: врачами тоже, но сдержался.

— У вас есть телефон этого адвоката? — засуетилась миссис Уорли, сохранившая большую здравость мышления, чем супруг. Как это ни печально, она вынуждена была заглядывать на год-другой вперед, когда Теда не будет в живых.

У уролога номер «случайно» оказался под рукой.

Людьми, которых боялись «массовики», были только их коллеги. Хищники. Предатели, следующие по пятам и не прощающие ошибок. Среди адвокатов существовала особая специализация: несколько очень умных и очень злобных профессионалов занимались исключительно тем, что охотились на представителей собственной братии, имевших несчастье заключить недобросовестные сделки. Хелен Уоршо даже написала учебник на эту тему.

Не упуская случая декларировать свое страстное желание доводить каждое дело до суда, «массовики» теряли дар речи, стоило им представить себя перед ложей присяжных, которым станет известно состояние личных адвокатских финансов. А в профессию Хелен Уоршо входило и это: доводить до сведения присяжных размеры имущества адвокатов, которых она привлекала к суду.

Тем не менее случалось такое редко. Призывы «массовиков» судиться со всем миром и их заверения в любви к суду присяжных, очевидно, находили отклик у публики. Когда дело касалось необходимости доказать ответственность подсудимого, никто не добивался сделки быстрее, чем «массовики». Даже врач, виновный в преступной халатности, не увертывался от суда с такой энергией и ловкостью, с какими рекламирующий себя по телевидению адвокат прибегал к любому мошенничеству, лишь бы добиться досудебной сделки.

У Хелен Уоршо в ее нью-йоркском офисе уже лежало четыре дела о последствиях сделки по дилофту, и еще к трем она внимательно присматривалась, когда ей позвонила миссис Уорли. Ее маленькая фирма собрала досье на Клея Картера и множество материалов — на Пэттона Френча. Хелен внимательно следила за деятельностью двух десятков самых успешных адвокатских контор, занимающихся коллективными исками, и за ходом десятков крупнейших массовых дел. У нее не было недостатка в клиентах и гонорарах, но ничто не будоражило ее воображение так, как желание прижать тех, кто нажился на дилофте.

Поговорив с миссис Уорли несколько минут, Хелен отлично представила, что происходит.

— Я приеду к пяти, — сказала она.

— Сегодня?

— Да, сегодня.

Она успела на ближайший рейс местной авиалинии до аэропорта Даллеса. Собственного самолета у нее не имелось по двум причинам. Во-первых, Хелен была расчетлива и не находила такое вложение средств разумным. Во-вторых, если ей суждено было когда-нибудь самой предстать перед жюри присяжных, не хотелось бы, чтобы этот самолет всплыл. Годом раньше, когда ей удалось довести до суда одно дело, она показала присяжным огромные цветные фотографии двух лайнеров, принадлежавших адвокату-ответчику: виды снаружи и изнутри. А также снимок его яхты, виллы и прочая, прочая. На жюри это произвело огромное впечатление, и сумма штрафных санкций в пользу истца составила двадцать миллионов.

Наняв машину — отнюдь не лимузин, — Хелен прибыла в больницу Бетесды. Миссис Уорли уже подготовила необходимые документы, которые мисс Уоршо внимательно изучала в течение часа, пока мистер Уорли спал. Проснувшись, он не пожелал разговаривать. Он ненавидел адвокатов, особенно таких настырных, как эта дама из Нью-Йорка. Его жена, напротив, располагала временем и легко нашла общий язык с женщиной. За чашкой кофе в комнате отдыха у них состоялась долгая беседа.

Главным преступником, разумеется, были и оставались «Лаборатории Акермана». Там произвели вредный препарат, ускорили процесс его лицензирования и начали бомбардировать потребителей рекламой, не удосужившись провести тщательные испытания и сделать общим достоянием всю имевшуюся у них информацию. Теперь стало известно, что дилофт даже более вреден, чем казалось на первый взгляд. Мисс Уоршо уже собрала достаточно медицинских доказательств того, что дилофт способен вызывать повторное образование опухолей.

Преступником номер два был врач, выписывавший лекарство, хотя его вина была не столь очевидна: ведь он полагался на производителя, препарат оказывал эффект и так далее и тому подобное.

К несчастью, два первых преступника оказались полностью свободны от ответственности в тот момент, когда мистер Уорли подписал согласие присоединиться к коллективному иску, зарегистрированному в Билокси. Хотя врачу, лечившему мистера Уорли от артрита, и не было предъявлено обвинение, он тоже освобождался от ответственности.

— Но Тед не хотел никакой сделки, — несколько раз повторила миссис Уорли.

Это не важно. Он поставил свою подпись и тем уполномочил адвоката такую сделку заключить. Адвокат ее заключил и стал, таким образом, третьим и последним подлежащим преследованию преступником.

Еще через неделю мисс Уоршо предъявила обвинение Дж. Клею Картеру, Пэттону Френчу, мистеру Уэсли Солсбери и остальным поименованным и непоименованным адвокатам, которые заключили преждевременную сделку по дилофту. Главным истцом от имени всех пострадавших, известных и до настоящего времени неизвестных, выступал мистер Тед Уорли из Верхнего Мальборо, штат Мэриленд. Дело было зарегистрировано в окружном суде округа Колумбия, располагавшемся неподалеку от конторы JCC.

Позаимствовав сюжетный ход из пьесы, сочиненной самим ответчиком, мисс Уоршо через пятнадцать минут после регистрации отправила факсом копии иска в десяток ведущих газет.

Бесцеремонный дюжий судебный курьер явился в офис и потребовал личной встречи с мистером Картером.

— Это срочно, — не терпящим возражений тоном заявил он.

Его направили к мисс Глик. Та связалась с шефом по селектору, и Клей неохотно вышел из кабинета, чтобы принять бумаги, которые должны были испортить ему весь день, а то и год.

К тому времени, когда он, запершись в кабинете с Оскаром Малруни, закончил их читать, телефоны уже надрывались — звонили репортеры.

— Я об этом понятия не имел, — пробормотал Клей, к собственному огорчению, сознавая, сколько тонкостей упустил в профессии «массовика».

Он и сам был не прочь устроить кому-нибудь хорошую ловушку, но компании, которым предъявлял обвинения он, по крайней мере знали, в чем провинились. «Лаборатории Акермана» знали, что произвели вредный препарат, еще до того, как выбросили дилофт на рынок. «Хэнна Портленд» — что в округе Хауард рушатся дома и люди выражают претензии компании — производителю раствора. «Гофману» в связи с максатилом уже было предъявлено обвинение Дейлом Мунихэмом, присматривались к нему и другие адвокаты. Но это? Клей понятия не имел о том, что Тед Уорли снова болен. Нигде по всей стране ничего не было слышно ни о каких таких неприятностях. Это было несправедливо.

Малруни, потрясенный до глубины души, на время лишился дара речи.

В этот момент мисс Глик объявила по селектору:

— Клей, здесь репортер из «Вашингтон пост».

— Пристрели мерзавца! — прорычал Клей.

— Это значит — нет?

— Это значит — пошел он к черту!

— Скажите ему, что Клей уехал, — выдавил наконец Оскар.

— И вызови охрану, — добавил Клей.

Даже смерть близкого друга не могла бы повергнуть его в больший шок. Они с Оскаром стали говорить о том, что не следует ударяться в панику, о том, что и где отвечать. Нужно ли решительно отвергнуть все обвинения и выдвинуть встречный иск о защите чести и достоинства? Посылать ли копии в органы печати? Давать ли интервью?

Но они так ничего и не решили, потому что не могли решить. Оба чувствовали себя неуверенно: это была совершенно неизвестная им территория.

Оскар вызвался довести новость до сведения сотрудников, представив все в нужном свете, чтобы не подорвать моральный дух.

— Если я виноват, то готов нести ответственность, — заявил Клей.

— Будем надеяться, что мистер Уорли окажется единственным таким клиентом среди наших.

— Это далеко не факт, Оскар. Кто знает, сколько еще таких Тедов Уорли уже толпится за нашей дверью?

* * *

О том, чтобы заснуть, не могло быть и речи. Хорошо еще, что Ридли пока не вернулась, она по-прежнему занималась обустройством новой виллы. Клей испытывал унижение и замешательство и не хотел, чтобы она видела его таким.

Все его мысли вертелись вокруг Теда Уорли. Клей не сердился на этого человека, Боже упаси. О голословности обвинения, похоже, говорить не приходилось. Его бывший клиент не стал бы утверждать, что у него злокачественная опухоль, если бы ее не было. Причина заболевания мистера Уорли — плохое лекарство, а не плохой адвокат. Но то, что Клей поспешил заключить сделку на 62 тысячи долларов, в то время как в конце концов оказалось, что она стоит не один миллион, — это попахивало злоупотреблением полномочиями и жадностью. Кто же осудит пострадавшего, решившего нанести ответный удар?

Всю долгую ночь Клей жалел себя, тешил свое самолюбие, по которому был нанесен сокрушительный удар. Он предвидел унижение перед лицом коллег, друзей и подчиненных. Злорадное торжество врагов. Его страшил завтрашний день, когда пресса начнет проклинать его и не найдется ни души, которая захотела бы встать на защиту.

Иногда ему становилось очень страшно. Неужели он действительно потеряет все? Неужели это начало конца? Суд над ним вызовет у присяжных безоговорочное сочувствие к противной стороне. И неизвестно, сколько наберется тех, кто с готовностью предъявит ему обвинение. А ведь каждое дело может стоить миллионы.

Ерунда. С двадцатью пятью тысячами клиентов по максатилу он выдержит все.

Но мысли Клея неизменно возвращались к мистеру Уорли, клиенту, которого он не защитил. Чувство вины было настолько невыносимым, что Клей готов был позвонить мистеру Уорли и извиниться. А может, лучше написать письмо? Он отчетливо вспомнил два письма, в свое время полученные от этого клиента. Они с Ионой тогда лишь посмеялись над ними.

В начале пятого утра Клей сварил себе первую чашку кофе. В пять вошел в Интернет и стал просматривать «Пост». За последние сутки не было совершено никаких террористических актов, не объявился ни один серийный убийца. Конгресс ушел на каникулы. Президент где-то отдыхал. День не изобиловал новостями, так почему бы не поместить на первой странице улыбающуюся физиономию Короля сделки на полполосы? «МАССЫ ПРЕДЪЯВЛЯЮТ ОБВИНЕНИЕ КОРОЛЮ МАССОВЫХ ИСКОВ» — не без остроумия гласил заголовок. В первом абзаце говорилось:

«Вашингтонский адвокат Дж. Клей Картер, так называемый новоиспеченный Король сделки, вчера на себе испытал вкус собственной горькой пилюли, когда недовольные клиенты предъявили ему иск. В иске сказано, что Картер, заработавший в прошлом году сто десять миллионов долларов, преждевременно заключил соглашение о возмещении ущерба на смехотворно малую сумму, в то время как в действительности дело стоило миллионов».

Остальные восемь абзацев были ничуть не лучше. Посреди ночи Клея настиг острый приступ диареи, вынудивший его опрометью броситься в туалет.

Залп из тяжелого орудия выпустил по нему «приятель» из «Уолл-стрит джорнал». Первая полоса, левая колонка, тот же шарж на самодовольно улыбающегося Клея и ернический заголовок — «НЕ ГРОЗИТ ЛИ КОРОЛЮ СДЕЛКИ РАЗВЕНЧАНИЕ?». Тон статьи был таким, будто Клею предстояло не просто свержение с трона, а приговор и тюремное заключение. Каждая группа вашингтонских предпринимателей имела свое мнение по данному вопросу. Злорадства почти не скрывали. Какая ирония: они радовались еще одному судебному разбирательству. Президент Национальной академии судебной защиты от комментариев воздержался.

Воздержался! А ведь это было учреждение, которое всегда принимало сторону адвокатов. В следующем абзаце объяснялось, почему Клею было отказано в поддержке: Хелен Уоршо, оказывается, являлась активным членом нью-йоркского филиала академии. Ее регалии, надо признать, впечатляли. Дипломированный судебный защитник. Редактор выходящего в округе Колумбия «Юридического обозрения». Ей было тридцать восемь лет, она бегала марафон для собственного удовольствия, и даже бывший оппонент назвал ее «блестящим и цепким профессионалом».

Убийственная комбинация, подумал Клей, снова устремляясь в туалет.

Сидя на унитазе, он вдруг понял, что адвокаты не станут принимать ничью сторону. Семейная вражда. Ожидать не следовало ни сочувствия, ни защиты.

Неназванный источник утверждал, что истцов уже больше дюжины и дело наверняка примет массовый характер, поскольку ожидается новая большая группа. «Насколько большая? — спросил себя Клей, наливая очередную чашку кофе. — Сколько еще мистеров Уорли выстроилось в очередь?»

Мистер Картер, тридцати двух лет от роду, от общения с журналистами уклонился. Пэттон Френч называл иск «легкомысленным» — этот эпитет он позаимствовал, по его собственным словам, у восьми как минимум компаний, против которых вел тяжбы за последние четыре года. Он позволил себе и более крепкие выражения, заявив, что «...дело попахивает заговором сторонников реформы массового судопроизводства и их благотворителей в лице страховой индустрии». Не иначе репортер отловил Пэттона после нескольких полновесных порций водки.

Нужно было что-то решать. Поскольку Клей страдал диареей, у него был законный повод укрыться дома и переждать бурю. Или лучше отважно шагнуть ей навстречу? Ему хотелось выпить какие-нибудь таблетки, забраться в постель, уснуть и проснуться через неделю, когда весь этот кошмар останется позади. А еще лучше — запрыгнуть в самолет и улететь к Ридли.

В семь часов, нацепив на лицо маску веселости, он уже был в конторе, ходил по кабинетам, здоровался с ранними пташками, отпускал сомнительные и рискованные шуточки насчет судебных курьеров, которые наверняка в эту минуту спешат к ним в контору, журналистов, шныряющих вокруг, и уже выписанных повестках, обязывающих явиться в суд. Это было дерзкое, блестящее представление, в котором нуждались сейчас его сотрудники и которое они по достоинству оценили.

Продолжалось оно довольно долго, пока мисс Глик не остановила шефа, войдя в кабинет и объявив:

— Клей, те двое из ФБР опять здесь.

— Отлично! — воскликнул Клей, потирая руки так, словно собирался отхлестать гостей.

Спунер и Луш возникли на пороге с натянутыми улыбками и без малейшего желания обменяться рукопожатиями. Клей закрыл дверь, стиснул зубы и приказал себе продолжать представление. Но внезапно ощутил страшную усталость. И страх.

На сей раз дознание вел Луш, а записи — Спунер. Наверняка портреты Клея на первых полосах газет напомнили им, что следует навестить его еще разок. Такова цена славы.

— Не объявлялся ли ваш приятель Пейс? — начал Луш.

— Нет, — ответил Клей, что было чистой правдой. А как ему нужен был совет Пейса в этот критический момент!

— Вы уверены?

— А вы оглохли? — парировал Клей. Он был готов указать им на дверь, если вопросы станут скользкими. Они ведь всего лишь дознаватели, а не обвинители. — Я ведь ясно сказал — нет.

— По нашим сведениям, на прошлой неделе он приезжал в город.

— Поздравляю: вы информированы лучше, чем я. Я его не видел.

— Вы возбудили дело против «Лабораторий Акермана» второго июля прошлого года, так?

— Да.

— Являлись ли вы владельцем акций компании, когда возбуждали дело?

— Нет.

— Продавали ли вы не имевшиеся в наличии акции на время с последующим выкупом их по более низкой цене?

Разумеется, продавал, по совету своего доброго друга Пейса. Им это было отлично известно. Они наверняка располагали и сведениями о том, сколько Клей на этом заработал. После их первого визита он тщательно изучил вопрос о биржевых махинациях и использовании конфиденциальной финансовой информации в целях личного обогащения, поэтому отдавал себе отчет в том, что находится в серой зоне — не самая лучшая позиция, однако далекая от положения обвиняемого. Теперь он понимал, что не следовало спекулировать на бирже, и тысячу раз пожалел о содеянном.

— Я нахожусь под следствием по какому-либо обвинению? — спросил он.

Спунер кивнул прежде, чем Луш ответил:

— Да.

— Тогда наша встреча окончена. Мой адвокат свяжется с вами, — сказал Клей, вставая и направляясь к выходу.

34

Местом следующей встречи членов управляющего комитета обвиняемый Пэттон Френч избрал отель в Атланте, где не раз выступал с лекциями о том, как разбогатеть, загоняя в угол фармацевтические компании. Совещание было чрезвычайным.

Надо ли говорить, что Френч снял президентские апартаменты, представлявшие собой пышную анфиладу пустующих комнат на верхнем этаже. Там и собрались адвокаты. Атмосфера оказалась необычной — на сей раз никто не бахвалился новым шикарным автомобилем или только что купленным ранчо. Ни одному из пяти участников не пришло в голову хвастаться и недавно одержанными в суде победами. Войдя, Клей сразу почувствовал витавшее в воздухе напряжение, которое так и не рассеялось до конца встречи. Богатенькие дяди были напуганы.

И у них имелись для этого веские причины. Из клиентов первой очереди Карлоса Эрнандеса из Майами семеро уже страдали злокачественными опухолями почек. Они присоединились к новому коллективному иску, их интересы защищала теперь Хелен Уоршо.

— Они прут отовсюду как грибы после дождя, — возмутился Карлос. Выглядел он так, будто не спал несколько ночей кряду. Честно признаться, все пятеро имели вид усталый и потрепанный.

— А Уоршо — безжалостная сука, — добавил Уэс Солсбери.

Все закивали. Судя по всему, репутация мисс Уоршо была хуже некуда, но Клея не потрудились поставить в известность. Было четверо клиентов, возбудивших дело против Уэсли. Три — против Дидье. Пять — против Френча.

Клей с облегчением отметил, что против него всего один иск, но это было временное облегчение.

— На самом деле их у вас семь, — сообщил Френч, передавая Картеру распечатку, в верхней части которой стояло его имя, а под ним — список бывших клиентов, а ныне истцов. — Уикс из «Лабораторий Акермана» сказал мне, что следует ожидать дальнейшего увеличения списка, — добавил Френч.

— Какое у них настроение? — поинтересовался Уэсли.

— Они в шоке. Их препарат убивает людей направо и налево. В «Фило» проклинают тот день, когда они перекупили «Акермана».

— Я с ними солидарен. — И Дидье злобно стрельнул глазами в сторону Клея, будто хотел сказать: «Все из-за вас».

Клей просмотрел свой список. Кроме Теда Уорли, все фамилии были незнакомыми. Канзас, Южная Дакота, Мэн, Джорджия, Мэриленд, двое из Орегона. Как он мог представлять интересы этих неведомых ему людей? Странная для юриста практика — заключать сделки от имени истцов, которых он никогда в глаза не видел! И как они могли ему довериться?

— Не следует ли сосредоточиться на медицинских свидетельствах? — предложил Уэсли. — Я имею в виду: это дало бы простор для маневра, можно было бы попытаться доказать, что повторное образование опухолей никак не связано с дилофтом. В этом случае мы могли бы соскочить с крючка, как и «Акерман». Мне не хотелось бы строить из себя шута горохового, но что поделаешь...

— Нет! Нам крышка, — оборвал его Френч. Порой он умел быть резким настолько, что всем становилось не по себе. Сейчас он давал понять: незачем зря тратить время. — Уикс сказал мне, что препарат более опасен, чем пуля, летящая в голову. Их собственные исследователи пачками подают в отставку, поставив крест на своей карьере. Компания может загнуться.

— Ты имеешь в виду «Фило»?

— Да. Покупая «Акермана», они надеялись, что удастся уладить кутерьму вокруг дилофта. Но теперь ясно, что истцов второй и третьей очереди окажется гораздо больше, чем предполагалось, и люди потребуют куда более существенных компенсаций. «Фило» повисла на волоске.

— Как и все мы, — пробормотал Карлос и тоже бросил на Клея такой взгляд, что тому вспомнилась «пуля, летящая в голову».

— Если наша ответственность будет доказана, мы не можем согласиться на суд, — заметил Уэс, как будто это не было очевидно.

— Придется договариваться, — сказал Дидье. — Речь ведь идет о выживании.

— Во что может обойтись каждый истец? — спросил Клей, удивляясь тому, что вообще еще способен говорить.

— Если дойдет до вердикта, то от двух до десяти миллионов, в зависимости от размера штрафных санкций, — предположил Френч.

— Это в лучшем случае, — добавил Карлос.

— Черта с два они увидят меня в суде! — выпалил Дидье. — Не с такими фактами.

— Средний возраст большинства истцов — шестьдесят восемь лет, все они пенсионеры. — Уэс стал размышлять вслух. — Значит, с точки зрения экономики ущерб от смерти пациента окажется не так уж велик. Компенсация за перенесенные физические и моральные муки, конечно, увеличит итоговую сумму. Но поодиночке, думаю, каждое из этих дел можно уладить за миллион долларов.

— Поодиночке не удастся, — съязвил Дидье.

— Сейчас не до шуток, — осадил его Уэс. — А вот если речь пойдет о такой заманчивой мишени, как банда жадных адвокатов-«массовиков», цена возрастет настолько, что у нас крышу сорвет.

— Я бы предпочел сейчас оказаться на месте истцов, чем на своем собственном, — признался Карлос и потер усталые глаза.

Клей обратил внимание, что никто не прикоснулся к спиртному — пили только кофе и воду. А ему отчаянно хотелось полечиться замечательной водкой Френча.

— Скорее всего коллективный иск мы проиграем, — сказал Френч. — Все, кто еще в деле, стараются из него выйти. Как вам известно, очень немногие из истцов второй и третьей очереди уже получили компенсации, и, по очевидным причинам, они захотят отколоться от нашего иска. Я знаю по меньшей мере пять групп адвокатов, готовых обратиться в суд с требованием расформировать наше дело и вышвырнуть нас за дверь. Не могу их осуждать.

— Можно побороться, — возразил Уэс. — Мы ведь работаем за гонорары и, стало быть, в этом случае теряем прибыль.

Однако настроения бороться ни у кого не было, по крайней мере в данный момент. Независимо от того, сколько денег имел каждый, оборот, который принимало дело, пугал всех. Клей в основном слушал, ему была интересна реакция остальных четырех. У Пэттона Френча денег больше, чем у любого из присутствующих, и он был уверен, что сможет выстоять. Уэс, заработавший на табачных махинациях полмиллиарда, — тоже. Карлос петушился, но явно нервничал. По-настоящему боялся Дидье, лицо у того было застывшим.

Каждый из них был намного богаче Клея, а дел по дилофту у Клея было больше, чем у любого из них. Такая математика ему не нравилась.

Если исходить из суммы вероятной компенсации в три миллиона, то даже при том, что список ограничится его нынешними семью истцами, что маловероятно, придется выплатить двадцать миллионов. А уж если список увеличится...

Клей поднял вопрос о страховке и с огромным удивлением узнал, что ни у одного из четырех коллег никакой страховки нет. Страховые компании еще несколько лет назад расторгли свои договоры с ними. Теперь не многие решались иметь дело с «массовиками». И теперешние неприятности с дилофтом прекрасно объясняли почему.

— Благодарите судьбу, что у вас есть эти десять миллионов, — подытожил Уэсли. — По крайней мере эти деньги вам не придется доставать из собственного кармана.

Большей частью совещание свелось к жалобам и стонам. Им нужно было выплакаться сейчас друг другу в жилетки, но долго предаваться печали они не собирались. В общих чертах был выработан план действий: в какой-то, пока не определенный, момент встретиться с мисс Уоршо и прощупать возможность договориться. Она старалась довести до сведения всех и каждого, что не пойдет ни на никакие сделки, что решительно настроена на суд и хочет устроить сенсационное представление, в ходе которого нынешние и бывшие «короли» будут выведены на чистую воду и предстанут перед присяжными в чем мать родила.

Остаток дня и вечер Клей провел в Атланте, где его никто не знал.

За годы работы в БГЗ Клею сотни раз приходилось проводить предварительные беседы со своими подзащитными, почти всегда в тюрьме. Труднее всего было начинать: его клиенты, почти сплошь черные, проявляли осторожность, потому что не знали, что можно, а чего нельзя говорить адвокату. Помогала лишь информация, которую удавалось добыть на стороне. Выудить у клиента факты, подробности о вменяемом ему преступлении и приблизиться к истине во время первого свидания получалось редко.

Теперь по иронии судьбы Клей в качестве белого обвиняемого шел на встречу с... черным адвокатом. И Заку Бэттлу за семьсот пятьдесят долларов в час следовало уметь воспринимать информацию быстро, потому что Клей не собирался увиливать, колебаться и тянуть канитель на этом этапе. Его адвокат узнает всю правду сразу — успевай только записывать.

Но Бэттлу хотелось поболтать. Когда-то, задолго до того, как он остепенился и стал крупнейшим в округе Колумбия адвокатом по уголовным делам, они с Джарретом выпивали вместе. О, сколько всего он мог рассказать о Джаррете Картере!

Очень мило, но не за семьсот пятьдесят долларов в час, хотелось сказать Клею. Остановите часы — тогда можем болтать до бесконечности.

Окна кабинета Бэттла выходили на Лафайет-парк, вдали виднелся Белый дом. Он вспомнил, как однажды вечером они с Джарретом надрались и решили пображничать в этом самом парке с бездомными пьяницами. Копы выследили их, хотя они и оделись в какие-то лохмотья, арестовали, и им пришлось употребить все свои банковские возможности, чтобы избежать огласки. Клей рассмеялся, поскольку собеседник ждал от него именно такой реакции.

Бросив пить, Бэттл начал курить трубку, его захламленный грязный кабинет насквозь пропитался застарелым запахом табачного дыма. «Как поживает ваш отец?» Ему очень хотелось это узнать. Клей широкими мазками набросал грандиозную и почти романтическую картину жизни Джаррета на его «Летучем голландце».

Когда удалось наконец перейти к делу, он изложил историю своего участия в иске по дилофту, начав со знакомства с Максом Пейсом и закончив визитом агентов ФБР. О тарване он не упомянул, но, если бы понадобилось, рассказал бы и об этом. К его удивлению, Бэттл не делал никаких записей. Просто слушал, хмурясь и куря трубку, порой глубоко задумывался, глядя в сторону, но понять, о чем именно, было решительно невозможно.

— Этот украденный доклад, который был у Макса Пейса... — сказал он, сделал паузу, выпустил дым и продолжил: — Вы уже располагали им, когда продавали акции и заводили дело?

— Разумеется. Должен же я был быть уверен, что смогу доказать ответственность фармацевтической компании, если дело дойдет до суда.

— Тогда вы виновны: это использование конфиденциальной информации в жульнических целях. Пять лет в каталажке. Только скажите мне, как федералы смогут это доказать?

Когда замершее сердце Клея снова начало биться, он предположил:

— Ну, наверное, Макс Пейс может им рассказать.

— Кто еще знал о докладе?

— Пэттон Френч, вероятно, еще один-два из его парней.

— Френчу известно, что доклад был у вас до того, как вы завели дело?

— Не знаю. Я ни разу не говорил ему, когда именно получил доклад.

— Значит, Макс Пейс — единственный, кто может вас выдать.

История была проста. Клей подготовил иск по дилофту, но не хотел регистрировать его, пока Пейс не предоставит ему надежных доказательств. Они даже несколько раз поссорились из-за этого. Наконец в один прекрасный день Пейс явился с двумя пухлыми папками, бросил их на стол и сказал: «Вот, но получили вы это не от меня». И тут же ушел. Клей просмотрел материалы, потом попросил университетского приятеля высказать свое экспертное мнение. Приятель — известный врач из Балтимора.

— А этому врачу можно доверять? — спросил Бэттл.

Клей не успел раскрыть рот, как Бэттл помог ему с ответом:

— Это самый важный момент, Клей. Если федералам неизвестно, что вы уже располагали секретным докладом, когда продавали акции, они не смогут привлечь вас за мошенничество. У них, разумеется, есть сведения о ваших биржевых операциях, но самого по себе этого недостаточно. Они обязаны доказать, что вы к тому времени располагали секретной информацией.

— Может, мне поговорить со своим балтиморским приятелем?

— Нет. Если федералы о нем знают, телефоны могут прослушиваться. Тогда вы отправитесь в тюрьму не на пять, а на семь лет.

— Ради Бога, перестаньте это повторять.

— А если федералам о нем неизвестно, то вы можете сами их к нему привести. Возможно, за вами следят. Вероятно, записывают ваши телефонные разговоры. Я бы закопал этот доклад и стер все относящиеся к нему файлы на тот случай, если будет выписан ордер на изъятие документов. А также молился бы, чтобы Макс Пейс оказался мертв или прятался где-нибудь в Европе.

— Что-нибудь еще? — Клей готов был начать молиться уже сейчас.

— Поезжайте к Пэттону Френчу и убедитесь, что в отношении доклада ниточки не ведут к вам. Судя по всему, дело о дилофте еще только начинается.

— Вот и они так сказали.

Обратный адрес был адресом тюрьмы. Хотя многие бывшие клиенты Клея сидели, человека по имени Пол Уотсон он припомнить не мог. В конверте лежал один-единственный листок. Текст был аккуратно набран на компьютере.

Уважаемый мистер Картер!

Вероятно, Вы помните меня как Текилу Уотсона. Я сменил имя, поскольку прежнее мне теперь не подходит. Я каждый день читаю Библию и больше всего люблю апостола Павла, поэтому и взял его имя, на что получил официальное разрешение.

Не могли бы Вы оказать мне услугу? Если у Вас есть возможность связаться с семьей Пампкина, пожалуйста, передайте им, что я очень сожалею о случившемся. Я молился Богу, и Он простил меня. Мне стало бы гораздо легче, если бы и семья Пампкина могла меня простить. Мне все еще не верится, что я мог вот так просто убить его. Мне кажется, что это не я стрелял, а вселившийся в меня дьявол. Но мне все равно нет оправданий.

Я по-прежнему не употребляю наркотиков. Здесь в тюрьме этого добра полно, но Господь хранит меня от искушения.

Было бы здорово, если бы Вы мне написали. Нельзя сказать, что я получаю много писем. Мне жаль, что Вы перестали быть моим адвокатом: вы казались мне очень уравновешенным человеком.

С наилучшими пожеланиями

Пол Уотсон.

— Подожди, Пол, — пробормотал Клей. — Мы еще можем стать сокамерниками.

Его напугал внезапно раздавшийся телефонный звонок. Это была Ридли, она звонила с Сент-Барта, хотела вернуться домой. Не мог бы Клей завтра послать за ней самолет?

Конечно, дорогая. Какие проблемы? Всего три тысячи в час. Четыре часа туда, четыре обратно — итого двадцать четыре тысячи за короткий перелет. Но по сравнению с тем, что она тратила там, на вилле, это была капля в море.

35

Одни живут за счет утечки информации, других она убивает. Клей играл в эту игру неоднократно — сообщить репортеру некую вожделенную сплетню «не для печати», потом чопорно заявить: «Без комментариев», — и эта реплика будет напечатана несколькими строками ниже той грязи, которую репортер выльет «от себя». Еще недавно это было развлечением, теперь стало источником мучений. Клей не мог даже представить себе, кто следующий захочет поизмываться над ним.

Все происходило неожиданно. Корреспондент «Пост» позвонил в контору Клея, был переадресован к достопочтенному Заку Бэттлу, явился к нему, получил стандартные ответы, после чего Зак по телефону дал Клею полный отчет о состоявшемся интервью.

Статья была напечатана в столичном выпуске на третьей полосе, что само по себе радовало после тех нескольких месяцев, когда героические, а потом скандальные истории о Клее не сходили с первых полос. За недостаточностью событий нужно было чем-то заполнять газетные страницы. Портрет Клея, крупный заголовок — «КОРОЛЬ СДЕЛКИ ПОД СЛЕДСТВИЕМ». «Согласно пожелавшему остаться неназванным источнику...» Далее приводилось несколько высказываний Зака, исходя из которых Клея можно было счесть еще более виновным, чем он был на самом деле. Картер припомнил, что не раз читал подобное прежде: Зак всегда все отрицал, увиливал, обещал бескомпромиссную защиту, и всегда его клиентами были самые крупные жулики города. Чем крупнее был жулик, тем быстрее бежал он в контору Зака Бэттла. Клею даже пришло в голову — к сожалению, впервые, — что, быть может, он нанял не того адвоката.

Он читал статью дома, слава Богу, в одиночестве, поскольку Ридли отбыла на день-другой на «свою» квартиру, которую снимал для нее Клей. Она хотела, чтобы оба они чувствовали себя свободными, для чего каждому нужно было отдельное жилье, а поскольку ее прежняя квартирка казалась ей теперь слишком тесной, Клей согласился оплатить для нее более симпатичное убежище. Как выяснилось, любовь к свободе потребовала и третьего места — виллы на Сент-Барте, о которой Ридли говорила «наша».

Впрочем, красотка не читала газет. В сущности, она вообще мало что знала о проблемах Клея. Она все больше сосредоточивалась на том, чтобы тратить деньги своего мужчины, не вдаваясь в способы, которыми тот их зарабатывает. Если она и читала статью на третьей полосе, то не обмолвилась о ней ни словом. Как и Клей.

С каждым днем Клей все больше осознавал, сколь ничтожно количество людей, которым он небезразличен. Както позвонил однокурсник, чтобы подбодрить его, вот, пожалуй, и все. Клей был благодарен приятелю за звонок, но он слабо его утешил. Где же остальные друзья?

Хотя Клей строго запрещал себе думать о Ребекке и Ван Хорнах, ему никак не удавалось забыть о них. Можно не сомневаться, что, когда его короновали как нового Короля сделки, они зеленели от зависти и кусали локти. Казалось, было это всего несколько недель назад. Интересно, что они думают теперь? «Мне все равно», — повторял он себе снова и снова. Но если так, почему он не мог выкинуть их из головы?

Как-то утром неожиданно приехала Полетт Таллос, ее появление взбодрило Клея. Выглядела она потрясающе — несколько фунтов веса долой, дорогой, изысканный гардероб. Вот уже несколько месяцев Полетт путешествовала по Европе, ожидая, когда развод будет окончательно оформлен. Разумеется, Полетт наслушалась сплетен о Клее и была встревожена. Во время долгого обеда, за который, кстати, платила она, мало-помалу выяснилось, что беспокоит ее и собственное будущее. Ее доля трофея от дилофта составляла чуть больше десяти миллионов, и она хотела знать, не коснутся ли нынешние неприятности и ее. Клей заверил, что ни в коем случае, она ведь была в фирме не партнером, когда заключалась сделка, а всего лишь служащей. На всех документах стоит только его подпись.

— Ты поступила умно, — сказал Клей, — взяла деньги и убежала.

— Я чувствую себя виноватой.

— Не надо. Ошибок наделал я, а не ты.

Понимая, что дилофт обойдется ему недешево — по крайней мере двадцать его бывших клиентов уже стали клиентами мисс Уоршо, — Клей все еще очень рассчитывал на максатил. Имея двадцать пять тысяч дел, можно было получить огромный доход.

— Просто сейчас дорога стала немного ухабистой, но все исправится. Года не пройдет, и я снова буду грести золото лопатой.

— А федералы? — спросила Полетт.

— Им до меня не добраться.

Похоже, она поверила, потому что явно испытала облегчение. Но если и так, то за их столом она была единственной, кому это удалось.

Третья встреча оказалась последней, хотя ни Клей, ни те, кто сидел по одну с ним сторону стола, этого тогда не осознавали. Вместо Бэбкока, страхового советника, Джоэл Хэнна привел с собой президента компании, своего кузена Маркуса. Как обычно, два человека сидели лицом к лицу с целой армией адвокатов, возглавляемой мистером JCC. Королем.

После обычного обмена приветствиями Джоэл объявил:

— Мы обнаружили еще восемнадцать домов, которые нужно добавить к списку. Итого их девятьсот сорок. Мы почти уверены, что больше не будет.

— Это хорошо, — сказал Клей излишне холодно. Чем длиннее список, тем больше у него клиентов и тем больше компенсаций должна будет выплатить компания. Клей защищал интересы почти девяноста процентов клиентов по этому делу, несколько других адвокатов лишь подбирали крошки. Его команда проделала отличную работу, убедив подавляющее количество домовладельцев довериться именно его фирме. Им говорили, что так они получат больше денег, поскольку мистер Картер большой мастер в подобных делах. Каждый потенциальный клиент получал профессионально подготовленный буклет, в котором восхвалялись победы новейшего Короля. Это была самая бесстыдная реклама и навязывание услуг, но такими стали теперь правила игры.

Во время предыдущей встречи Клей снизил свои требования с двадцати пяти до двадцати двух тысяч каждому клиенту и все равно собирался заработать при этом около семи с половиной миллионов. Компания «Хэнна Портленд» настаивала на семнадцати тысячах, хотя даже при такой сумме компенсации ей пришлось бы влезть в долги, грозящие разорением.

Если бы каждый клиент получил семнадцать тысяч и процент гонорара не опустился ниже тридцати, то мистер JCC заработал бы всего четыре миллиона восемьсот тысяч. Если же пришлось бы ограничиться более разумными двадцатью процентами, каждый клиент получил бы тринадцать тысяч шестьсот долларов. Такое сокращение уменьшало его гонорар до полутора миллионов. Маркус Хэнна нашел заслуживающего доверия подрядчика, который согласился ремонтировать дома за тринадцать с половиной тысяч.

В ходе предыдущей встречи стало очевидно, что вопрос об адвокатском гонораре не менее важен, чем вопрос о компенсациях для домовладельцев. Однако с тех пор в газетах появилось немало статей о мистере JCC, ни в одной из которых о нем не было сказано ни единого доброго слова. О снижении процента гонорара адвокатская фирма и слышать не хотела.

— Ну как, готовы ли вы сделать шаг навстречу? — нарочито рассеянно спросил Клей.

Вместо того чтобы просто сказать «нет», Джоэл пустился в рассуждения о том, какие шаги предприняла компания, чтобы произвести переоценку своих финансовых возможностей, своего страхового покрытия и шансов одолжить хотя бы восемь миллионов, чтобы добавить их к компенсационному фонду. Увы, ничего не изменилось с их последней встречи. Бизнес находился в нижней точке цикла. Заказов было мало. Новых домов строили все меньше, во всяком случае, в их секторе рынка.

Если у «Хэнна Портленд» дела обстояли неважно, то ничуть не лучше обстояли они и у команды, собравшейся на противоположном конце стола. Клей отменил рекламу, призванную привлекать клиентов по максатилу, от чего, надо признать, вся фирма вздохнула свободнее. Рекс Гриттл работал сверхурочно, выискивая способы сокращения расходов, хотя Клею, с его запросами, еще только предстояло приспособиться к радикальным бухгалтерским предложениям. Серьезных поступлений не было. Фиаско «Тощего Бена» обошлось им в несколько миллионов. Ожидавшийся золотой дождь так и не пролился. А после того как бывшие клиенты по дилофту проторили дорожку в контору Хелен Уоршо, фирма и вовсе зашаталась.

— Значит, не готовы, — повторил Клей, когда Джоэл закончил.

— Нет. Семнадцать тысяч — наш потолок. А готовы ли вы сделать шаг навстречу?

— Двадцать две с половиной тысячи — справедливая цена, — ответил Клей, не шелохнувшись и даже не моргнув. — Если вы не идете навстречу, мы тоже не пойдем. — В его голосе звенел металл. Такая твердость произвела впечатление на его сотрудников, хотя они были более склонны к компромиссу. Но перед глазами у Клея стоял образ несгибаемого, идущего напролом, рыкающего Пэттона Френча в зале нью-йоркской гостиницы, заполненном шишками из «Лабораторий Акермана». Он был уверен: стоит поднажать — и «Хэнна Портленд» сдастся.

Единственным, кто в его собственной команде сомневался, был молодой адвокат Эд Уайетт, возглавлявший группу, работавшую по «Хэнне». Еще до совещания он объяснил Клею, что, по его мнению, «Хэнна» выиграет больше, оказавшись под защитой главы одиннадцатой закона о банкротстве и согласившись на реорганизацию в соответствии с этим законом. Тогда вопрос о компенсациях домовладельцам будет отложен до той поры, пока опекунский совет, разобравшись со всеми претензиями, не определит, какая сумма на самом деле является разумной. Уайетт полагал, что в этом случае клиенты должны будут сказать спасибо, если получат хотя бы по десять тысяч. Пока компания не прибегала к угрозе обанкротиться, но это обычная тактика в подобной ситуации. Однако Клей, изучив финансовые ресурсы «Хэнны», пришел к выводу, что у компании слишком много авуаров, а также гордости, чтобы она могла пойти на такой шаг. Конечно, он блефовал, но Картеру сейчас позарез были нужны все гонорары, какие только можно выжать.

— Ну что ж, в таком случае остается лишь разойтись, — неожиданно резко заключил Маркус Хэнна, и они с кузеном, собрав бумаги, быстро покинули зал заседаний. Клей тоже постарался театрально обставить свой выход, чтобы продемонстрировать своим войскам, что он ничуть не деморализован.

Два часа спустя компания «Хэнна Портленд» подала официальное заявление в суд по делам о банкротстве Восточного округа штата Пенсильвания, в соответствии с главой одиннадцатой закона о банкротстве прося защиты от кредиторов, крупнейшим из которых была группа истцов, объединившихся в коллективное дело, которое вел адвокат Дж. Клей Картер-второй из Вашингтона, округ Колумбия.

Судя по всему, кто-то из руководства «Хэнна Портленд» тоже уразумел важность организованной утечки информации. В «Балтимор пресс» появилась длинная статья о банкротстве компании и первой реакции домовладельцев. Все факты были достоверны, похоже, с репортером переговорил кто-то имевший непосредственное отношение к переговорам по делу о компенсациях. Компания предлагала семнадцать тысяч каждому истцу; по самым либеральным подсчетам, ремонт одного дома стоил пятнадцать тысяч. Дело могло быть справедливо улажено, если бы не проблема с адвокатскими гонорарами. «Хэнна» с самого начала признавала свою ответственность и была готова занять крупную сумму денег, чтобы исправить собственную ошибку.

Истцы были возмущены. Репортеру удалось побывать в одном из пригородов на их импровизированном собрании. Ему показали несколько пострадавших домов, и он собрал многочисленные отзывы хозяев:

...Нам нужно было с самого начала иметь дело непосредственно с компанией «Хэнна».

...Представители компании сами приезжали сюда еще до того, как здесь объявились адвокаты!

...Каменщик, с которым я говорил, сказал, что может разобрать старый и построить новый дом за одиннадцать тысяч, а «Хэнна» предлагала семнадцать! Я просто ничего не могу понять.

...Я в глаза не видел этого адвоката.

...Я понятия не имел, что участвую в каком-то коллективном иске, пока не получил официальное уведомление.

...Мы не хотим, чтобы компания обанкротилась.

...Конечно, нет. Они очень милые ребята и хотели нам помочь.

...А мы можем подать в суд на адвоката?

...Я пытался ему дозвониться, но их телефоны беспробудно заняты.

После этого репортеру полагалось рассказать о Клее Картере, и, разумеется, он начал с того, какой гонорар тот получил по делу о дилофте. Дальше — больше. Статью иллюстрировали три снимка. На первом был изображен домовладелец, указывающий на выпавшие кирпичи. На втором — группа участников импровизированного собрания. На третьем Клей в смокинге и Ридли в прелестном платье позировали фотографу Белого дома перед официальным ужином. Ридли выглядела потрясающе, Клей и сам был весьма недурен, хотя в контексте статьи трудно было оценить привлекательность их пары. Дешевый прием.

Подпись под снимком гласила: «Мистер Картер во время торжественного приема в Белом доме оказался для нашего корреспондента недосягаем».

«Вот именно, черта с два вы меня достанете!» — подумал Клей.

В офисе JCC начался очередной рабочий день. Телефоны трещали не переставая: разъяренные клиенты требовали кого-нибудь, на кого можно было бы наорать. Хоть охранника. Сотрудники шептались по углам о том, удастся ли конторе выжить. Чуть ли не каждая уборщица строила догадки. Шеф сидел в кабинете, запершись на ключ. Делать было практически нечего, потому что единственным, над чем в настоящий момент работала контора, был вагон дел по максатилу, но они застопорились, поскольку от «Гофмана» никаких ответов не поступало.

Весь округ уже давно потешался над Клеем, хотя ему самому это было невдомек, пока не появился пасквиль в «Пресс». Все началось после статьи о дилофте в «Уолл-стрит джорнал». Те, кто знал Клея по колледжу, университету или БГЗ, кто был знаком с его отцом, стали по факсу обмениваться последними новостями о нем. Настоящая кутерьма началась, когда «Американ атторней» назвал его седьмым в списке самых высокооплачиваемых адвокатов. Посыпались новые факсы и электронные сообщения, сопровождавшиеся солеными шутками. А когда Хелен Уоршо завела свое мерзкое дело, Картер вообще стал героем дня. Какой-то адвокат, у которого, видно, была масса свободного времени, сочинил нечто под названием «Король в переделке», намекая на титул Клея — Король сделки, оформил соответствующим образом и стал рассылать всем подряд. Некто имеющий склонность к художеству добавил к тексту шарж, на котором Клей был изображен обескураженным, в спущенных до щиколоток трусах. Любая новость вызывала к жизни дополненные издания этой самодельной листовки. Автор, вернее, авторы выуживали истории из Интернета, верстали их в газетном формате и рассылали в качестве электронной рекламы. Главной новостью стало уголовное расследование. История сопровождалась фотографией из Белого дома, сплетнями насчет самолета и рассказом о прошлом его отца.

Анонимные издатели с самого начала посылали свои творения и в контору Клея, но мисс Глик тут же удаляла их. Мальчики из «Йельского отделения», которые получали их, тоже оберегали босса. Но теперь Оскар Малруни принес распечатку последнего выпуска и бросил ее Клею на стол.

— Все же вы должны это знать, — сказал он.

В распечатке воспроизводилась статья из «Пресс».

— Можешь предположить, кто за этим стоит? — спросил Клей.

— Нет. Это рассылают по всему городу как «письма счастья»: прочти и перешли товарищам.

— Им что, делать нечего?

— Наверное. Не обращайте внимания, Клей. Те, кто наверху, всегда одиноки.

— Значит, у меня есть собственная газета. Боже, Боже, еще полтора года назад они и имени моего не знали.

За дверью послышался какой-то шум, резкие, сердитые голоса. Клей и Оскар выбежали из кабинета и стали свидетелями потасовки: охранник пытался скрутить какого-то беснующегося джентльмена. Все больше любопытных сотрудников заглядывали в приемную.

— Где этот Клей Картер? — кричал посетитель.

— Я здесь! — крикнул в ответ Клей и шагнул навстречу. — Что вам нужно?

Человек вдруг застыл в руках продолжавшего крепко его держать охранника. Эд Уайетт и еще один адвокат на всякий случай подошли поближе.

— Я — ваш клиент, — тяжело дыша, сказал мужчина. — Отстаньте от меня. — Он дернулся, чтобы освободиться от охранника.

— Оставьте его, — сказал Клей.

— Я желаю поговорить со своим адвокатом, — с вызовом заявил пришелец.

— Так встречи не назначают, — холодно парировал Клей. Он отдавал себе отчет в том, что за ним наблюдают подчиненные.

— Ага, не назначают! А если я звоню день и ночь, а у вас все телефоны вечно заняты? Вы лишили нас справедливой компенсации от цементной компании. Мы желаем знать почему. Что, денег показалось мало?

— Видимо, вы верите всему, что пишут в газетах, — заметил Клей.

— Я верю тому, что нас обобрал наш собственный адвокат. И мы не собираемся сдаваться без борьбы.

— Вам всем нужно успокоиться и перестать читать газеты. Мы вовсе не поставили крест на вашем деле. — Это была ложь, но ложь во спасение. Мятеж следовало подавить, по крайней мере здесь, в офисе.

— Умерьте аппетиты — и мы получим свои деньги! — прорычал мужчина. — Я говорю это от имени всех ваших клиентов.

— Я добьюсь для вас соглашения, — пообещал Клей с фальшивой улыбкой. — Только успокойтесь.

— Иначе мы обратимся в коллегию адвокатов.

— Остыньте.

Мужчина попятился, потом повернулся и вышел.

— Все по местам, за работу, — скомандовал Клей, хлопнув в ладоши, будто у его сотрудников дел было невпроворот.

Ребекка появилась час спустя. Войдя в приемную, она протянула регистраторше записку.

— Пожалуйста, передайте это мистеру Картеру, — попросила она. — Это очень важно.

Регистраторша взглянула на охранника, который после недавнего эксцесса был особенно бдителен. И им понадобилось несколько секунд, чтобы решить, что миловидная молодая дама едва ли представляет собой угрозу.

— Я старый друг мистера Картера, — добавила Ребекка.

Кем бы она ни была, но ее имя заставило мистера Картера выскочить к ней резвее, чем к кому бы то ни было за всю историю существования фирмы. Он проводил ее к себе в кабинет, где они уселись в углу: Ребекка на диване, Клей — на стуле, который постарался придвинуть как можно ближе. Долго молчали. Клей был слишком взволнован, чтобы произнести что-нибудь связное. Ее визит мог означать что угодно, но только не неприятность.

Ему хотелось броситься к ней, обнять, ощутить запах духов у нее на затылке, провести ладонями по ее бедрам. Она совсем не изменилась — та же прическа, та же косметика, помада, браслет...

— Ты пялишься на мои ноги, — наконец произнесла Ребекка.

— Да, пялюсь.

— Клей, у тебя неприятности? О тебе пишут столько гадостей.

— Стало быть, ты поэтому пришла?

— Да. Я волнуюсь.

— Волнуешься — значит, я тебе небезразличен.

— Небезразличен.

— Значит, ты меня не забыла?

— Нет, не забыла. Я сейчас как бы на запасном пути — с замужеством и вообще... И по-прежнему думаю о тебе.

— Все время?

— Во всяком случае, все чаще и чаще.

Клей закрыл глаза и положил ладонь на ее колено. Она моментально сбросила его руку и отодвинулась.

— Клей, я замужем.

— Тогда давай совершим прелюбодеяние.

— Нет.

— На запасном пути? То есть это временно? Что случилось, Ребекка?

— Я пришла не для того, чтобы говорить о своей семейной жизни. Просто шла мимо, вспомнила о тебе и забрела.

— Забрела? Как потерявшаяся собака? Не верю.

— Твое дело. Как наша куколка?

— Она то тут, то там. Мы так договорились.

Ребекка помолчала немного в раздумье. То, что между Клеем и куколкой существует договоренность, ей явно не нравилось. Правда, сама она вышла замуж за другого, но мысль о том, что другая может быть у Клея, ее раздражала.

— Ну, как тебе Червяк? — спросил Клей.

— Нормально.

— И это все, что может сказать молодая жена? Всего лишь «нормально»?

— Мы ладим.

— Года не прожили вместе, и это самое большее, чем ты можешь похвастать? Вы ладите?

— Да.

— Ты что, не спишь с ним, что ли?

— Мы женаты.

— Но он же хам. Я видел, как вы танцевали на свадьбе, меня чуть не вырвало. Признайся, что в постели он мерзок.

— Он в постели мерзок. А твоя куколка?

— Она предпочитает девочек.

Оба долго смеялись. Однако им столько было нужно сказать друг другу, поэтому, помолчав, она, под все тем же пристальным взглядом Клея положив ногу на ногу, спросила:

— Ты справишься?

— Не будем говорить обо мне.

— Адюльтер — не мой стиль.

— Но ты об этом подумала, правда?

— Я нет, а ты — да.

— Но это же было бы замечательно, согласись.

— Было бы, но не будет. Я так жить не собираюсь.

— Я тоже, Ребекка. Не хочу ни с кем делить тебя. Ты была моей, но я тебя упустил. Буду ждать, когда ты снова станешь свободной. Только ты поторопись, черт возьми.

— Этого может и не случиться, Клей.

— Случится.

36

Лежа в постели рядом с Ридли, Клей всю ночь думал о Ребекке. Он то проваливался в неглубокий сон, то просыпался — с неизменной глупой улыбкой на лице. От улыбки, впрочем, не осталось и следа, когда в пять утра зазвонил телефон. Клей взял трубку в ванной, потом переключил разговор на кабинет.

Это был Мэл Снеллинг, сосед по университетскому общежитию, а ныне балтиморский врач.

— Старик, надо поговорить, — сказал Мэл. — Срочно.

— Хорошо, — ответил Клей, чувствуя, как подкашиваются ноги.

— В десять перед мемориалом Линкольна.

— Договорились.

— Весьма вероятно, что за мной будут следить, — предупредил Мэл и отключился. В свое время доктор Снеллинг провел экспертизу украденного доклада по дилофту в качестве дружеского одолжения Клею. Теперь фэбээровцы вышли на него.

Впервые в голову Клею пришла дикая мысль: а что, если просто взять и убежать? Перевести все, что осталось от денег, в какую-нибудь банановую республику, удрать из города, отрастить бороду и исчезнуть навсегда. Ну разумеется, прихватив с собой Ребекку.

Как же, исчезнешь тут, ее мамаша найдет их быстрее, чем любые федералы.

Он сварил кофе, долго стоял под душем. Потом оделся, хотел попрощаться с Ридли, но та не шелохнулась.

Вероятность того, что телефон Мэла прослушивали, была велика. Раз уж люди из ФБР нашли его, то наверняка повсюду насовали «жучков», которых так обожают, и использовали все свои грязные трюки: например, пригрозили, что, если он откажется донести на друга, ему тоже предъявят обвинение. Терроризировали его визитами, телефонными звонками, слежкой. Прижали и заставили позвонить Клею, чтобы устроить ему западню.

Зак Бэттл куда-то уехал, так что посоветоваться было не с кем. Клей прибыл к месту встречи в двадцать минут десятого и смешался с группой туристов. Через несколько минут появился Мэл, что удивило Клея: зачем ему было приезжать на полчаса раньше условленного времени? Может, это ловушка? Может, агенты Спунер и Луш прячутся поблизости с микрофонами, видеокамерами и винтовками? Стоило Клею взглянуть в лицо Мэлу, и он понял, что дела плохи.

Приятели обменялись рукопожатием и постарались как можно радушнее поприветствовать друг друга. Клей подозревал, что каждое их слово записывается. Стояло начало сентября, воздух был свежим, но не холодным, тем не менее Мэл упаковался так, будто ожидал, что вот-вот пойдет снег. Под одеждой могли быть спрятаны микрофоны.

— Пройдемся, — предложил Клей, показывая в тот конец мола, где виднелась колонна Вашингтона.

— Давай, — согласился Мэл, пожав плечами. Ему было все равно. Вероятно, возле мистера Линкольна засада не планировалась.

— За тобой следили? — спросил Клей.

— Не думаю. Я полетел из Балтимора в Питсбург, оттуда — в аэропорт Рейгана, там взял такси. Вроде никого не заметил.

— Спунер и Луш?

— Да, ты их тоже знаешь?

— Эти ребята появлялись на моем горизонте несколько раз. — Клей и Мэл шли вдоль Зеркального пруда с южной стороны. Клей не собирался темнить. — Мэл, я знаю, как работают эти ребята. Они любят давить на свидетелей, прослушивать телефоны, собирать информацию с помощью всяких электронных штучек. Тебя просили надеть на себя микрофон?

— Да.

— И?

— Я послал их к черту.

— Спасибо.

— Клей, у меня очень хороший адвокат. Я рассказал ему все. По его мнению, ко мне претензий быть не может, поскольку я не проводил никаких операций с акциями. Ты, как я понимаю, проводил и наверняка теперь жалеешь об этом. Я получил доступ к конфиденциальной информации, но не воспользовался ею, так что я чист. Однако беда грянет, если мне придется отвечать на вопросы Большого жюри.

Дело еще не было передано в Большое жюри, но адвокат у Мэла, видимо, действительно был опытный. Первый раз за последние четыре часа Клей вздохнул свободнее.

— Продолжай, — осторожно сказал он. Из-за темных солнцезащитных очков он пристально следил за всеми, кто оказывался поблизости, руки были глубоко засунуты в карманы джинсов. Впрочем, если Мэл все рассказал федералам, зачем им подслушивать?

— Главный вопрос заключается в том, как они на меня вышли. Я никому не говорил, что читал этот доклад. Кто им сказал?

— Никто, Мэл.

— Трудно поверить.

— Клянусь. Зачем мне было кому-нибудь об этом говорить?

Они задержались на минуту, пропуская машины, идущие по Семнадцатой. Снова двинувшись в путь, взяли немного вправо, подальше от толпы. Мэл почти шепотом продолжал:

— Если я дам ложные показания перед Большим жюри, им придется попотеть, чтобы доказать твою вину. Но если меня уличат во лжи, то я сам попаду за решетку. Кто еще знает, что я видел доклад? — снова спросил он.

Клей окончательно убедился, что никаких микрофонов на приятеле нет и никто их не слушает. Мэл не стремился выжать из Клея информацию, он просто хотел, чтобы его успокоили.

— Мэл, твое имя нигде не фигурировало, — твердо сказал Клей. — Я передал тебе доклад... Ты ведь не делал копий, так?

— Так.

— Ты отдал мне его обратно. Я просмотрел, там не было ни одной твоей пометки. Мы с тобой просто несколько раз переговорили по телефону. Все свои суждения ты высказал исключительно устно.

— А как насчет других адвокатов, замешанных в деле?

— Доклад видели всего несколько человек. Они знают, что он был у меня до того, как я завел дело, знают, что меня консультировал врач, но понятия не имеют кто.

— Федералы могут заставить их свидетельствовать, что ты был знаком с докладом до того, как сыграл на понижение?

— Нет. Они могут попытаться, но эти люди — адвокаты, причем опытные адвокаты, Мэл. Их нелегко запугать. Сами они не сделали ничего плохого, к операциям с акциями отношения не имеют, так что они ничего не скажут. Здесь я надежно защищен.

— Ты в этом уверен? — с большим сомнением спросил Мэл.

— Абсолютно.

— Так что мне делать?

— Слушаться своего адвоката. Есть реальный шанс, что дело вообще не дойдет до Большого жюри. — Это было скорее заклинанием, чем фактом. — Если ты проявишь твердость, вероятно, все рассосется.

Некоторое время они шли молча. Колонна Вашингтона становилась все ближе.

— Если я получу повестку, — медленно произнес Мэл, — мне, пожалуй, снова нужно будет с тобой переговорить.

— Разумеется.

— Клей, я не собираюсь из-за этого садиться в тюрьму.

— Я тоже.

Они остановились в толпе, собравшейся возле памятника. Снеллинг сказал:

— Я исчезаю. До встречи. Хотя лучше бы тебе не иметь от меня новостей, они могут быть только плохими. — С этими словами он смешался с группой старшеклассников и исчез.

Накануне открытия слушаний во Флагстафе в здании окружного суда, носившем имя некоего Коконино, царило относительное спокойствие. Все занимались обычными делами, ничто не предвещало исторического конфликта с далекоидущими последствиями, которому было суждено разыграться здесь на следующий день. Шла вторая неделя сентября, но столбик термометра дополз до ста пяти градусов*. Побродив по центру города, Клей и Оскар вздохнули с облегчением, оказавшись наконец под сенью кондиционера.

В одном из залов шло совещание суда с адвокатами сторон, и вот здесь-то атмосфера оказалась весьма накаленной. Ложа присяжных пока пустовала, отбор жюри должен был начаться на следующее утро ровно в девять. Одну сторону арены занимал Дейл Мунихэм со своей командой. Орда «Гофмана» во главе с легендарным адвокатом из Лос-Анджелеса Роджером Реддингом оккупировала другое крыло. Роджера Реддинга называли Роджером-Ракетой за то, что он умел поражать противника молниеносно и смертельно. А еще его прозвали Роджером-Шельмой за то, что ездил по

* По Фаренгейту, примерно сорок градусов по Цельсию.

всей стране, сражался с самыми знаменитыми адвокатами и хитроумно добивался баснословных вердиктов.

Клей и Оскар заняли места среди прочих зрителей, которых для всего лишь предварительных слушаний собралось необычно много. На Уолл-стрит намеревались пристально следить за процессом. В финансовых изданиях это дело обещало стать темой номер один на предстоящие дни. Ну и, разумеется, стервятники вроде Клея проявляли к нему огромный интерес. Два передних ряда занимали корпоративные клоны — человек двенадцать одинаково одетых нервных мужчин, несомненно, из компании «Гофман».

Мунихэм метался по залу, как бык в загоне, рявкая то на судью, то на Роджера. Голос у него был низкий, глубокий, а интонация — всегда сварливая. Он был закаленным бойцом. Его хромота то появлялась, то исчезала. Он то брал в руки трость, то забывал о ней.

Роджер, напротив, демонстрировал голливудское хладнокровие. Костюм с иголочки, проседь в волосах, мощный подбородок, идеальный профиль. Наверняка когда-то хотел стать актером. Его красноречивые выступления в суде являли собой образцы почти художественной прозы, речь строилась красиво и слетала с губ без малейшей запинки. Никаких «э-э», «как бы», «ну»... Никаких поправок. Ведя спор, он использовал изысканные выражения, которые, однако, каждому были понятны, и обладал талантом одновременно оперировать тремя-четырьмя аргументами, которые элегантно сводил потом в один безукоризненно логичный вывод. Он ничуть не боялся ни Дейла Мунихэма, ни судьи, ни тех фактов, которые вменялись в вину корпорации.

Слушая, как Реддинг оспаривает даже самые ничтожные пункты, Клей чувствовал себя так, словно его гипнотизировали. Страшная мысль вдруг пронзила его: если придется судиться с «Гофманом» в округе Колумбия, компания и там не задумываясь бросит в бой Роджера-Ракету.

Пока Клей с интересом наблюдал за поединком двух великих адвокатов, его самого начали узнавать. Одному из членов команды Реддинга, окинувшему взглядом зал, лицо Клея показалось знакомым. Он подтолкнул соседа, и они вместе установили его личность. Из последних рядов команды «Гофмана» в первые пошли записки.

Судья объявил пятнадцатиминутный перерыв — ему нужно было в туалет. Клей пошел искать содовую. Два человека двинулись вслед за ним и в конце коридора зажали его в угол.

— Мистер Картер, — любезно начал один, — я Боб Митчелл, вице-президент и юрисконсульт компании «Гофман». — Он протянул руку и больно стиснул ладонь Клея.

— Очень приятно, — неискренне ответил Клей.

— А это Стерлинг Гибб, один из наших нью-йоркских адвокатов.

Клею пришлось потрясти руку и мистеру Гиббу.

— Мы просто хотели познакомиться, — продолжал Митчелл. — Не удивлен, что вижу вас здесь.

— Да, меня в известной мере интересует этот процесс, — сказал Клей.

— Не скромничайте. Сколько у вас сейчас дел?

— О, точно пока не могу сказать. Есть немного.

Гибб довольно ухмылялся и молча глазел на Клея.

— Мы постоянно следим за вашим сайтом, — говорил тем временем Митчелл. — По последним сведениям, у вас двадцать шесть тысяч клиентов.

Ухмылка Гибба стала неприязненной: он явно презирал игры в массовые тяжбы.

— Что-то около того, — согласился Клей.

— Вы, кажется, сняли свою рекламу? Набрали наконец достаточное количество истцов?

— Достаточно никогда не бывает, мистер Митчелл.

— Что вы собираетесь делать со всем этим, если мы выиграем этот процесс? — поинтересовался наконец и Гибб.

— А что собираетесь делать вы, если проиграете его? — парировал Клей.

Митчелл приблизился еще на шаг.

— Если мы здесь выиграем, мистер Картер, у вас будет уйма времени, чтобы поискать какого-нибудь нищего адвоката, который согласится забрать ваши двадцать шесть тысяч дел. Тогда они ничего не будут стоить.

— А если проиграете? — спросил Клей.

Гибб тоже подошел поближе.

— Если мы проиграем здесь, то отправимся прямо в округ Колумбия, чтобы в суде оспорить вашу фальшивку. Если, конечно, вы к тому времени еще не окажетесь за решеткой.

— Буду рад с вами встретиться, — сказал Клей, едва сдерживаясь, чтобы не ответить на оскорбление.

— Вы дорогу-то в суд найдете? — съязвил Гибб.

— Я играю в гольф с судьей и встречаюсь с корреспонденткой судебной хроники, они подскажут. — Это было вранье, но собеседники на миг опешили.

Митчелл, опомнившись, протянул Картеру руку и сказал:

— Ну что ж, я просто хотел познакомиться.

Клей пожал его руку и ответил:

— Было очень приятно поговорить наконец с сотрудниками компании. Вы ведь до сих пор не подтвердили получение моего иска.

Гибб, не сказав ни слова, повернулся и пошел прочь.

— Давайте сначала покончим с этим процессом, а потом поговорим о вашем, — со скрытой угрозой произнес Митчелл.

Клей хотел уже вернуться в зал, когда нахальный репортер Дерек-как-его-там из «Файнэншл уикли» преградил ему дорогу и попросил сказать несколько слов. Его газета исповедовала правые взгляды, ненавидела адвокатов, поносила коллективные тяжбы, являлась рупором корпораций, и Клей не собирался отмахиваться от ее сотрудника обычным «без комментариев» или посылать его вон. Фамилия Дерека показалась смутно знакомой. Не тот ли это корреспондент, который написал про него столько гадостей?

— Можно поинтересоваться, что вы здесь делаете? — спросил Дерек.

— Поинтересоваться — можно.

— Так что вы здесь делаете?

— То же, что и вы.

— И что же это?

— Наслаждаюсь жарой.

— Это правда, что вы собрали двадцать пять тысяч исков по максатилу?

— Нет.

— А сколько?

— Двадцать шесть.

— И сколько они стоят?

— Где-то между нулем и парой миллиардов.

Неизвестный Клею судья уже предупредил адвокатов обеих сторон о недопустимости публичных высказываний до окончания процесса. Поскольку мистер Картер не отказывался говорить, вокруг него собралась толпа оставшихся «на безрыбье» и жаждущих информации журналистов. Он ответил еще на несколько вопросов, сумев при этом почти ничего не сказать.

«Аризона леджер» процитировала его слова о том, что дело может стоить два миллиарда долларов, и поместила фотографию Клея перед зданием суда, лес микрофонов был направлен ему в лицо. Заголовок гласил: «КОРОЛЬ СДЕЛКИ В НАШЕМ ГОРОДЕ». Далее следовал краткий отчет о пребывании Клея во Флагстафе, а также несколько абзацев, посвященных ходу самого процесса. Автор не называл Клея впрямую жадным ловкачом, но между строк явственно читалось, что он считает своего героя стервятником, кружащим над добычей, оголодавшим, ждущим момента, когда можно будет наброситься на труп производителя максатила.

К девяти часам следующего утра зал уже был набит потенциальными присяжными и зрителями, однако ни адвокатов, ни судьи видно не было. Они совещались во внутренних кабинетах, несомненно, продолжая обсуждать процессуальные тонкости. Судебные приставы и секретари суетились вокруг кафедры. Откуда-то из глубины появился молодой человек в строгом костюме, прошел мимо стола судьи и дальше по центральному проходу между креслами зрителей. Поравнявшись с Клеем, он внезапно остановился, посмотрел прямо ему в глаза, потом наклонился и шепотом спросил:

— Вы мистер Картер?

Отпрянув от неожиданности, Клей кивнул.

— Вас хочет видеть судья.

На столе судьи лежала газета. Дейл Мунихэм стоял в одном углу кабинета, Роджер Реддинг — в другом, изящно опершись на подоконник. Судья раскачивался в своем вертящемся кресле. Все были крайне чем-то недовольны. Последовали натянутые представления. Мунихэм не пожелал подойти и пожать руку Клею, а лишь едва заметно кивнул. В его взгляде читалась ненависть.

— Вам было известно о том, что я наложил запрет на какие-либо публичные высказывания, мистер Картер? — спросил судья.

— Нет, сэр.

— Так знайте — я это сделал.

— Я не представляю ни одну из сторон в этом деле, — возразил Клей.

— Мистер Картер, мы стараемся сделать все возможное, чтобы процессы, происходящие в Аризоне, были справедливыми. Обе стороны хотят, чтобы присяжные сохраняли максимальную объективность и не испытывали дополнительное влияние. А теперь по вашей милости они знают, что в стране существует еще по меньшей мере двадцать шесть тысяч истцов по этому делу.

Клей не собирался оправдываться и демонстрировать свою слабость, во всяком случае, не перед лицом Роджера Реддинга.

— Я склонен думать, что это неизбежно, они все равно узнали бы, — сказал он. Ему никогда не придется выступать на процессе под председательством этого судьи, так что он его ничуть не боялся.

— Почему бы вам немедленно не уехать из Аризоны? — прогромыхал из своего угла Мунихэм.

— Не вижу необходимости, — огрызнулся Клей.

— Вы хотите, чтобы я проиграл?

Это произвело впечатление на Клея. Он не считал, что его присутствие может навредить Мунихэму, но зачем рисковать?

— Ну что ж, ваша честь, тогда я, видимо, с вами попрощаюсь.

— Прекрасная идея, — ответил судья.

Клей бросил взгляд на Роджера Реддинга и сказал:

— До встречи в округе Колумбия.

Роджер любезно улыбнулся и чуть заметно покачал головой, что означало — едва ли.

Оскар согласился остаться во Флагстафе, чтобы следить за ходом процесса. Клей сел в свой «гольфстрим» и в мрачном настроении полетел домой. Его, в сущности, выставили из Аризоны.

37

Известие о том, что «Хэнна Портленд» увольняет тысячу двести рабочих, взбудоражило весь Ридсбург. Уведомление, которое подписал Маркус Хэнна, было вручено и большинству служащих.

За пятьдесят лет существования компания лишь четыре раза прибегала к свертыванию производства. Это происходило в моменты экономических спадов, и хозяева, несмотря ни на что, всегда старались максимально сохранить штат. Теперь, когда речь шла о банкротстве, правила изменились. Компании приходилось доказывать суду и кредиторам, что она жизнеспособна и в состоянии исправить свое финансовое положение.

Причиной были обстоятельства, не подвластные администрации. Снижение продаж тоже играло свою роль, но такое неоднократно случалось и в прошлом. Сокрушительный же удар компании нанесли непомерно жадные адвокаты из вашингтонской конторы, которые выдвинули запредельные требования по коллективному иску и не пожелали пойти на уступки.

На кону стояла жизнь компании, и Маркус заверил своих подчиненных, что она не умрет. Необходимо было радикально снизить цены, сократить расходы на следующий год, но это позволило бы «Хэнна Портленд» выжить и в будущем снова стать доходным предприятием.

Тысяче двумстам рабочих, получивших уведомление об увольнении, Маркус пообещал всяческую помощь со стороны компании. Пособие по безработице будет выплачиваться им в течение года. Разумеется, их примут обратно при первой же возможности, но пока никаких гарантий. В ближайшем будущем, вероятно, даже предстоят новые увольнения.

В кафе и парикмахерских, в школьных вестибюлях и церковных приделах, на дешевых местах стадионов во время футбольных матчей, на городских площадях, в пивных и бильярдных весь город только об этом и говорил. У каждого из одиннадцати тысяч горожан имелся знакомый или родственник, потерявший работу в компании «Хэнна». Нынешние увольнения стали самым крупным бедствием в тихой истории Ридсбурга. И хотя городок был затерян в Аллеганских горах, слух вышел далеко за его пределы.

Репортер «Балтимор пресс», уже написавший три статьи о коллективной тяжбе жителей округа Хауард, продолжал наблюдать за развитием событий. Он отслеживал процедуру банкротства компании «Хэнна Портленд», беседовал с хозяевами рушащихся домов. Новость об увольнениях на цементном заводе заставила его отправиться в Ридсбург, где он потолкался в кафе, бильярдных и на стадионах.

Первая из его двух статей представляла собой почти художественную новеллу. Даже автор, сознательно решивший опорочить Клея Картера, не мог бы быть более жестоким. «Бедствия, которое нынче переживает Ридсбург, можно было бы легко избежать, если бы адвокат Дж. Клей Картер-второй из округа Колумбия не оказался так охоч до больших гонораров», — писал корреспондент.

Поскольку Клей не читал «Балтимор пресс», да и вообще старался не обращать внимания на газеты и журналы, новости из Ридсбурга так и остались бы для него неизвестными, во всяком случае, до поры до времени. Но анонимный издатель (или издатели) нигде не зарегистрированной и непрошеной газетенки не поленился довести содержание статьи до его сведения. Последний выпуск «Короля в переделке», сляпанный на скорую руку, включал в себя изложение этой статьи.

Клей хотел даже подать в суд на «Балтимор пресс». Однако очень скоро ему пришлось забыть о своем намерении, потому что впереди замаячил куда худший кошмар. За неделю до того ему позвонил корреспондент «Ньюсуик», натолкнувшийся, как обычно, на непреодолимую преграду в лице мисс Глик. Каждый адвокат мечтает о всенародной известности, но только если она связана со сверхсложным делом или миллиардным вердиктом. Клей подозревал, что его известность не имеет отношения ни к тому, ни к другому. Так оно и было. Журнал интересовал не столько сам Клей Картер, сколько его Немезида.

Статья представляла собой панегирик в честь Хелен Уоршо — две страницы славословий, за которые любой адвокат отдал бы все на свете, — и сопровождалась впечатляющей фотографией. Мисс Уоршо стояла перед пустой ложей присяжных в каком-то суде, весьма самодовольная, но располагающая к доверию. Клей никогда прежде не видел эту женщину и надеялся, что она выглядит «безжалостной сукой», как охарактеризовал ее Уэс Солсбери. Но это оказалось не так. Она была очень привлекательной: коротко стриженные темные волосы, печальные карие глаза, которые, несомненно, способны приковать внимание присяжных. Глядя на снимок, Клей пожалел о том, что ему приходится выступать не в ее роли, а в своей. Бог даст, они никогда не встретятся. А если и встретятся, то не в зале суда.

Мисс Уоршо была одной из трех партнеров нью-йоркской фирмы, специализировавшейся по делам о преступной недобросовестности адвокатов — не слишком пока обширная, но растущая ниша. Сейчас она вела дело против нескольких самых крупных и богатых адвокатов страны и не намеревалась идти ни на какие сделки. «Мне никогда еще не приходилось выступать по делу, которое — я в этом не сомневаюсь — вызовет такое возмущение у присяжных, как это», — заявила она корреспонденту. Клею захотелось немедленно вскрыть себе вены.

Мисс Уоршо представляла интересы пятидесяти клиентов, пострадавших от дилофта, все они умирали и все подали в суд на своих бывших адвокатов. Далее следовал беглый рассказ о грязной истории с коллективной тяжбой по дилофту.

Из этих пятидесяти человек репортер по неизвестной причине сосредоточивался на мистере Теде Уорли из Верхнего Мальборо, штат Мэриленд. Была опубликована фотография бедолаги: он сидел на скамейке в своем палисаднике, жена стояла у него за спиной, обнимая мужа за плечи. Их руки сплелись, выражение лиц было бесконечно страдальческим и суровым. Мистер Уорли, слабый, с дрожащими руками, кипящий гневом, рассказывал репортеру о своем первом контакте с Клеем Картером: мистер Уорли смотрел матч с участием «Иволг», когда раздался звонок неизвестно откуда и какой-то человек стал пугать его побочными эффектами дилофта. Потом анализ мочи, визит молодого адвоката, подписание контракта... «Я не хотел никакой сделки», — снова и снова повторял мистер Уорли.

Он вывалил перед журналистом все документы — медицинские заключения, заявление в суд, грабительский контракт с мистером Картером, который уполномочивал адвоката уладить дело за сумму не менее пятидесяти тысяч долларов, а также копии двух своих писем, адресованных мистеру Картеру, в которых выражал протест против его «предательства». Адвокат на письма не ответил.

По мнению докторов, мистеру Уорли оставалось жить менее полугода. Вчитываясь в эти ужасные слова, Клей почувствовал себя виновным в самом факте заболевания старика.

Хелен сообщила корреспонденту, что показания большинства ее клиентов присяжным придется выслушивать в видеозаписи, поскольку они вряд ли доживут до суда. Жестоко и безнравственно утверждать это, подумал Клей, ведь они еще живы. А впрочем, разве не аморальна вся эта история?

Мистер Картер, сообщал корреспондент, от комментариев воздержался. Чтобы усилить впечатление, журнал воспроизвел фотографию Клея и Ридли в Белом доме, а репортер не удержался от пикантной подробности: мистер Картер пожертвовал двести пятьдесят тысяч долларов президентскому наблюдательному совету.

«Вскоре ему ох как понадобятся такие друзья, как президент», — съязвила в ответ мисс Уоршо, и Клей почти физически ощутил, как пуля входит ему между глаз. Он швырнул журнал через всю комнату. Лучше бы он никогда не ездил в Белый дом, никогда не встречался с президентом, никогда не выписывал этот проклятый чек, никогда не знал Теда Уорли, Макса Пейса, лучше бы он вообще никогда не учился на юридическом факультете!

Картер позвонил своим пилотам и велел прибыть в аэропорт.

— Куда летим, сэр?

— Не знаю. Вам куда хотелось бы?

— Простите?

— В Билокси, Миссисипи.

— Один пассажир или два?

— Только я. — Он уже два дня не видел Ридли и совершенно не хотел брать ее с собой. Ему необходимо было некоторое время побыть вдали от этого города и от всего, что о нем напоминает.

Однако два дня на яхте Френча не принесли облегчения. Клей нуждался в обществе коллеги-подельника, но Пэттон был слишком занят другими делами. К тому же они чересчур много ели и пили.

В Финиксе остались два помощника Френча, которые каждый час слали ему сообщения по электронной почте. Дело о максатиле он все меньше рассматривал в качестве перспективной мишени, но продолжал отслеживать все связанные с ним перипетии. Такова его обязанность, пояснил Френч, поскольку он является самым крупным из них адвокатом по коллективным тяжбам. У него есть опыт, деньги и репутация. Все массовые иски рано или поздно оседают на его столе.

Клей читал поступающие от Малруни электронные сообщения и говорил с ним по телефону. Отбор присяжных занял целый день. Сейчас Дейл Мунихэм неторопливо излагал претензии своего подзащитного. Правительственный доклад произвел мощное впечатление. Присяжных он очень заинтересовал.

— Пока все идет хорошо, — сказал Оскар. — Мунихэм — прекрасный актер, но Роджер превосходит его в искусстве риторики.

Пока Френч разговаривал одновременно по трем телефонам, безбожно шваркая трубками об стол, Клей нежился на верхней палубе, пытаясь забыть о своих проблемах. На второй день к вечеру, после двух стопок водки, Френч спросил:

— Сколько у вас осталось денег?

— Не знаю. Боюсь выяснять точные цифры.

— Ну все-таки, примерно?

— Миллионов двадцать.

— А страховка?

— Десять миллионов. Они расторгли контракт, однако по дилофту их обязательства в силе.

Пососав лимон, Френч сказал:

— Не уверен, что тридцати миллионов вам хватит.

— Полагаете, этого недостаточно?

— Да. Вам сейчас предъявлен двадцать один иск, но их количество будет возрастать. Можно считать, нам повезет, если удастся урегулировать это проклятое дело, отстегнув каждому по три миллиона.

— А у вас сколько истцов?

— На вчерашний день было девятнадцать.

— А сколько у вас денег?

— Двести миллионов. Я справлюсь.

«Тогда почему бы вам не одолжить мне миллиончиков эдак пятьдесят?» — чуть было не сказал Клей. Его забавляло то, как они жонглируют цифрами. Стюард принес еще водки, что оказалось весьма кстати.

— А как остальные?

— У Уэса все в порядке. Карлос выстоит, если истцов будет не больше тридцати. А вот Дидье последние две жены обчистили до костей. Ему крышка. Он первый кандидат на банкротство, впрочем, ему не привыкать.

«Он первый, — подумал Клей, — а кто второй?»

После долгого молчания он спросил:

— Что будет, если «Гофман» выиграет во Флагстафе? У меня же уйма этих дел.

— Тогда вы будете иметь очень бледный вид, как ни печально. Со мной такое случилось десять лет назад, тогда речь шла о детях, родившихся неполноценными из-за лекарства, которое принимали их матери во время беременности. Я подсуетился, быстренько заключил договоры, открыл дело — может быть, слишком поспешно, — а потом вагон сошел с рельсов, и ничего нельзя было исправить. Мои клиенты рассчитывали на миллионы и, поскольку имели на руках маленьких калек, оказались, как нетрудно догадаться, эмоционально крайне неуравновешенными, с ними невозможно было договориться. Они подали на меня в суд, но фиг я им заплатил. Адвокат ведь не может гарантировать результат. Однако эта история все равно стоила мне кучу денег.

— Хотелось бы услышать что-нибудь более утешительное.

— Сколько вы потратили на максатил?

— Восемь миллионов только на рекламу.

— Я бы пока подождал и посмотрел, что будет делать «Гофман». Сомневаюсь, что они раскошелятся. Та еще банда. Со временем ваши клиенты взбунтуются, но вы можете послать их к черту. — Френч влил в себя полную рюмку водки. — Впрочем, давайте исходить из лучшего. Мунихэм не проигрывал сто лет. Стоит ему добиться сурового вердикта, и все изменится. Вы снова оседлаете золотую жилу.

— Люди «Гофмана» сказали мне, что после Флагстафа готовы перекочевать прямиком в округ Колумбия.

— Вероятно, блеф. Все зависит от того, как пройдет процесс во Флагстафе. Если там они много потеряют, то не смогут отмахнуться от сделки. Тут может быть два решения: если этот суд признает их ответственность, но сочтет ущерб незначительным, они попробуют попытать счастья в другом суде и, вполне вероятно, выберут вас. А вы приведете какого-нибудь ломового жеребца и надерете им задницы.

— Не советуете мне самому выступать в суде?

— Нет. У вас опыта недостаточно. Нужно не один год повариться в этом котле, чтобы войти в высшую лигу. Такие вещи требуют времени.

Несмотря на всю свою любовь к шумным процессам, Пэттон явно не испытывал энтузиазма по поводу того сценария, который сам развернул перед Клеем, и отнюдь не желал быть тем самым «ломовым жеребцом» на суде в округе Колумбия. Просто он рассматривал разные возможности, чтобы успокоить молодого коллегу.

На следующее утро Клей вылетел в Питсбург — ему было все равно куда, лишь бы не в округ Колумбия. В самолете он говорил с Оскаром, просматривал электронные сообщения и газетные отчеты о флагстафском суде. Истица, шестидесятишестилетняя женщина с раком груди, выступала прекрасно. Она вызывала глубокое сочувствие присяжных, и Мунихэм играл на струнах ее страданий, как на скрипке.

— Давай, сделай их, старина, — бормотал Клей.

Взяв напрокат машину, он часа два ехал на север, в самое сердце Аллеганских гор. Найти Ридсбург на карте было почти так же трудно, как найти дорогу к нему на шоссе. Но, переехав через перевал, он увидел расстилающийся внизу гигантский завод. «ДОБРО ПОЖАЛОВАТЬ В РИДСБУРГ, ПЕНСИЛЬВАНИЯ, — приветствовал его огромный щит, — НА РОДИНУ КОМПАНИИ «ХЭННА ПОРТЛЕНД», ОСНОВАННОЙ В 1946 ГОДУ!» Из двух труб-колоссов валил густой дым, медленно уносимый в сторону ветром. По крайней мере завод еще действует, подумал Клей.

Следуя указателю «В центр», он выехал на главную улицу и нашел стоянку. Клей не боялся, что его узнают в джинсах, бейсболке и с трехдневной темной щетиной на щеках. В кофейне «У Этель» он уселся на шаткий табурет перед барной стойкой. Этель лично приветствовала гостя и приняла заказ: кофе и сандвич с жареным сыром.

У него за спиной два старожила разговаривали о футболе. Ридсбургские «Пантеры» проиграли три матча подряд, и оба болельщика считали, что лучше справились бы с делом, чем нынешний главный тренер команды. Согласно висевшему на стене возле кассы турнирному календарю, тем вечером «Пантерам» предстояла игра на своем поле.

Этель принесла кофе и спросила:

— Вы у нас проездом?

— Да, — ответил Клей, сообразив, что она знает каждого из одиннадцати тысяч ридсбургцев в лицо.

— А откуда вы?

— Из Питсбурга.

Он не знал, хорошо это или плохо, но Этель не задала больше ни одного вопроса и ушла. За другим столиком двое мужчин помоложе говорили о работе. Из их слов можно было понять, что оба ее недавно лишились. На одном была фирменная кепка с эмблемой «Хэнна Портленд». Жуя свой жареный сыр, Клей прислушивался к тому, как они рассуждали о пособиях по безработице, выплатам по кредиту, деньгах, оставшихся на банковском счете, и вероятности почасового найма. Один сказал, что договорился с местным дилером: тот возьмет на комиссию его «форд-пикап» и постарается перепродать.

На откидном столике возле входной двери стояла огромная пластмассовая бутыль из-под воды. Рукописный плакат, висевший над ней, призывал всех вносить пожертвования в фонд «Хэнна Портленд». Бутыль была наполовину заполнена монетами и купюрами.

— Это зачем? — спросил Клей у Этель, когда она пришла, чтобы подлить ему кофе.

— Ах это. Чтобы собрать денег для семей тех, кого уволили с завода.

— С какого завода? — Клей делал вид, что ничего не знает.

— С цементного, самого большого в городе. На прошлой неделе уволили почти полторы тысячи рабочих. Мы здесь, знаете, привыкли держаться вместе. Расставили такие копилки по всему городу — в магазинах, кафе, церквях, даже в школах. Пока собрали чуть больше шести тысяч. Деньги пойдут на оплату счетов за электричество и покупку продуктов, если станет совсем туго. Если нет, их передадут в больницу.

— Что, бизнес плохо пошел? — спросил Клей, не переставая жевать. Жевать — еще куда ни шло, а вот глотать становилось все труднее.

— Нет, наш завод всегда прекрасно работал. Хэнна знают свое дело. Но недавно их привлекли к суду, где-то в Балтиморе, кажется. Адвокаты обезумели от жадности, потребовали себе слишком много, и компания обанкротилась.

— Позор! — воскликнул один из стариков. Здесь, судя по всему, в разговоре было принято участвовать всем. — Этого не должно было случиться! Хэнна делали все, чтобы решить вопрос, они действовали по совести, а эти чертовы слизняки из округа Колумбия наставили на них пистолет. Хэнна сказали: «Да пошли вы!» — и оставили их с носом.

Неплохое резюме событий, мелькнуло в голове у Клея.

— Я проработал на заводе сорок лет, и ни разу не было такого, чтобы нам вовремя не выдали зарплату. Разрази их гром, этих поганых адвокатов!

Поскольку все явно ждали, что Клей тоже поддержит разговор, он спросил:

— Здесь редко случаются увольнения?

— Хэнна ненавидят увольнять людей.

— Их возьмут обратно?

— Компания пытается делать все, что можно. Но суд по делу о банкротстве еще не кончился.

Клей кивнул и поспешно вернулся к своему сандвичу. Двое молодых мужчин встали и направились к кассе. Этель решительно отвергла их попытку расплатиться.

— Нет-нет, ребята, за счет заведения.

Они благодарно кивнули и вышли, предварительно опустив в бутыль несколько монеток. Через несколько минут Клей попрощался со стариками, расплатился, поблагодарил Этель и, проходя мимо копилки, сунул в нее стодолларовую купюру.

После наступления темноты он сидел на трибуне для приезжих и смотрел матч между ридсбургскими «Пантерами» и командой «Лоси» из Энида. Трибуны для местных были заполнены до отказа. Оркестр играл громко, публика ревела, поддерживая своих и требуя победы. Но игра не интересовала Клея. Он смотрел в программку и гадал, сколько игроков являются членами семей, подпавших под увольнение. Потом, ряд за рядом оглядывая противоположную трибуну, старался угадать, у кого из этих людей есть работа, а у кого нет.

Сразу после исполнения гимна и перед тем, как мяч был введен в игру, местный священник прочел молитву о безопасности игроков и об улучшении экономической ситуации в общине. Он закончил словами: «Помоги нам, Господи, пережить эти тяжкие времена. Аминь».

Если был в жизни Клея Картера момент, когда он чувствовал себя хуже, чем сейчас, то припомнить его он не смог.

38

Ридли, очень расстроенная, позвонила в субботу утром. Вот уже четыре дня она не могла найти Клея! Никто в офисе не пожелал сказать ей ни где он, ни когда вернется. Сам же он даже не попытался связаться с ней, хотя телефонов у каждого было больше чем достаточно. Разве так поступают, если хотят продолжать отношения? Выдержав ее жалобы в течение нескольких минут, Клей услышал какое-то жужжание на линии и спросил, где она находится.

— На нашей вилле.

— Как ты туда добралась? — «Гольфстрим» был при Клее.

— Наняла маленький самолет. Слишком маленький, без посадки он до Сент-Барта долететь не мог, так что пришлось делать остановку для дозаправки в Сан-Хуане.

Бедняжка. Интересно, как ей удалось раздобыть номер телефона чартерной службы?

— Зачем ты туда полетела? — спросил он, осознавая всю глупость вопроса.

— Я очень расстроилась из-за того, что не могла тебя разыскать. Никогда больше так не делай, Клей.

Он попытался было отыскать связь между своим исчезновением и ее путешествием на Сент-Барт, но быстро сдался.

— Прости, — сказал он. — Я улетал в спешке. Пэттон Френч вызвал меня в Билокси. Дел было по горло, поэтому я и не позвонил.

Повисла пауза — видимо, Ридли решала, следует ли ей простить его сразу или помучить денька два.

— Обещай, что больше так делать не будешь, — капризно попросила она.

Клей был не в настроении ни прощать, ни давать обещания. К тому же его радовало, что Ридли сейчас далеко.

— Этого больше не случится, — нехотя произнес он. — Отдохни хорошенько.

— А ты не прилетишь? — спросила она без особого энтузиазма. Просто из вежливости.

— Ты же знаешь, во Флагстафе суд на носу, — напомнил он, не уверенный, что это о чем-либо ей говорит.

— Позвонишь мне завтра?

— Конечно.

Иона вернулся в город с кучей историй о своих морских приключениях. Они договорились встретиться в девять в бистро на Висконсин-авеню, чтобы поужинать и как следует поболтать. Около половины девятого раздался звонок, но звонивший сразу повесил трубку. И тут же телефон зазвонил снова. Клей, застегивавший пуговицы на рубашке, раздраженно схватил трубку.

— Это Клей Картер? — прозвучал мужской голос.

— Да, с кем имею честь? — Из-за лавины звонков от недовольных клиентов — по дилофту, «Тощему Бену», а теперь и от разгневанных домовладельцев из округа Хауард — он дважды за последние два месяца сменил номер. Терпеть эти оскорбительные звонки в конторе еще куда ни шло, но дома он хотел покоя.

— Я из Ридсбурга, Пенсильвания. У меня для вас важная информация о компании «Хэнна».

Клей похолодел, присел на край кровати. Нужно постараться затянуть разговор, подсознательно понял он, пытаясь сообразить, как некто из Ридсбурга раздобыл его новый домашний номер, не значившийся в справочнике.

— Слушаю вас.

— Это не телефонный разговор, — заявил мужчина. Лет тридцать, белый, образование не ниже среднего, догадался Клей.

— Почему?

— Долгая история. У меня есть кое-какие бумаги.

— Где вы находитесь?

— Здесь, в городе. Давайте встретимся в вестибюле отеля «Времена года» на Эм-стрит. Там мы сможем поговорить.

Недурной план. В вестибюле шастает полно народу — на тот случай, если кому-то придет в голову достать пистолет и открыть стрельбу по адвокатам.

— Когда? — спросил Клей.

— Прямо сейчас. Я буду там через пять минут. Сколько времени вам нужно, чтобы добраться сюда?

Клей не собирался сообщать незнакомцу, что живет в шести кварталах от отеля, хотя его домашний адрес ни для кого секретом не был.

— Я приду через десять минут.

— Хорошо. На мне будут джинсы и черная бейсболка с надписью «Сталелитейщики».

— Я вас найду, — ответил Клей и повесил трубку.

Быстро завершив свой туалет, он вышел из дома и, спеша по Дамбартон-авеню, попытался решить, какого рода информация о компании «Хэнна» его заинтересовала бы и хотел ли он вообще узнать что-либо новое в этой связи. Он только что сам провел полтора дня в Ридсбурге и старался — увы, безуспешно — забыть об этом городе и его жителях. Сворачивая на Тридцать первую улицу, бормоча что-то нечленораздельное, Клей глубоко погрузился в мысли о заговорах, увольнениях и шпионских сценариях. Мимо прошла дама, ее собачка сновала вдоль тротуара в поисках удобного местечка для своих маленьких дел. На спешившего ему навстречу молодого человека в черной байкерской куртке, с сигаретой, приклеенной к губе, Клей почти не обратил внимания. Когда они поравнялись напротив тускло освещенного дома, под сенью старого красного клена, мужчина — надо признать, исключительно удачно выбрав место и точно рассчитав время — внезапно остановился и нанес Клею резкий прямой удар справа в челюсть.

Клей так и не рассмотрел нападавшего. Он слышал лишь, как хрустнула кость и его голова ударилась о чугунную ограду, да смутно припоминал, что там был еще один человек с какой-то дубинкой в руках. Сменяя друг друга, оба нанесли ему серию молниеносных ударов. Клею с трудом удалось перевалиться на бок и поджать под себя колени. Потом дубинка, как кузнечный молот, обрушилась ему на затылок.

Он успел услышать отдаленный женский крик, после чего потерял сознание.

Дама, выгуливавшая собачку, к тому времени отошла на значительное расстояние, но, уловив позади звуки борьбы, обернулась, поняла, что двое избивают одного, что этот один уже лежит на земле, не подавая признаков жизни, бесстрашно ринулась к месту драки и в ужасе проводила взглядом двух громил в черных куртках, которые улепетывали, стуча коваными каблуками и размахивая огромными дубинами. Выхватив мобильник, она тут же набрала 911.

Пробежав до следующего квартала, мужчины исчезли за углом церкви на Эм-стрит. Дама попыталась помочь лежавшему на земле молодому мужчине подняться, но тот был без сознания и истекал кровью.

Клея увезли в больницу Университета Джорджа Вашингтона, где команде врачей-травматологов удалось стабилизировать его состояние. Осмотр выявил две большие открытые раны на голове, нанесенные тяжелым тупым предметом, рваную рану на нижней челюсти, разрыв хряща в левом ухе и многочисленные ушибы. Малая берцовая кость правой ноги была переломлена, на левой раздроблена коленная чашечка и сломана щиколотка. Клею обрили голову и наложили восемьдесят один шов. Черепная коробка, к счастью, осталась цела, но голова покрылась страшными гематомами. Шесть швов пришлось наложить на подбородок, одиннадцать — на ухо, ноги заковать в гипс до самых бедер.

Прождав полчаса, Иона стал названивать Клею, а час спустя пошел к нему домой. Он звонил, стучал в дверь, ругался на чем свет стоит и готов уже был начать швырять камни в окна, когда заметил машину Клея, припаркованную поодаль между двумя другими автомобилями. Во всяком случае, ему показалось, что это машина Картера.

Иона медленно подошел. Что-то было не так, хотя он не сразу понял, что именно. Да, это был черный «порше», но почему-то покрытый белой пылью. Иона вызвал полицию.

Под днищем полицейские обнаружили рваный пустой мешок из-под цемента фирмы «Хэнна Портленд». Судя по всему, кто-то посыпал машину цементом и облил водой. На крыше и капоте цемент спекся большими кляксами, намертво приставшими к металлу. Пока полицейские осматривали автомобиль, Иона рассказал им о пропаже его хозяина. После долгих компьютерных поисков местонахождение Клея установили, и Иона отправился в больницу. Предварительно он позвонил Полетт, и та оказалась там даже раньше его. Клей, как им сообщили, находился в операционной, но отделался лишь сломанными костями и, вероятно, контузией. Угрозы для жизни его раны не представляли.

Хозяйка собачки доложила полиции, что оба нападавших были белыми мужчинами. Трое студентов, направлявшихся в тот момент в бар на Висконсин-авеню, заметили двух белых парней в черных куртках, которые, выскочив из-за угла Эм-стрит, прыгнули в микроавтобус цвета «зеленый металлик». Шофер ждал их с включенным двигателем. К сожалению, было уже темно, так что номерные знаки разглядеть не удалось.

Звонок, который раздался в квартире у Клея в восемь часов тридцать девять минут, был сделан, как выяснилось, из телефона-автомата на Эм-стрит, расположенного в пяти минутах ходьбы от его дома.

След быстро остывал. В конце концов, речь шла всего лишь об избиении, к тому же случившемся субботним вечером, когда в городе было зарегистрировано два изнасилования, две автомобильные перестрелки с пятью ранеными и два убийства, на первый взгляд абсолютно немотивированных.

Поскольку родственников в Вашингтоне у Клея не было, Иона и Полетт взяли на себя роль пресс-секретарей и ответственных за принятие решений. В час тридцать женщина-врач сообщила им, что операция прошла успешно, все сломанные кости соединены штырями и скобами и зафиксированы гипсом, все в порядке, теперь больной пойдет на поправку. Они тщательно следят за мозговой деятельностью по мониторам и уверены, что реакции у пациента нормальные, однако пока не могут сказать, насколько серьезна контузия.

— Выглядит он ужасно, — предупредила она.

Прошло еще два часа, прежде чем Клея перевезли на верхний этаж. Иона настоял, чтобы его положили в отдельную палату. После четырех им разрешили увидеть его.

Мумию пеленают не так тщательно, как забинтовали Клея. Обе его ноги в мощных гипсовых панцирях были подвешены на вытяжке с помощью сложной системы кронштейнов и блоков. Простыня скрывала грудь и руки. Голова была обмотана плотной повязкой. Опухшие глаза закрыты, подбородок и губы раздулись и посинели. На шее засохла кровь. Хорошо, что он все еще был без сознания и не мог видеть себя.

В гробовом молчании Полетт и Иона смотрели на своего изувеченного друга, прислушиваясь к пиканью мониторов и наблюдая, как медленно и тяжело вздымалась и опускалась его грудь. Потом Иона вдруг начал смеяться.

— Ты только посмотри на этого сукина сына!

— Тсс, Иона! — прошипела Полетт, от возмущения готовая ударить приятеля.

— Вот так Король сделки! — сотрясаясь от едва сдерживаемого хохота, продолжал Иона.

Наконец и до Полетт дошел комизм ситуации, она тоже стала давиться от смеха, и они долго стояли у изножья кровати, изо всех сил стараясь казаться серьезными. Наконец, совладав с собой, Полетт укоризненно произнесла:

— Как тебе не стыдно!

— Мне стыдно. Прости.

Ординатор вкатил в палату складную кровать. Первой предстояло дежурить Полетт, Иона должен был сменить ее на следующий день.

К счастью, нападение на Клея случилось слишком поздно, чтобы это событие могло попасть в утренний выпуск «Санди пост». Мисс Глик обзвонила всех сотрудников и попросила не ходить в больницу и не посылать цветов. Возможно, к концу недели, а пока остается лишь молиться.

Клей очнулся лишь в воскресенье к середине дня. Полетт только-только прилегла на раскладушку, когда он произнес:

— Кто здесь?

Она вскочила, подбежала к кровати и сказала:

— Это я, Клей.

Сквозь узкие щелочки глаз он видел лишь темное расплывчатое пятно. Конечно, не Ридли. Протянув руку, он снова спросил:

— Кто?

— Это я, Полетт, Клей. Ты меня видишь?

— Нет. Полетт? Что ты здесь делаешь? — Ему было больно ворочать языком, слова мучительно медленно слетали с губ.

— Просто работаю сиделкой, босс.

— Где я?

— В больнице Университета Джорджа Вашингтона.

— Почему? Что случилось?

— То, что в старину называли «пинком под зад».

— Что?

— На тебя напали. Пара громил с дубинками. Дать обезболивающее?

— Да, спасибо.

Полетт выбежала из палаты и позвала медсестру. Несколько минут спустя появился врач и с безжалостными подробностями обрисовал пациенту, как жестоко его избили. Еще одна таблетка — и Клей снова задремал. Большая часть воскресного вечера прошла в счастливом забытьи. Полетт и Иона, сидя у постели больного, читали газеты и смотрели по телевизору футбол.

Газеты разразились потоком новостей в понедельник. Все статьи были одинаковыми. Полетт выключила звук телевизора, а Иона спрятал газеты. Мисс Глик и остальные сотрудники держали круговую оборону, отвечая всем журналистам: «Без комментариев». Пришло электронное письмо от какого-то капитана, утверждавшего, что он отец Клея. Яхта капитана находилась в районе полуострова Юкатан, и он умолял кого-нибудь сообщить, каково состояние здоровья его сына. Мисс Глик откликнулась на просьбу — состояние стабильное, множественные переломы, контузия. Капитан поблагодарил и пообещал назавтра справиться снова.

Ридли прибыла во второй половине дня. Полетт и Иона деликатно оставили их наедине, обрадовавшись предлогу хоть ненадолго покинуть больницу. Судя по всему, грузинам были незнакомы общепринятые больничные ритуалы. Если американцы поселяются в палате своих обожаемых больных или раненых родственников, то представители некоторых других культур, видимо, находят более разумным посидеть часок у постели несчастного, после чего предоставить его более квалифицированным заботам медицинского персонала. В течение нескольких минут Ридли бурно выражала свое сочувствие и пыталась заинтересовать Клея усовершенствованиями, произведенными ею на их вилле. У него еще сильнее застучало в висках, он позвал медсестру и попросил таблетку обезболивающего. Ридли же, растянувшись на раскладушке, захотела вздремнуть, поскольку, по ее словам, очень устала от перелета. Беспосадочного. На «гольфстриме». Клей тоже заснул, а когда проснулся, ее уже не было.

Пришел детектив, чтобы задать Клею несколько вопросов. Все свидетельства указывали на то, что бандиты прибыли из Ридсбурга, но добыть достоверные доказательства возможным не представлялось. Клей не мог описать мужчину, нанесшего ему первый удар.

— Я его фактически и не видел, — сказал он, потирая подбородок.

Видимо, чтобы взбодрить Клея, детектив показал ему цветную фотографию черного «порше», изувеченного белыми цементными нашлепками. Клею понадобилась еще одна таблетка.

Цветы хлынули потоком: от Адельфы Памфри, от Гленды из БГЗ, от мистера и миссис Рекс Гриттл, Родни, Пэттона Френча, Уэсли Солсбери, от знакомого судьи из Верховного суда... Иона принес ноутбук, и Клей долго общался с отцом по электронной почте.

Газетка «Король в переделке» вышла в понедельник три раза, в каждом выпуске имелся свежий обзор прессы и приводились сплетни о нападении на Клея. Ему ничего не показывали, друзья оберегали его покой в больничной палате.

Во вторник утром, по пути на работу, в больницу заехал Зак Бэттл и сообщил несколько приятных новостей. Расследование в отношении Клея приостановлено. Зак говорил с балтиморским адвокатом Мэла Снеллинга. Мэла не прослушивали, никакого давления ФБР на него не оказывало. А без Мэла ничего доказать не удастся.

— Вероятно, увидев ваши фотографии в газетах, они сочли, что вы достаточно наказаны, — в шутку предположил Зак.

— Обо мне пишут в газетах? — удивился Клей.

— Да так, пара статей появилась.

— Мне следует их прочесть?

— Я бы не советовал.

Больничный уклад действовал угнетающе — вытяжение, судно, бесцеремонные визиты медсестер и санитарок в любое время суток, безрадостные беседы с докторами, четыре стены, отвратительная еда, бесконечные перевязки, анализы крови и полная беспомощность. Придется пролежать в гипсе несколько недель, о том, чтобы появиться в городе в инвалидной коляске или на костылях, Клей не хотел и думать. Планировалось еще минимум две операции — несложные, как его уверили.

Стали сказываться психологические последствия избиения — Клея преследовали фантомные звуки и физические ощущения, он снова и снова переживал нападение: перед глазами вставало лицо человека, нанесшего первый удар, но Клей не мог понять, видел он его во сне или наяву, поэтому не стал описывать следователю. Он слышал женский крик, донесшийся из темноты, но крик тоже мог оказаться игрой воображения. Ему казалось, что он помнит, как взлетела вверх черная дубинка размером с бейсбольную биту. Слава Богу, что он тогда потерял сознание и не почувствовал остальных ударов.

Отеки начали спадать, в голове постепенно прояснялось. Картер отказался от обезболивающих, чтобы не затуманивать себе мозги и иметь возможность руководить конторой по телефону и электронной почте. В конторе, судя по тому, что ему докладывали, все были полны энтузиазма. Но Клей подозревал: на самом деле это вовсе не так.

Ридли проводила с ним час в первой и час во второй половине дня. Стоя у изголовья кровати, она демонстрировала глубокое участие, особенно когда в палате находился кто-нибудь из персонала. Полетт ненавидела красотку и исчезала, как только та появлялась.

— Ей нужны лишь твои деньги, — убеждала она Клея.

— А мне — исключительно ее тело, — отвечал он.

— Значит, сейчас она получает больше, чем ты.

39

Чтобы читать, приходилось поднимать верхнюю половину кровати, а поскольку его ноги были подвешены под углом, тело при этом принимало форму буквы V. Весьма неудобная поза, выдерживать ее Клей мог не более десяти минут, после чего снова приводил кровать в горизонтальное положение и отдыхал. Когда зазвонил телефон, он, прислонив ноутбук Ионы к загипсованным конечностям, просматривал статьи из аризонских газет.

— Это Оскар, — доложила Полетт.

Они уже имели короткий разговор в воскресенье вечером, но тогда Клей был одурманен лекарствами. Сейчас сознание полностью прояснилось, и он жаждал подробностей.

— Давай послушаем, — сказал Клей, опуская кровать и с облегчением выпрямляя тело.

— В субботу утром Мунихэм отдыхал, — начал свое повествование Оскар. — Дела у него идут как нельзя лучше. Этот парень великолепен, жюри ест у него из рук. В начале процесса гофмановские ребятки ходили гоголями, а теперь не знают, куда спрятаться. Вчера к вечеру Реддинг выложил свой главный козырь — вызвал в свидетели знаменитого ученого, который дал показания, согласно которым прямой связи между препаратом и раком груди у истицы не существует. Он был очень убедителен — неудивительно при трех-то ученых степенях. Присяжные слушали его с большим вниманием. Но потом Мунихэм разнес его в пух и прах. Он где-то раскопал сомнительное медицинское заключение, которое этот ученый сделал двадцать лет назад, и оспорил его компетентность. Присяжные были потрясены. Я даже подумал, впору вызывать службу спасения, чтобы выносить бедолагу-эксперта из зала. Никогда не видел, чтобы свидетель был так унижен. Роджер побледнел, а мальчики «Гофмана» сидели на скамье, как изобличенные убийцы в полицейском участке.

— Отлично, отлично, — повторял Клей. Наушник от телефона был воткнут в его левое, неповрежденное, ухо.

— А вот самое интересное. Я разузнал, где остановилась команда «Гофмана», и перебрался в тот же отель. Теперь регулярно встречаюсь с ними за завтраком и вечерами в баре. Они знают, кто я, так что мы, как бешеные псы, ходим кругами друг возле друга. Среди них есть юрисконсульт по фамилии Флит. Вчера он поймал меня в вестибюле после заседания, на котором разгромили их эксперта, и предложил выпить. Я выпил три бокала, он — только один, потому что ему предстояло подняться наверх, в апартаменты, где расположена штаб-квартира их компании. Они там всю ночь прикидывали возможности сделки.

— Повтори это еще раз, — тихо попросил Клей.

— Вы не ослышались: в этот самый момент адвокаты фирмы «Гофман» рассматривают возможность заключения соглашения с Мунихэмом. Они в ужасе, потому что, как и все находящиеся в зале, уверены, что присяжные готовы сбросить на их компанию атомную бомбу. И сделка будет стоить им очень дорого, потому что старый упрямец не желает на нее идти. Клей, он намерен слопать их с потрохами! Роджер великолепен, но Мунихэм ему не по зубам.

— Давай ближе к сделке.

— Хорошо, ближе к сделке. Флит желал узнать, сколько из наших дел могут быть признаны доказанными. Я сказал: все двадцать шесть тысяч. Он походил вокруг да около, потом спросил, как я думаю, согласитесь ли вы тысяч на сто каждому. Это означает два и шесть десятых миллиарда, Клей, вы успели сосчитать?

— Успел.

— А гонорар?

— Тоже, — сказал Клей и почувствовал, что вся боль вдруг куда-то ушла. В голове перестало стучать. Тяжелый гипс сделался легким как перышко. Он чуть не расплакался.

— Ну, конечно, это еще не предложение сделки, а лишь прощупывание почвы, первое приближение. Здесь ходит много слухов, особенно среди адвокатов и биржевых аналитиков. По их мнению, в компании есть средства на компенсации — до семи миллиардов. Если компания пойдет на сделку сейчас, их акции могут удержаться на нынешнем уровне, потому что кошмар с максатилом останется позади. Это, разумеется, лишь теория, но после вчерашнего кровопускания она выглядит весьма правдоподобной. Флит подкатился именно ко мне, потому что у нас самый крупный иск. Здесь говорят, что общее количество истцов может приблизиться к шестидесяти тысячам, так что наши составляют около сорока процентов. Если мы согласимся на сто тысяч, компания сможет планировать свои расходы.

— Когда ты с ним увидишься в следующий раз?

— Здесь сейчас почти восемь, заседание суда окончится примерно через час. Мы договорились встретиться на улице.

— Позвони мне сразу после вашей встречи.

— Не волнуйтесь, шеф. Как ваши поломанные кости?

— Уже гораздо лучше.

Полетт забрала у него телефон, но через несколько секунд тот снова зазвонил. Она передала наушник Клею, сказав:

— Это тебя, я отлучусь.

Звонила Ребекка, по сотовому, из больничного вестибюля. Спрашивала, может ли она зайти ненадолго. Спустя несколько минут она вошла в палату и, увидев его, испытала шок. Но, справившись с собой, подошла и поцеловала в щеку между ссадинами.

— Они вооружились дубинками, — сказал Клей, — чтобы сравнять шансы, а то у меня было бы несправедливое преимущество. — Нажав на кнопки, он поднял верхнюю часть кровати и принял позу V.

— Ужасно выглядишь, — сказала она, и глаза ее увлажнились.

— Спасибо. А ты, напротив, выглядишь потрясающе.

Она еще раз поцеловала его в то же место и стала гладить по руке. Некоторое время оба молчали.

— Можно задать тебе вопрос? — спросил Клей.

— Конечно.

— Где сейчас твой муж?

— То ли в Сан-Паулу, то ли в Гонконге. Я не могу за ним уследить.

— Он знает, что ты здесь?

— Конечно, нет.

— Что бы он сделал, если бы узнал?

— Мы наверняка бы поссорились.

— Это было бы необычно?

— Да нет, мы постоянно ссоримся. Не складывается у нас жизнь, Клей. Я хочу развестись.

Несмотря на все увечья Клея, это был лучший день в его жизни. Богатство было рядом — стоило руку протянуть, Ребекка — тоже. Дверь в палату тихо открылась, на пороге возникла Ридли, незамеченная, подошла к изножью кровати и сказала:

— Простите, что помешала.

— Привет, Ридли, — кисло улыбнулся Клей.

Женщины обменялись взглядами, от которых в ужасе застыли бы даже кобры. Ридли обошла кровать, встала с противоположной стороны, как раз напротив Ребекки, державшей покрытую синяками руку Клея.

— Ридли, это Ребекка. Ребекка, это Ридли, — представил их друг другу Клей и всерьез подумал: не натянуть ли простыню на голову и не притвориться ли мертвым?

Никто не улыбался. Ридли взяла правую руку Клея и точно так же начала гладить ее. Окруженный двумя прекрасными дамами, он чувствовал себя как человек, сбитый машиной на шоссе, за несколько секунд до появления стаи волков.

Поскольку пауза затянулась, Клей кивнул в сторону Ребекки и сказал:

— Моя старинная подруга. — Потом кивнул в сторону Ридли и добавил: — А это моя новая подруга.

Обе женщины, по крайней мере в этот момент, чувствовали себя кем-то более значительным, чем просто подруги Клея. И обе испытывали раздражение. Ни одна не шелохнулась, каждая словно застыла на посту.

— Мы, кажется, были у вас на свадьбе, — выдавила наконец Ридли, не слишком тонко намекая на семейное положение соперницы.

— Не будучи приглашенными, — парировала Ребекка.

— А, черт, мне пора ставить клизму, — пошутил Клей, но, кроме него, никто даже не улыбнулся. Чувствовать себя отвратительнее он не мог, даже если бы они вдруг прямо над ним вцепились друг другу в волосы. Еще пять минут назад он разговаривал с Оскаром и мечтал о рекордном гонораре. Теперь это...

Две очаровательные женщины. Ничего, бывает и хуже, сказал он себе. Где эти чертовы сестры? Когда не нужно, являются в любое время суток, без стука, не обращая внимания на то, спит ли пациент, занят ли он туалетом, а уж при посетителях непрошеный визит гарантирован: «Не нужно ли вам чего, мистер Картер?», «Не перестелить ли вам постель?», «Не включить ли телевизор?».

Сейчас в коридоре царила мертвая тишина. Обе «подруги» яростно гладили его каждая по «своей» руке.

Ребекка моргнула первой. У нее не оставалось выбора, в конце концов, она действительно была замужем.

— Ну, мне пора. — И она медленно двинулась к выходу, словно не хотела уходить и оставлять поле боя за соперницей. Клей был тронут.

Как только дверь за ней закрылась, Ридли отошла к окну и долго стояла там, глядя перед собой невидящим взором. Клей углубился в газету, не обращая на Ридли никакого внимания и даже не замечая ее присутствия.

— Ты ведь любишь ее, правда? — сказала она, не отходя от окна и стараясь казаться уязвленной.

— Кого?

— Ребекку.

— Ах ее. Да нет, просто давняя подруга...

При этих словах Ридли быстро обернулась и подошла к кровати.

— Не принимай меня за дурочку, Клей!

— Я и не принимаю, — ответил он, продолжая смотреть в газету. Поскольку ее попытка разыграть сцену из «высокой» драмы его ничуть не растрогала, Ридли схватила сумочку и, нарочито громко стуча каблуками, покинула палату. Минуту спустя заглянула медсестра проверить, не пострадал ли пациент.

А еще через несколько минут, выйдя из зала, с сотового телефона позвонил Оскар. В заседании был объявлен короткий перерыв.

— Ходят слухи, что Мунихэм сегодня утром отказался от сделки на десять миллионов.

— Это Флит тебе сказал?

— Нет, мы не виделись. Что-то заставило его воздержаться от встречи. Постараюсь отловить его во время обеда.

— Кто сейчас дает показания?

— Еще один эксперт фармацевтов, женщина-профессор из Дьюка, чихвостит правительственный доклад по максатилу. Мунихэм уже точит нож. Расправа будет ужасной.

— А тебе слухи кажутся правдоподобными?

— Я не знаю, чему верить. Похоже, мальчиков с Уоллстрит они очень волнуют. Им сделка на руку, потому что ставки стали бы предсказуемыми. Я позвоню вам в обеденный перерыв.

Процесс во Флагстафе мог иметь три исхода, два из которых оказались бы убийственными. Суровый вердикт вынудил бы компанию пойти на соглашение, чтобы избежать многолетней тяжбы и постоянной угрозы новых исков, которые пришлось бы удовлетворять. Сделка, заключенная в ходе процесса, могла бы означать общенациональную программу компенсаций для всех истцов.

Вердикт в пользу «Гофмана» заставил бы Клея шевелиться и начать подготовку собственного процесса в округе Колумбия. При этой мысли острая боль вернулась, в голове снова застучали молоточки.

Неподвижное лежание на больничной койке само по себе было пыткой. Но при молчащем телефоне пытка становилась невыносимой. В любой момент фирма «Гофман» могла предложить Мунихэму достаточно денег, чтобы тот согласился на сделку. Самолюбие, разумеется, будет подталкивать старика добиваться вердикта, но и интересы клиента он игнорировать не сможет.

Медсестра опустила жалюзи, выключила свет и телевизор. Когда она ушла, Клей положил телефон на живот, натянул простыню на голову и стал ждать.

40

На следующее утро Клея снова отвезли в операционную, чтобы чуточку «подогнать» штыри и скобы в его ногах, как выразился врач. Какой бы простой ни была операция, она потребовала общей анестезии, отключившей его на большую часть дня. В палату Клея привезли лишь после обеда, и там он проспал еще часа три, прежде чем действие наркоза окончательно выветрилось. Не Ридли и не Ребекка, а все та же преданная Полетт дежурила у его постели, ожидая, когда приятель очнется.

— Есть новости от Оскара? — сразу же спросил Клей, едва ворочая языком.

— Он звонил, сказал, что все идет хорошо. Без подробностей, — доложила Полетт. Она расправила простыни, взбила подушки, дала воды и, когда Клей окончательно пришел в себя, побежала по делам, вручив ему перед уходом запечатанный толстый конверт, присланный экспресс-почтой.

Пакет был от Пэттона Френча. В написанной корявым почерком записке он желал Клею скорейшего выздоровления и еще чего-то, чего Клей не смог разобрать. В конверт была вложена справка, присланная управляющему комитету истцов (а ныне ответчиков). Хелен Уоршо доводила до их сведения, что список ее клиентов, предъявивших претензии своим бывшим адвокатам по делу о дилофте, увеличился. Количество пациентов, у которых образовались повторные опухоли, росло как на дрожжах по всей стране, и нынешние ответчики все глубже увязали в зыбком песке. Сейчас к ее коллективному иску присоединился уже триста восемьдесят один клиент. Двадцать четыре из них в прошлом были клиентами JCC — на три человека больше, чем на прошлой неделе. Фамилии Клею были по-прежнему незнакомы, и он снова удивился тому, как могли пересечься их пути.

Наверное, его бывшие клиенты получили бы удовлетворение, увидев его в больнице избитым, израненным, с переломанными костями. Вероятно, кто-то из них лежал сейчас здесь же, этажом ниже, после операции по удалению опухолей из внутренних органов, а их родные сидели у постелей умирающих, прислушиваясь к тиканью часов, отсчитывающих последние минуты их жизней. Клей знал, что не виновен в их болезни, но почему-то чувствовал себя ответственным за их страдания.

По дороге из гимнастического зала заглянула Ридли. Она притащила целый ворох журналов, книг и всячески старалась продемонстрировать заботу. Через несколько минут после своего появления она сказала:

— Клей, звонил декоратор. Мне нужно вернуться на виллу.

«Интересно, этот декоратор мужчина или женщина?» — хотелось спросить Клею, но он сдержался. Ее отъезд — прекрасная идея!

— Когда? — спросил он.

— Может быть, завтра. Если самолет свободен.

Как он мог не быть свободным — ведь Клей, по понятной причине, никуда лететь не собирался.

— Конечно. Я позвоню пилотам. — Ее отсутствие облегчит его существование. В больнице от нее все равно никакой пользы.

— Спасибо, — сказала красотка, села в кресло и стала листать журнал. Через полчаса ее время истекло. Она поцеловала его в лоб и исчезла.

Следующим явился детектив, который сообщил, что рано утром в воскресенье неподалеку от бара в Хагерстоуне, Мэриленд, были арестованы трое мужчин из Ридсбурга. При аресте они оказали сопротивление и хотели удрать в темно-зеленом микроавтобусе, но водитель чего-то не рассчитал, и машина свалилась в сточную канаву. Детектив предъявил ему цветные фотографии подозреваемых. Все трое имели разбойничий вид. Клей не смог опознать ни одного из этих людей.

По сведениям начальника ридсбургской полиции, все они работали на заводе компании «Хэнна Портленд». Двое только что были уволены, вот и все, что детективу удалось узнать у тамошних властей.

— Они не слишком-то склонны сотрудничать со следствием, — сказал он. После поездки в Ридсбург Клей хорошо понимал почему. — Если вы не можете опознать парней, мне не остается ничего иного, кроме как отпустить их и закрыть дело, — признался детектив.

— Я их никогда прежде не видел, — повторил Клей.

Детектив сунул снимки обратно в папку и ушел навсегда. Последовал парад медсестер и врачей, которые мяли его, брали анализы, надоедали вопросами. Через час Клей уже спал.

Оскар позвонил около половины десятого. Судья объявил перерыв до завтра. Все устали, главным образом из-за той кровавой бойни, которую устроил Дейл Мунихэм. Компания «Гофман» вызвала своего третьего эксперта, сутулую лабораторную крысу в очках с роговой оправой, штатного сотрудника компании, ответственного за клинические испытания максатила. После того как Роджер-Ракета блестяще и продуктивно допросил его, Мунихэм сделал из бедолаги котлету.

— Он высек его, как школяра! — смеялся Оскар. — Ракета теперь побоится вызывать других свидетелей.

— Значит, сделка? — спросил Клей, все еще одурманенный лекарствами, сонный, вялый, но жаждущий подробностей.

— Пока нет, но впереди долгая ночь. Ходят слухи, что «Гофман» может завтра вызвать еще одного эксперта, а потом опустит заслонку и затаится в ожидании вердикта. Мунихэм наотрез отказывается идти на переговоры. Он ведет себя так, будто не сомневается в победе.

Клей так и уснул с телефонным наушником в ухе. Лишь через час заглянувшая в палату медсестра вынула его.

Президент компании «Гофман» прибыл во Флагстаф в среду вечером и прямо из аэропорта направился в центр города, к высокому зданию, где собрались их адвокаты. Роджер Реддинг и его команда коротко ввели босса в курс дела и ознакомили с последними выкладками финансовой службы. Совещание напоминало последнюю встречу накануне Судного дня.

Поскольку у Реддинга задница горела от розог, всыпанных Мунихэмом, он категорически требовал, чтобы компания-ответчица приняла разработанный им план и вызвала всех оставшихся свидетелей. Он был уверен, что ход событий должен развернуться вспять, не сомневался, что отыграет потерянные очки у жюри присяжных. Но Боб Митчелл, глава юридической службы и вице-президент компании, и Стерлинг Гибб, давнишний юрисконсульт и партнер по гольфу президента компании, сочли, что с них довольно. Еще одна казнь свидетеля, которую устроит Мунихэм на глазах суда, — и присяжные повскакивают с мест и набросятся на ближайшего из директоров компании. Самолюбие Реддинга было жестоко уязвлено. Он жаждал реванша, надеясь лишь на чудо, так что следовать его советам, решили коллеги, было бы неразумно.

Около трех часов ночи состоялось совещание, в котором участвовали только Митчелл, Гибб и президент. Как бы ни были плохи дела компании, существовали еще более страшные секреты, касающиеся максатила, которых не знал пока никто. Если Мунихэм докопался бы до этой информации или ему удалось бы клещами вытянуть ее из свидетелей, то небо действительно обрушилось бы на голову фармацевтического гиганта. И пока Мунихэм не поднял на процессе кое-какие щекотливые вопросы, надо было остановить кровопускание. Таково было окончательное решение президента компании.

Когда на следующий день в девять часов утра заседание было открыто, Роджер Реддинг заявил, что их стороне добавить нечего.

— У вас больше нет свидетелей? — уточнил судья. Пятнадцатидневный процесс обещал на этом закончиться, судья предвкушал целую неделю отдыха на поле для гольфа!

— Совершенно верно, ваша честь, — подтвердил Реддинг, улыбнувшись присяжным так, словно у него все было в полном порядке.

— У вас имеются дополнительные доказательства, мистер Мунихэм?

Адвокат истицы медленно встал, почесал затылок, бросил злобный взгляд на Реддинга и сказал:

— Если они закончили, то мы тоже.

Судья объявил присяжным, что они могут отдохнуть часок, пока он будет совещаться с адвокатами. По возвращении в зал суда им предстояло выслушать заключительные речи сторон, и к обеду они получат дело для принятия решения.

Как и все остальные, Оскар выскочил из зала, на ходу доставая из кармана мобильник. Телефон Клея не отвечал.

Три часа Клей прождал перед рентгеновским кабинетом в коридоре, по которому сновали медсестры и ординаторы. Он оставил сотовый телефон в палате и на три часа оказался отрезанным от мира.

Рентгенография заняла еще почти час, хотя могла бы окончиться быстрее, не будь пациент так несговорчив и агрессивен, а порой и просто груб. Наконец ординатор вкатил его в палату и оставил там, к своему великому облегчению.

Когда раздался звонок, Клей дремал. Во Флагстафе было двадцать минут шестого, в Финиксе — двадцать минут четвертого.

— Где вы были? — воскликнул Оскар.

— Не спрашивай.

— Сегодня с утра «Гофман» выбросил на ринг полотенце, попытался найти компромисс с Мунихэмом, но тот не захотел и говорить с ними! После этого все пошло очень быстро. Дело было передано жюри ровно в полдень.

— Дело уже у присяжных? — почти закричал Клей.

— Да.

— Ну что?!

— Да, дело было передано присяжным. И уже все кончено. Они обсуждали его три часа и вынесли вердикт... в пользу компании. Мне очень жаль, Клей. Здесь все в шоке.

— Не может быть.

— Тем не менее.

— Оскар, скажи, что ты пошутил.

— Хотел бы... Не понимаю, что произошло. Никто не понимает. Реддинг произнес весьма эффектную заключительную речь, но я наблюдал за присяжными. Мне казалось, что они у Мунихэма в кулаке.

— Дейл Мунихэм проиграл дело?

— Не просто дело, Клей. Он проиграл *наше* дело.

— Но как это могло случиться?

— Не знаю. Я готов был поставить все на то, что проиграет «Гофман».

— Именно это мы и сделали.

— Мне очень жаль.

— Послушай, Оскар, я лежу тут в палате совершенно один. Сейчас я закрою глаза, а ты просто поговори со мной, ладно? Не оставляй меня. Никого вокруг нет. Просто говори, рассказывай что угодно.

— После вынесения вердикта Флит и еще два их человека — Боб Митчелл и Стерлинг Гибб — зажали меня в угол. Милые ребята, ничего не скажешь. Они были так счастливы, что чуть не прыгали от радости. Стали спрашивать меня, живы ли вы еще, — как вам это нравится? Потом попросили передать вам свои наилучшие пожелания, казалось даже, что искренне. Сказали, что собираются совершить гастрольное турне по стране со своим представлением «Роджер-Ракета и компания», а первое выступление дадут в округе Колумбия, против мистера Клея Картера, Короля сделки, который, как всем известно, никогда в жизни не выступал в суде по гражданскому делу. Что я мог ответить? Они только что победили великого адвоката на его собственном поле.

— Наши дела больше ничего не стоят, Оскар.

— Они тоже так думают, разумеется. Митчелл заявил, что они ни цента не дадут ни одному истцу во всей стране. Они, мол, жаждут новых судов. Жаждут мести. Жаждут защитить свое доброе имя, ну и всякая прочая чушь.

Клей не отпускал Оскара около часа, пока в его неосвещенной палате не стало темно. Малруни подробно пересказал ему обе заключительные речи, описал, какое напряжение царило в зале в ожидании вердикта, какой шок испытала истица — умирающая женщина, адвокат которой лишил ее того, что предлагала компания «Гофман», то есть предположительно десяти миллионов. А Мунихэм, который не проигрывал столько лет, похоже, забыл, как это бывает. Когда к старику вернулся дар речи и ему удалось встать, разумеется, опираясь на палку, он потребовал, чтобы все ответы присяжных были обнародованы и чтобы они объяснили свое решение. В общем, выставил себя на посмешище. Команда компании тоже была потрясена. Пока старшина присяжных не произнес заключительную волшебную формулу, они сидели в своих темных костюмах опустив головы и, казалось, молча молились. А когда аналитики с Уоллстрит бросились прочь из зала с сотовыми телефонами наготове, можно было подумать, что прорвало плотину.

Свой рассказ обессиленный Оскар закончил словами:

— Теперь пойду в бар, напьюсь.

Клей вызвал медсестру и попросил таблетку снотворного.

41

После одиннадцати дней заточения Клей наконец был отпущен на волю. На левую ногу ему наложили облегченный гипс, так что, хотя ходить он и не мог, относительная свобода движений все же появилась. Полетт вывезла его из больницы в инвалидной коляске и погрузила в микроавтобус, за рулем которого сидел Оскар. Через пятнадцать минут они вкатили коляску в его джорджтаунский дом и заперли дверь. Загодя Полетт с помощью мисс Глик превратила нижнюю гостиную во временную спальню. На складном столике возле кровати установили телефоны, факс и компьютер. Одежду аккуратно разложили на полках возле камина.

В течение первых двух часов по возвращении Клей читал почту, финансовые отчеты и вырезки из газет и журналов — только те, которые отобрала Полетт. Большую часть того, что появилось за время его болезни в печати, она от него утаила.

Потом, немного поспав, Клей усадил Полетт и Оскара за стол в кухне и объявил, что пора начинать действовать.

И они принялись распутывать узлы.

* * *

Первым пунктом повестки дня значилась его адвокатская контора. Гриттлу удалось сократить кое-какие расходы, но они все равно стремительно приближались к миллиону долларов в месяц. Поскольку никаких поступлений не было и не предвиделось, с неизбежностью встал вопрос об увольнениях. Они просмотрели список сотрудников — адвокатов, параюристов, секретарей, референтов, посыльных — и произвели болезненные сокращения. Хоть дела по максатилу и считались теперь не стоящими ни цента, кто-то должен был провести работу по их ликвидации. Для этого Клей выделил четырех адвокатов и четырех параюристов. Ему хотелось бы выплатить премии каждому уволенному сотруднику, но это съело бы все средства, в которых он теперь так отчаянно нуждался.

Клей перечитал фамилии тех, кому предстояло потерять работу, и у него заныло сердце.

— Я еще покумекаю над этим, — сказал он, не решаясь огласить весь список.

— Большинство этих людей уже приготовились к увольнению, — заметила Полетт.

Клей со стыдом представил, как о нем будут говорить в его собственной фирме.

Двумя днями раньше Оскар неохотно согласился поехать в Нью-Йорк и встретиться с Хелен Уоршо. Он представил ей подробную картину авуаров Клея Картера, предстоящих трат и практически молил ее о пощаде. Его шеф не хотел объявлять себя банкротом, но, если мисс Уоршо будет слишком давить на него, выбора не останется. На нее это не произвело никакого впечатления. Клей являлся членом группы адвокатов, против которых она выступала и солидарная ответственность которых, по ее подсчетам, должна была составить полтора миллиарда долларов. Она сказала, что не позволит Клею выплатить кому-либо из ее клиентов меньше, скажем, миллиона. Что же касается Пэттона Френча, то ему она предъявит требования втрое суровее. А кроме всего прочего, она вообще не расположена к сделкам. В данном случае очень важно провести показательный процесс и устроить шумную кампанию в прессе — это будет решительная попытка стимулировать реформу системы правосудия в области коллективных тяжб.

Оскар вернулся с поджатым хвостом и доложил, что Уоршо жаждет крови Картера как адвоката, ответственного за утрату ожидаемой компенсации самой многочисленной группой ее теперешних клиентов.

Устрашающее слово «банкротство» было впервые произнесено Рексом Гриттлом еще в больничной палате. Оно просвистело в воздухе, как пуля, и разорвалось, как снаряд. Потом стало возникать все чаще. Клей и сам уже пробовал его на вкус, правда, лишь мысленно. Один раз его позволила себе вымолвить Полетт. Оскар неоднократно произносил его в Нью-Йорке. Оно им не нравилось, но за последнюю неделю прочно вошло в обиход.

Договор аренды будет расторгнут — в соответствии с процедурой банкротства.

По договорам найма будет найден компромисс — в соответствии с процедурой банкротства.

«Гольфстрим» будет возвращен продавцу на возможно выгодных условиях — в соответствии с процедурой банкротства.

У рассерженных истцов по делу о максатиле будут связаны руки — в соответствии с процедурой банкротства.

И, что самое важное, удастся приструнить Хелен Уоршо — в соответствии с процедурой банкротства.

Оскар пребывал почти в таком же угнетенном состоянии, как Клей, и через несколько часов мучительных поисков выхода отправился в контору. Полетт вывезла Клея в патио, где они выпили по чашке зеленого чая с медом.

— Я должна тебе кое-что сказать, — решилась наконец Полетт, глядя прямо в глаза Клею. — Во-первых, я собираюсь дать тебе немного денег.

— Ни в коем случае.

— Нет, я так хочу. Ты сделал меня богатой, хотя никто тебя не понуждал. Не моя вина, что ты по собственной глупости оказался с голой задницей, но я тебя люблю и хочу помочь.

— Полетт, ты веришь, что все это действительно случилось?

— Нет. Это выше моего понимания, но это правда. Все уже произошло. И прежде чем что-то изменится к лучшему, будет еще хуже. Не читай газет, Клей. Прошу тебя. Обещай мне.

— Не волнуйся.

— Я буду тебе помогать. Раз ты все потерял, я останусь рядом, чтобы знать, что с тобой все в порядке.

— У меня нет слов.

— И не надо.

Он держал ее руки в своих и пытался скрыть слезы. Они немного посидели молча. Потом Полетт продолжила:

— Во-вторых, я говорила с Ребеккой. Она боится встречи с тобой, поскольку не ручается за себя. У нее новый сотовый, о котором ее муж не знает. Она дала мне номер и ждет твоего звонка.

— Дай мне женский совет.

— Только не я. Ты знаешь, как я отношусь к твоей русской шлюхе. А Ребекка — славная девочка, но у нее багаж, от которого сразу не избавишься. Решай сам.

— Спасибо.

— Не за что. Она хочет, чтобы ты позвонил сегодня днем. Ее муж, кажется, куда-то уехал по делам. А мне через несколько минут надо уходить.

Ребекка оставила машину за углом и быстро направилась по Дамбартон-стрит к дому Клея. Она не умела ничего делать тайком, он — тоже. Поэтому они с самого начала договорились, что это будет их единственная тайная встреча.

Ребекка с Джейсоном Майерсом решили разойтись по-хорошему. Сначала он хотел отложить развод и поискать пути к примирению, но сам осознал, что это едва ли удастся, поскольку предпочитал работать по восемнадцать часов в сутки — не важно где: можно здесь, в округе Колумбия, еще лучше — в Нью-Йорке, Пало-Альто или в Гонконге. Его огромная фирма имела отделения в тридцати двух городах и клиентов по всему миру. Работа для него была важнее всего остального. Он просто ушел от Ребекки, без извинений и без обещаний изменить свою жизнь. Официально подать на развод они собирались через два дня. Ребекка тоже паковала вещи. Квартира в кондоминиуме оставалась за Джейсоном, так что она смутно представляла себе, куда пойдет. За неполный год совместной жизни добра они не нажили. Как партнер в фирме Джейсон зарабатывал восемьсот тысяч в год, но его денег она не хотела.

Если верить Ребекке, ее родители не вмешивались в их дела. Да у них и возможности не было: Майерс их не любил, что неудивительно. Клей подозревал, что отчасти по этой причине он чаще всего и работал в гонконгском филиале — подальше от Ван Хорнов.

И у Клея, и у Ребекки были причины бежать. Клей ни под каким предлогом не хотел оставаться в ближайшие годы в округе Колумбия, где так чудовищно опозорился. На свете множество мест, где его никто не знает. Там он будет спокойно жить под чужим именем. Ребекка тоже, впервые в жизни, мечтала скрыться — от неудавшегося замужества, от родителей, от загородного клуба с его невыносимо чванливыми завсегдатаями, от необходимости зарабатывать деньги, накапливать имущество и от тех немногих друзей, которые у нее имелись.

Час ушел у Клея на то, чтобы заманить ее в постель, но с этим гипсом на ногах и вообще... о близости сейчас не могло быть и речи. Ему просто хотелось держать ее в объятиях и целовать, наверстывая упущенное.

Она осталась на ночь и утром тоже решила не уходить. На следующий день за завтраком он начал с Текилы Уотсона, тарвана и постепенно рассказал ей все.

Полетт и Оскар явились из конторы с новыми неприятными известиями. Какой-то подстрекатель в округе Хауард уговаривал домовладельцев подавать жалобы на Картера в комитет по профессиональной этике за срыв сделки с компанией «Хэнна». Несколько десятков таких жалоб уже поступило в коллегию адвокатов округа Колумбия. Шесть исков было предъявлено Клею адвокатом, который продолжал активно собирать клиентов. Контора Клея заканчивала работу над проектом урегулирования дел в связи с банкротством компании «Хэнна». Проект вскоре намечалось передать в суд. Как ни странно, за это контора могла получить гонорар, правда, несопоставимый с тем, который Клей потерял.

Фирма Хелен Уоршо торопилась начать видеозапись показаний истцов. Поспешность была связана с тем, что эти истцы умирали, а их показания должны были стать козырной картой на суде, который ожидался не позже чем через год. Обычная со стороны ответчика тактика проволочек, предупредила мисс Уоршо, была бы в высшей степени бесчестна по отношению к таким истцам. Клей принял предложенный ею порядок опроса свидетелей, хотя присутствовать на них не собирался.

Под давлением Оскара Клей согласился наконец уволить десять адвокатов и большинство параюристов, секретарей и референтов. Каждому из них он написал короткое письмо, в котором принес искренние извинения. Всю ответственность за крах фирмы он брал на себя.

Честно говоря, больше винить было и некого.

Через силу Клей сочинил письмо и своим клиентам по делу о максатиле. В нем он резюмировал ход процесса, проигранного Мунихэмом. Его мнение: препарат действительно опасен, но доказать прямую связь между ним и известными заболеваниями «очень сложно, если вообще возможно». Он сообщил также, что компания «Гофман» не желает идти на досудебное соглашение, а в своем нынешнем состоянии сам он не может подготовить полноценный процесс.

Ему было противно использовать в качестве предлога состояние своего здоровья, но Малруни настоял. В письме это звучало убедительно. К тому же, находясь в нижней точке своей карьеры, Клей не мог позволить себе отвергнуть какую бы то ни было возможность оправдаться.

Таким образом, он освобождал своих клиентов от контракта, и делал это заблаговременно, давая возможность каждому нанять другого адвоката, чтобы судиться с гигантской корпорацией. Он даже пожелал им удачи.

Письма должны были неизбежно повлечь за собой бурю конфликтов, но Малруни пообещал все взять на себя.

— По крайней мере так мы отделаемся от этих людей, — повторял он.

Клей то и дело думал о Максе Пейсе, приятеле, втянувшем его в это дело. Человеку по фамилии Пейс — одной из минимум пяти его фамилий — было заочно предъявлено обвинение в мошенничестве в особо крупных размерах, но его так и не удалось разыскать. В обвинении говорилось, что, используя секретную информацию, он продал почти миллион акций компании «Гофман» перед тем, как Клей подал на компанию в суд, а потом выкупил их по бросовым ценам и улизнул из страны, заработав на этом не менее пятнадцати миллионов. «Беги, Макс, беги! Если тебя поймают и приволокут в суд, ты ведь можешь вытащить на свет все наши грязные делишки».

У Оскара в списке было еще пунктов сто, но Клей уже устал.

— Мне исполнять сегодня роль сиделки? — шепотом спросила его на кухне Полетт.

— Нет, здесь будет Ребекка.

— Любишь ты создавать себе проблемы.

— Завтра они подают на развод. По обоюдному согласию.

— А как же куколка?

— Если она когда-нибудь и вернется с Сент-Барта, это все равно уже в прошлом.

Всю следующую неделю Клей не покидал дома. Ребекка упаковала вещи Ридли в огромные мешки для мусора и утащила их в подвал. Кое-какие свои вещи она, наоборот, перевезла к нему, хотя Клей и предупредил, что дом наверняка отберут. Ребекка готовила вкусные кушанья и всячески заботилась о Клее. Они до полуночи смотрели старые фильмы, а по утрам долго спали. Она возила его к врачу.

Ридли позванивала со своего острова. Клей не стал сообщать ей, что она уволена, он собирался сказать это с глазу на глаз, если она все-таки вернется. Процесс переоборудования виллы шел полным ходом, несмотря на то что Клей значительно урезал бюджет. Однако его финансовые проблемы Ридли, судя по всему, представляла себе весьма смутно.

Последним адвокатом, оказавшимся причастным к судьбе Клея, был эксперт по делам о банкротстве Марк Мунсон — специалист по громким, запутанным индивидуальным катастрофам. Его нашел Гриттл. После того как Клей встретился с адвокатом лично, Рекс показал ему бухгалтерские книги, договоры аренды, контракты, иски, сведения об авуарах, размерах предполагаемой финансовой ответственности — словом, все. Когда они вместе явились домой к Клею, он попросил Ребекку оставить их, желая оградить ее от неприятных подробностей.

За семнадцать месяцев, минувших с того дня, как Клей покинул БГЗ, он заработал гонораров на сумму сто двадцать один миллион долларов. Тридцать миллионов было выплачено Родни, Полетт и Ионе в качестве вознаграждения. Двадцать ушло на организацию офиса, оплату коммунальных услуг и «гольфстрим». Шестнадцать были спущены в унитаз — стоимость рекламы и медицинских тестов по дилофту, максатилу и «Тощему Бену». Налоги, уже уплаченные и начисленные, но еще не погашенные, составили тридцать четыре миллиона. Четыре стоила вилла, три — отцовская яхта. Миллион туда, миллион сюда — дом, «предоплата» услуг Макса Пейса, обычные экстравагантности, от которых не может удержаться ни один нувориш.

Кстати, с яхтой дело обстояло весьма непросто. Клей ее оплатил, но официально, в целях снижения налогов, «плавсредство» было зарегистрировано как часть флотилии Багамской компании. Мунсон считал, что суд по делам банкротства может вынести одно из двух решений: яхту сочтет либо даром — в этом случае Клею придется заплатить налог на дарственную, — либо просто чужой собственностью, не являющейся частью имущества Клея. Однако в любом случае яхта останется за Джарретом Картером.

Семь миллионов сто тысяч Клей заработал на игре с акциями «Акермана», и хотя часть этой суммы он припрятал на оффшорном счете, деньги, похоже, придется оттуда вытащить.

— Если станет известно, что вы что-то прячете, вас ждет тюрьма, — наставлял его Мунсон, откровенно давая понять, что не потерпит никаких махинаций.

Итоговый баланс равнялся приблизительно девятнадцати миллионам, если не считать незначительной суммы, причитающейся фирме от должников. Так или иначе, доля ответственности Клея представлялась катастрофической. Двадцать шесть его бывших клиентов уже подали на него в суд из-за фиаско с дилофтом, и цифра грозила вырасти, а поскольку Клей не мог оспорить размер компенсации за каждое дело, сумма предполагаемой выплаты обещала значительно превысить все, что у него осталось. Между тем уже суетились и строились в ряды бывшие клиенты по делу компании «Хэнна». Удар от бумеранга максатила, безусловно, станет и вовсе сокрушительным, предсказать точные цифры совершенно невозможно.

— Этим пусть занимается совет доверителей по делу о банкротстве, — решил Мунсон. — С вас снимут последнюю рубашку, но по крайней мере вы не будете никому должны.

— Большое спасибо, — саркастически вымолвил Клей, продолжая думать о яхте. Если удастся спасти ее от конфискации, Джаррет сможет ее продать, купить себе что-нибудь поменьше, а у Клея останется немного денег на жизнь.

После двухчасового совещания с Мунсоном и Гриттлом кухонный стол Клея сплошь покрылся таблицами, распечатками и разрозненными записками — руинами последних семнадцати месяцев его жизни. Клей стыдился своей жадности и был обескуражен собственной глупостью. Ему было тошно видеть, что сделали с ним деньги.

Единственное, что помогало держаться, так это мысль о скором побеге.

Позвонив с Сент-Барта, Ридли сообщила тревожную новость: перед «их» виллой выставили табличку с надписью «Продается».

— Это потому, что она продается, — ответил Клей.

— Не понимаю.

— Приезжай, я объясню.

— Какие-то неприятности?

— Можно выразиться и так.

После долгой паузы она заявила:

— Я предпочитаю остаться здесь.

— Ридли, заставить тебя вернуться я не могу.

— Конечно.

— Ну и прекрасно. Оставайся на вилле, пока ее не продадут. Мне все равно.

— И скоро это может случиться?

Он ясно представил, как она будет предпринимать все возможные усилия, чтобы воспрепятствовать продаже дома. Но в этот момент ему действительно было все равно.

— Может, через месяц, а может, через год. Не знаю.

— Тогда я остаюсь.

— Отлично.

Родни нашел старого друга сидящим на ступеньках своего дома, скрюченным, скособоченным, в пледе, наброшенном на плечи, чтобы оберечься от осеннего холода. Ветер нес по Дамбартон-стрит осенние листья.

— Хочется подышать свежим воздухом, — объяснил Клей. — Я три недели был заперт в четырех стенах.

— Как твои кости? — спросил Родни, присев рядом и глядя на улицу.

— Срастаются потихоньку.

Родни распрощался со столицей и стал пригородным обывателем. Брюки цвета хаки, кроссовки, смешной полуспортивный пикап — чтобы возить детей.

— А голова?

— Лучше, чем было, мои мозги урона не претерпели.

— А что с душой?

— Она болит, чтобы не сказать больше. Но я выстою.

— Полетт говорит, ты собрался уехать?

— Во всяком случае, на время. На будущей неделе объявлю о своем банкротстве, но не собираюсь присутствовать при последующей процедуре. У Полетт есть квартира в Лондоне, она отдает мне ее на несколько месяцев. Там мы и спрячемся.

— Банкротства никак нельзя избежать?

— Никак. Слишком много претензий, причем обоснованных. Помнишь нашего первого клиента по дилофту, Теда Уорли?

— Конечно.

— Он вчера умер. Не я спустил курок, но я не защитил от пули. Если бы его дело попало в суд, он получил бы минимум пять миллионов. А таких клиентов у меня двадцать шесть. Нет, я уезжаю в Лондон.

— Клей, я хочу помочь.

— Я не возьму у тебя денег. Ты ведь для этого пришел, я знаю. У меня уже дважды были такие разговоры — с Полетт и с Ионой. Ты заработал эти деньги, и у тебя хватило ума их сберечь. А у меня — нет.

— Но мы не собираемся стоять в стороне и смотреть, как ты погибаешь. Ты не был обязан давать нам по десять миллионов, однако дал. Мы хотим кое-что вернуть тебе.

— Нет, — твердо сказал Клей.

— Да. Мы поговорили между собой и решили подождать, пока процедура банкротства будет завершена, после чего каждый из нас сделает перевод на твой счет — в качестве дара.

— Ты заработал эти деньги, Родни. Пусть они останутся тебе и твоей семье.

— Никто не может заработать десять миллионов за полгода, Клей. Такие деньги можно выиграть, украсть, они могут свалиться с неба, но никто не «зарабатывает» подобным образом. Это смешно и даже неприлично. Я верну часть денег. Полетт тоже. Насчет Ионы не уверен, но и он думает об этом.

— Как твои дети?

— Ты хочешь сменить тему?

— Да, хочу сменить тему.

Они поговорили о детях, о старых приятелях по БГЗ, о тогдашних своих клиентах и их делах. Так и сидели на ступеньках, пока не стемнело. Пришла Ребекка, настало время ужинать.

42

Молодой репортер из «Пост» Арт Мариани очень хорошо знал Клея Картера, поскольку стал летописцем его стремительного восхождения и столь же ошеломительного падения и следил за каждым шагом адвоката очень внимательно и, надо признать, довольно беспристрастно. Прибыв в дом Клея, Мариани был встречен Полетт и препровожден по узкому коридору в кухню, где его уже ждали. Клей неловко поднялся на ноги и представился, потом представил поочередно остальных: Зак Бэттл, его адвокат, Ребекка Ван Хорн, его друг, и Оскар Малруни, его партнер. Мариани включил диктофон. Ребекка подала кофе.

— Это длинная история, — сказал Клей, — но времени у нас полно.

— Я никуда не спешу, — подтвердил Мариани.

Клей отпил кофе, сделал глубокий вздох и принялся рассказывать. Он начал со своего тогдашнего клиента Текилы Уотсона, застрелившего Рамона Памфри по прозвищу Пампкин. Даты, время, места — у Клея все было записано и подтверждено документально. Затем последовал рассказ об

Уошеде Портере и двух его жертвах. Потом еще о четырех, о реабилитационном центре, о чудовищных последствиях лечения препаратом под названием «Тарван». Хотя он ни разу не упомянул Макса Пейса, поведанную тем историю тарвана воспроизвел доподлинно — секретные клинические испытания в Мехико, Белграде и Сингапуре, желание производителя испытать препарат на африканцах, желательно в Соединенных Штатах. Появление препарата в округе Колумбия.

— Кто выпустил этот препарат? — спросил Мариани, явно потрясенный.

После долгой паузы, в течение которой Клей, судя по всему, просто не мог говорить, он наконец произнес:

— Я не до конца уверен, но думаю, что «Фило».

— «Фило продактс»?

— Да. — Клей протянул руку, взял толстую папку и подтолкнул ее через стол Мариани. — Здесь один из договоров сделки. Вы увидите, что в нем упоминаются две оффшорные компании. Если вам удастся туда проникнуть и взять след, весьма вероятно, что он выведет вас на некую теневую люксембургскую компанию, а оттуда — на «Фило».

— Я так и сделаю, но почему вы подозреваете «Фило»?

— У меня есть источник информации. Однако это все, что я могу вам сообщить.

Этот таинственный «источник» в свое время выбрал Клея среди всех адвокатов округа Колумбия и уговорил продать душу за пятнадцать миллионов. Тогда Клей быстренько бросил свое БГЗ и основал собственную фирму. Но об этой части его биографии Мариани уже был неплохо осведомлен. Клей заключил контракты с семьями шестерых погибших, легко уговорив каждого за пять миллионов держать язык за зубами, и уладил дело в течение месяца. В рассказе всплывало все больше подробностей, все больше документов ложилось на стол.

— Когда я опубликую эту историю, что станется с вашими бывшими клиентами, с семьями убитых? — спросил Мариани.

— Вот это главным образом и не дает мне спать, но, я думаю, все обойдется, — ответил Клей. — Во-первых, деньгами они владеют уже год, поэтому могут заявить, что большая их часть потрачена. Во-вторых, было бы безумием со стороны компании пытаться оспорить сделку.

— В этом случае семьи погибших могли бы подать в суд непосредственно на производителя, — подоспел на помощь Зак Бэттл. — А вердикты по такому делу способны разорить любую корпорацию. Мне никогда не доводилось сталкиваться с настолько чудовищными фактами.

— Компания не станет оспаривать сделку, — кивнул Клей. — Им повезло, что удалось тогда замять дело всего за пятьдесят миллионов.

— А семьи могут отказаться от сделки, когда правда выйдет наружу? — поинтересовался Мариани.

— Это трудно сделать.

— А что будет с вами? Вы ведь заключили тайную сделку.

— Обо мне больше речи нет. Я без пяти минут банкрот и собираюсь сдать лицензию на юридическую практику. Меня им не достать. — Это было грустное признание, причинившее друзьям Клея не меньше боли, чем ему самому.

Мариани сделал какие-то пометки и сменил пленку.

— Что будет с Текилой Уотсоном, Уошедом Портером и остальными осужденными за убийство?

— Во-первых, они могут подать в суд на производителя препарата, хотя в тюрьме это слабо им поможет. Но есть вероятность, что их дела будут пересмотрены, по крайней мере в части приговора.

Бэттл закашлялся, все ждали тишины.

— Это не для печати, — сказал Клей. — После того как вы опубликуете то, что сочтете нужным, и после того как уляжется пыль, я собираюсь заняться этими делами и добиться их пересмотра. Я подам иск от лица семерых осужденных, разумеется, в том случае, если удастся идентифицировать компанию-производителя. Тогда я смогу обратиться в уголовный суд с требованием заново открыть дело.

— Весьма опасно. — Мариани произнес то, о чем подумали все присутствующие. — Вспомните, к чему привела тяжба с производителем дилофта.

— Это другая история, отложим ее на другое время, — сказал Клей. — К тому же большую ее часть вы уже знаете. Я о ней говорить не хочу.

— Имеете право. Она закончена?

— Для меня — да.

Полетт и Зак отвезли их в международный аэропорт Рейгана. «Гольфстрим» Клея стоял неподалеку от того места, где он его впервые увидел. Поскольку они уезжали минимум на полгода, багажа набралось много, особенно у Ребекки. У Клея, столько потерявшего за последние несколько месяцев, вещей было меньше. Он научился ловко управляться с костылями, но нести ничего не мог. Его носильщиком работал Бэттл.

Клей театрально указал спутникам на свой самолет, хотя все понимали, что пользуется он им в последний раз. Потом крепко обнял Полетт, похлопал по плечу Зака, поблагодарил обоих и пообещал позвонить через несколько дней. Когда второй пилот задраил дверь, Клей опустил шторки на иллюминаторах, чтобы не видеть при взлете Вашингтон.

Ребекке лайнер показался мрачным символом пагубной алчности. Она уже мечтала о маленькой лондонской квартирке, где никто из соседей не будет их знать и никому не будет дела до того, во что они одеты, на чем ездят, где работают, покупают продукты и как проводят отпуск. Она не собиралась возвращаться домой. С родителями на сей раз она поссорилась окончательно.

Клей же мечтал о паре здоровых ног и безупречной репутации. Он пережил одно из крупнейших крушений в истории американского правосудия и удалялся от него все дальше и дальше. Ребекка принадлежала ему, все остальное не имело значения.

Где-то над Ньюфаундлендом они разложили диван и заснули, укрывшись одним одеялом.

ОТ АВТОРА

Обычно авторы используют послесловия для того, чтобы сделать массу оговорок насчет случайного характера совпадений, встречающихся в книге, и таким образом обезопасить тылы и избежать, насколько возможно, судебного преследования. Всегда возникает искушение просто перенести действие в какое-нибудь вымышленное окружение, вместо того чтобы исследовать реальность. Признаюсь, я бы охотно сделал что угодно, лишь бы не выверять детали. Вымысел — желанный щит, за которым так легко укрыться. Но когда вымысел рискует приблизиться к правде, следует быть в высшей степени осторожным. Вот почему и приходится автору писать несколько объяснительных строк.

Вашингтонская (округ Колумбия) служба государственных защитников — уважаемое и в высшей степени деятельное учреждение, которое много лет ревностно защищает права обездоленных. Работающие в нем адвокаты — блестящие профессионалы, преданные своему делу и умеющие держать язык за зубами. Конфиденциальность сведений о клиенте для них закон. Внутренний распорядок работы службы остается тайной за семью печатями, поэтому я просто создал собственное, воображаемое, БГЗ. И любое сходство между этими двумя учреждениями носит сугубо случайный характер.

Марк Твен говорил, что он нередко передвигает города, округа и даже целые штаты, если это необходимо для развития сюжета. Меня тоже ничто не сдерживало. Если не существует здания, которое мне нужно, я вмиг воздвигаю его. Если улица пролегает на карте не там, где мне нужно, я не задумываясь меняю ее местоположение или вообще создаю новую карту города. Можно сказать, что около половины мест в этой книге описаны правильно. Другой же половины либо не существует вовсе, либо она перекроена настолько, что узнать ее невозможно. Любой, кто станет искать точные топографические соответствия, напрасно потеряет время.

Не то чтобы я не стремился к достоверности. По мере приближения к концу работы я лихорадочно звонил по телефону, консультировался с массой людей и с удовольствием пользуюсь возможностью принести благодарность за советы Фрицу Чокли, Брюсу Брауну, Гейнсу Тэлботу, Бобби Моуку, Пенни Пинкале и Джерому Дэвису.

Рени прочел черновой вариант книги и не запустил в меня ею — добрый знак. Дэвид Гернерт разнес ее в клочья, а потом помог заново собрать воедино. Уилл Дентон и Памела Джинер тоже ознакомились с рукописью и дали мне в высшей степени ценные советы. Когда я переписал книгу в четвертый раз и все исправил, ее прочла Эстелл Лоренс и нашла в ней тысячу ошибок.

Все упомянутые выше люди продемонстрировали искреннюю готовность помочь. Оставшиеся же ошибки, как всегда, на моей совести.

Литературно-художественное издание

16+

Гришэм Джон

Король сделки

Роман

Ответственный редактор Л.А. Кузнецова
Ответственный корректор И.Н. Мокина
Компьютерная верстка: Р.В. Рыдалин
Технический редактор Н.И. Духанина

Подписано в печать 21.01.14. Формат 60x90 1/16.
Усл. печ. л. 26. Тираж 2500 экз. Заказ № 913.

Общероссийский классификатор продукции
ОК-005-93, том 2; 953000 — книги, брошюры

Наши электронные адреса: WWW.AST.RU
E-mail: astpub@aha.ru

ООО «Издательство АСТ»
129085, г. Москва, Звездный бульвар, д. 21, строение 3, комната 5

Отпечатано с готовых файлов заказчика
в ОАО «Первая Образцовая типография»,
филиал «УЛЬЯНОВСКИЙ ДОМ ПЕЧАТИ»
432980, г. Ульяновск, ул. Гончарова, 14